L'Histoire de la médecine

pour les nuls

L'Histoire de la médecine

pour les nuls

Bruno Halioua

Dermatologue et historien

Ouvrage dirigé par Laurence Brunel

FIRST

ÉDITIONS

L'Histoire de la médecine pour les Nuls

« Pour les Nuls » est une marque déposée de John Wiley & Sons, Inc.
« For Dummies » est une marque déposée de John Wiley & Sons, Inc.

© Éditions First, un département d'Édi8, Paris, 2015. Publié en accord avec John Wiley & Sons, Inc.

Éditions First, un département d'Édi8
12, avenue d'Italie
75013 Paris – France
Tél. : 01 44 16 09 00
Fax : 01 44 16 09 01
Courriel : firstinfo@efirst.com
Internet : www.pourlesnuls.fr

ISBN : 978-2-7540-6585-6
Dépôt légal : août 2015

Imprimé en France

Direction éditoriale : Marie-Anne Jost-Kotik
Édition : Laure-Hélène Accaoui
Relecture sur épreuves : Sandra Monroy
Préparation de copie : Isabelle Bruno, Michel Doussot – Agence Bon à lire
Illustrations : Marc Chalvin
Couverture et mise en page : KN Conception
Direction de la production : Emmanuelle Clément

À propos de l'auteur

Bruno Halioua est dermatologue, chargé de cours d'histoire de la médecine à l'université Paris-Sorbonne et chroniqueur sur France 5. Ancien chef de clinique de la faculté de médecine de Paris, il est diplômé d'histoire contemporaine et membre de la Société française d'histoire de la médecine. Il est l'auteur de nombreux articles et ouvrages sur l'histoire de la médecine : *Blouses blanches, étoiles jaunes* (Liana Levi, 1999), *La Médecine au temps des pharaon*s (Liana Levi, 2002), qui est traduite aux États-Unis chez Harvard University Press et dans plusieurs autres pays, *Science et conscience* (Liana Levi, 2004), *Le Procès des médecins de Nuremberg* (Vuibert, 2007), *La Médecine au temps des Hébreux* (Liana Levi, 2008).

Dédicace

À Corinne.

À mon fils, Dan, à mes filles, Salomé, Bethsabée et Naomie.

« Puisse l'amour de mon art, en tout temps, me guider. Que ni l'avarice, ni la cupidité, ni la soif de gloire, ni le désir d'une grande réputation n'engagent mon esprit [...]. Puissé-je ne jamais voir dans le patient autre chose qu'une créature qui souffre.

Accorde-moi la force, le temps et l'occasion de corriger sans cesse ce que j'ai acquis et d'en constamment élargir le domaine [...]. »

Moïse Maïmonide (1138 – 1204)

Sommaire

Introduction

Ma curiosité pour l'histoire de la médecine remonte au début de mes études lorsqu'un de mes professeurs a rappelé ces mots d'Auguste Comte : « on ne connaît pas complètement une science tant qu'on n'en sait pas l'histoire ».

Je me suis alors intéressé à l'histoire de la médecine, observant le parcours de ces nombreux personnages, connus ou méconnus, qui ont contribué à accumuler les connaissances médicales et chirurgicales depuis plusieurs millénaires.

J'ai voulu partager ici, avec tous, ma passion de l'histoire de la médecine en relatant certaines de ces histoires, petites et grandes. Le fil conducteur a été chronologique : j'ai donc envisagé l'aventure de la médecine, par grandes périodes, au fil des siècles.

La médecine a connu des progrès fantastiques, parfois chaotiques, dans l'art de guérir qui est devenu une science grâce à l'obstination d'hommes et de femmes pétris de convictions, de doutes et de passion. J'ai cité certains livres qui ont posé les jalons du savoir médical. J'ai évoqué les médecins qui ont laissé leur nom à une maladie, à un organe, à une théorie ou plus modestement... à un instrument. Les étapes qui ont abouti à leur découverte ont été, le plus souvent, l'accumulation d'un savoir transmis par leurs pairs, le fruit d'un travail de réflexion et une ténacité qui force le respect et l'admiration.

Si la médecine est avant tout humaine, son histoire s'inscrit dans un contexte global qui a été restitué par petites touches quand c'était néces-saire : environnement politique, économique, social ou religieux, idées philosophiques et scientifiques, découvertes, l'histoire des grandes maladies – leurs causes, leurs modes de transmission, leur évolution et les traitements mis en œuvre – s'inscrivant en filigrane.

À propos de ce livre

Pourquoi une histoire de la médecine pour les Nuls ? À l'aube du XXIe siècle, nous assistons à un véritable engouement pour l'histoire, lequel traduit le besoin d'approfondir notre réflexion sur les événements qui se déroulent quotidiennement aux quatre coins de la planète. Cet intérêt est manifeste dans certains domaines, comme la médecine où on assiste aujourd'hui à des bouleversements majeurs. Il traduit une préoccupation moderne centrale, la santé.

Ce livre ne prétend pas être exhaustif, mais relater les événements les plus importants de l'histoire de la médecine et aider à sa compréhension globale, en mettant en lumière les principales figures, découvertes et enjeux.

À qui s'adresse ce livre ?

L'histoire de la médecine est un pan du savoir de l'humanité : en tant que tel, il nous restitue notre histoire et éclaire notre présent, ses questions et ses débats. À ce titre, elle intéresse tous ceux qui veulent se cultiver et réfléchir.

Nombreux sont, par ailleurs, les soignants, mais aussi les patients, qui veulent disposer d'éléments de compréhension leur permettant de suivre le cheminement intellectuel qui a conduit les hommes à chercher à soigner, soulager et guérir. Certaines présentations un peu techniques ou détaillées les concerneront au premier chef.

Comment ce livre est-il organisé ?

Afin d'apporter des repères historiques à la fois clairs et précis, ce livre est organisé de façon linéaire, chaque partie du livre embrassant une période clé de l'histoire de la médecine. Vous pourrez ainsi situer aisément les événements dans leur environnement. Des encadrés permettent des recoupements, des approfondissements ou l'éclairage d'un point particulier.

Première partie : Les médecines traditionnelles orientales et antiques

Les médecines traditionnelles ont été influencées par les systèmes philosophiques qui régnaient dans les anciennes civilisations extrême-orientales, atteignant, très tôt, un haut niveau dans l'art de soigner. Médecine de l'homme dans sa globalité (corps et esprit), elles reposent sur des concepts originaux – tel l'équilibre nécessaire entre le *yin* et le *yang*, dans la médecine chinoise – pour expliquer le fonctionnement du corps humain et la survenue des maladies. Des ouvrages fondamentaux ont servi de support à l'enseignement depuis de nombreux siècles et sont toujours utilisés, notamment dans le domaine de l'acupuncture.

Parallèlement, chez les Assyro-Babyloniens, les Égyptiens, les Hébreux, et même en Grèce, la médecine se confond longtemps avec l'empirisme et les pratiques magiques. Elle relève davantage d'un sorcier-médecin soignant avec des plantes et des incantations. La maladie est punition divine. Dans les grands États de l'Antiquité, néanmoins, la médecine préventive et l'hygiène se développent avec, pour certains, un savoir clinique et des techniques chirurgicales élaborées, ainsi qu'un système de soins et même une législation, comme en témoigne le Code de Hammurabi au XVIIIe siècle avant J.-C.

Ce sont les Grecs qui sont considérés comme les fondateurs de la médecine « moderne », grâce à Hippocrate au IVe siècle avant J.-C., lequel rompt définitivement avec la religion. Il est à l'origine d'une première classification des maladies et décrète leur origine naturelle. Sa théorie des humeurs (sang, phlegme, bile jaune, bile noire) et de leurs déséquilibres qui engendreraient la maladie a été utilisée jusqu'au XVIIIe siècle.

À Rome, la médecine est d'abord l'affaire des Grecs installés dans cette cité. Un corps médical s'organise ; des règles de santé publique apparaissent, ainsi que les premiers hôpitaux. Largement inspiré par l'œuvre d'Hippocrate, le médecin le plus prestigieux de l'Antiquité est Galien, au IIe siècle après J.-C., qui introduit une démarche véritablement scientifique. Théories et pratiques galéniques vont alors exercer une influence majeure sur la médecine pendant 1 500 ans.

Deuxième partie : La médecine du Moyen Âge

Après la chute de l'Empire romain, au Ve siècle, l'Occident chrétien est sous le joug de l'Église toute puissante et sombre dans l'obscurantisme. Ce sont les médecins arabes qui assurent et enrichissent le vaste patrimoine médical antique, assurant avec succès la jonction entre la pensée gréco-romaine et la pensée occidentale. Ces savants aux connaissances universelles (philosophie, sciences exactes, médecine, astronomie…), arabes ou non (en entend par médecine « arabe », la médecine en langue arabe), ont apporté ses lettres de noblesse à la médecine dans tout l'Empire arabe (qui s'étend jusqu'au sud de l'Europe) : Rhazès le Persan à Bagdad, Avicenne l'Iranien, Averroès et le juif Maïmonide dans le califat de Cordoue, où Abulcasis exerçait la chirurgie avec dextérité. Leurs traités serviront de référence aux médecins pendant tout le Moyen Âge. À Damas, Bagdad et, surtout, au Caire naissent les premiers hôpitaux modernes.

Pendant la première moitié du Moyen Âge (Ve – XIe siècles), la chrétienté impose à la médecine occidentale une période « monastique », avec la pratique d'une médecine galénique réservée aux clercs dans les monastères et couvents. La chirurgie en est exclue : c'est le domaine des barbiers-chirurgiens… Aucune remise en cause du savoir antique n'est faite avant l'époque

« scolastique » et la naissance des premières universités au XIe siècle, où l'on enseigne la théologie, les lettres, le droit, la médecine – en France à Montpellier (qui fut la plus importante d'Europe) et Paris. Volonté divine – ou cause naturelle – les grandes épidémies de peste et de lèpre font des ravages. La charité chrétienne vient en aide aux miséreux : c'est le temps des léproseries.

Troisième partie : La médecine à l'époque moderne

La Renaissance est marquée par le développement de l'imprimerie, qui a permis la diffusion du savoir anatomique, rendu possible par les autorisations des dissections. La connaissance du corps humain est portée par d'immenses savants et artistes humanistes comme Léonard de Vinci et André Vésale. L'école italienne remet en cause certaines conceptions médicales héritées de l'Antiquité. Un renouveau se produit dans le domaine de la chirurgie, qui devient « moderne » avec Ambroise Paré ; le statut des chirurgiens évolue. La découverte de l'Amérique s'accompagne d'une nouvelle vague épidémique *via* l'Italie : la syphilis.

Au cours du XVIIe siècle, c'est le règne de la science et la raison, le développement des universités et la création des Académies, où les savants présentent leurs découvertes et débattent. Le fonctionnement du corps humain est en proie à diverses théories scientifiques. La médecine devient une science. William Harvey découvre la circulation sanguine et fait tomber un pan théorique de la physiologie. Le perfectionnement du microscope révolutionne l'étude du corps humain. Au cours du XVIIIe siècle, siècle des Lumières, des spécialisations médicales et chirurgicales (on peut enfin être docteur en chirurgie) émergent. Réalisée par Jenner, la première vaccination antivariolique ouvre une ère nouvelle.

Quatrième partie : La médecine à l'époque contemporaine

La médecine, au sens moderne, naît en France avec la Révolution, qui transforme le système de santé. En 1803, sous le Consulat, la profession médicale est organisée. Marquée par la méthode anatomoclinique de Bichat, la médecine confronte désormais l'examen du patient à l'étude des tissus organiques. La clinique médicale progresse grâce à Corvisart (médecin de Napoléon), Laennec (inventeur du stéthoscope) et Bretonneau. Les campagnes napoléoniennes sont l'occasion de perfectionner la chirurgie (Percy et Larrey). Dans la seconde partie du XIXe siècle a lieu le triomphe de l'infectiologie et la recherche des savants pour endiguer les grandes épidémies. Pasteur découvre la nature infectieuse des maladies et met au point le vaccin contre la rage. Koch décèle le bacille de la tuberculose. L'anesthésie ouvre des perspectives à la chirurgie. Les spécialisations médicales, portées par des professeurs de renom, permettent de conjuguer clinique et enseignement dans les grands hôpitaux publics. La fin du siècle voit la création du corps des infirmières et de la Croix-Rouge, ainsi que le développement de la pharmacie.

La première moitié du XXe siècle connaît un essor des sciences fondamentales (biologie moléculaire), des techniques d'investigation et de traitement. L'accroissement des connaissances entraîne la constitution de nombreuses spécialités médicales. Le diagnostic s'enrichit de puissants outils. La thérapeutique se transforme : vaccins, médicaments, radiothérapie, laser, thérapie génique. La chirurgie accomplit des exploits sans précédent (greffes, cœur artificiel, neurochirurgie). L'enseignement ne se fait plus au lit du malade ; le corps du patient est examiné de façon collégiale, à l'aune de nombreuses techniques et spécialités. La santé publique s'organise partout dans le monde pour lutter contre les nouvelles pandémies et autres pathologies. Cette accélération du progrès et la déshumanisation qui en découle, font surgir de nombreuses questions, notamment dans le domaine de la bioéthique.

Cinquième partie : La partie des Dix

L'histoire de la médecine n'est pas seulement celle des médecins et de savants. C'est aussi l'histoire de maladies qui, anciennes ou récentes, ont changé la face du monde et celle de malades célèbres, rois ou artistes, atteints de pathologies ordinaires…

Les icônes utilisées dans ce livre

Tout au long de cet ouvrage, les icônes placées dans la marge attireront votre attention. Elles signalent une remarque, un personnage, un texte, une explication ou un questionnement qui mérite que vous vous arrêtiez un instant avant de reprendre votre lecture.

Des précisions sur un aspect du sujet traité sauront éveiller votre intérêt sur une curiosité, un point particulier, qui vous avait peut-être échappé et vous fera réfléchir.

Un personnage légendaire ou historique se dessine et s'anime…

Retenez les formules frappantes attribuées à des personnages importants.

Certains mots ou notions nécessitent une explication, sinon on perd le fil !

 Certains faits sont troublants et vous obligent à réfléchir !

Par où commencer ?

Vous pouvez choisir de découvrir l'histoire de la médecine dans sa continuité historique : vous suivrez ainsi des feuilletons, comme celui de la découverte de la circulation sanguine ou l'évolution du métier de chirurgien... Néanmoins, rien de ne vous empêche de commencer par la fin si vous êtes curieux de la médecine du XXIᵉ siècle... Dans tous les cas, chaque partie (ou même chapitre) peut être lue au gré de l'envie du moment, de votre curiosité ou de votre fantaisie.

Première partie
Les médecines traditionnelles et antiques

Dans cette partie...

Comment ne pas être admiratif devant la somme de connaissances que les médecins des sociétés orientales traditionnelles et du monde antique occidental ont réussi à accumuler grâce à un exceptionnel talent d'observation. Ils ont posé les fondements de la médecine, après l'avoir dégagée des rites magiques et religieux pour y apporter plus de scientificité.

En Asie, les principes et grands textes fondateurs de thérapeutique médicale remontent à plusieurs millénaires : pourtant, ils sont toujours d'actualité. En 1979, l'Organisation mondiale de la Santé a reconnu la médecine traditionnelle chinoise.

En Occident, Hippocrate introduit une conception de la médecine fondée sur l'objectivité et la rigueur morale : le « serment d'Hippocrate » n'a pas vieilli ! Sa théorie des humeurs (la maladie étant un dérèglement des humeurs) va dominer la médecine jusqu'au XVIIIe siècle. La doctrine de Galien, son disciple et le plus grand médecin de l'Antiquité, va quant à elle devenir le dogme de l'Église (voir la deuxième partie du livre) et dominer la médecine jusqu'à la Renaissance.

Chapitre 1

Les médecines orientales traditionnelles

Dans ce chapitre :

▶ La médecine chinoise et l'acupuncture

▶ La médecine ayurvédique

▶ La médecine tibétaine

*L*es pratiques médicales les plus anciennes sont nées en Chine, en Inde et au Tibet. Elles se sont développées, en Asie, en lien avec les grandes religions et philosophies orientales (hindouisme, bouddhiste…), puis dans le monde entier. Elles se caractérisent par leur dimension holistique (du grec *holos*, « la totalité »). Essentiellement préventives, elles s'attachent à l'homme sous ses multiples aspects (corporel, psychique, culturel, social…).

La médecine chinoise est née au temps mythique des empereurs légendaires, 3 000 ans avant J.-C. L'Empereur Jaune (Huangdi) aurait transmis à son peuple les fondements de la civilisation, en particulier la médecine et l'acupuncture. Shen Nong aurait présidé, quant à lui, à la pharmacopée. Elle a été fortement influencée par les divers systèmes philosophiques : confucianisme, taoïsme, bouddhisme.

La médecine ayurvédique, née dans l'Himalaya, représente le système de soins le plus ancien au monde. Elle est étroitement liée à l'hindouisme. Les premiers grands traités médicaux ont ainsi été rédigés en sanskrit (langue de l'Inde ancienne), 500 ans avant J.-C., et retracent une tradition médicale longue de plusieurs millénaires.

La médecine tibétaine, d'inspiration bouddhiste, s'est construite à partir des médecines chinoise et indienne dont elle reprend certaines caractéristiques.

La médecine chinoise

La médecine chinoise repose sur des principes qui ont subi peu de modifications depuis 4 000 ans, en raison de l'emprise des traditions. Elle considère qu'il existe un Grand Ordre du monde, immuable, cohérent et inamovible. La notion d'énergie, qui se retrouve dans tous les domaines de la vie, est primordiale.

La médecine chinoise s'est développée non pas en analysant les dissections des morts comme dans notre médecine occidentale, mais en observant les êtres vivants.

Au début, une médecine de sorciers

À l'origine, les maladies étaient imputées aux ancêtres défunts qui se vengeaient parce qu'ils n'avaient pas été honorés, ou à des démons malfaisants. La réalisation de sacrifices était la méthode qui devait apporter la guérison.

Grâce à l'examen de témoignages écrits retrouvés sur des carapaces de tortue datant du XIe au VIIIe siècle avant J.-C., au centre de la Chine, il a été établi que des sacrifices de chien ou de mouton étaient réalisés pour guérir des douleurs dentaires.

Au cours de la période de la dynastie des Zhou (XIe siècle av. J.-C. – IIIe siècle av. J.-C.), on considérait que l'être humain comportait deux sortes d'âmes :

- les âmes « spirituelles » (*hun*), au nombre de trois ;
- les âmes « corporelles » (*po*), au nombre de sept, qui restaient dans l'organisme après la mort.

Au moment de la mort, les âmes-*po* restaient dans le corps. En revanche, les âmes-*hun* s'en détachaient et migraient dans l'univers, à la recherche d'êtres vivants. Les guérisseurs (*wu*), censés détenir des pouvoirs magiques, assuraient la guérison des malades en les débarrassant des démons.

Le Huangdi Neijing, livre fondateur

Au cours de la période allant du Ve siècle avant J.-C. au IIe siècle après J.-C., des théories fondamentales ont constitué les bases de la médecine chinoise, qui s'est détachée des pratiques superstitieuses et magiques.

À cette période s'élaborent aussi les principaux concepts théoriques : l'énergie ou *qi*, les cinq mouvements (*wu xing*), le *yin* et le *yang*.

Le célèbre traité de médecine, *Huangdi Neijing* (*Canon interne de l'empereur Jaune*), considéré encore aujourd'hui comme la bible de la médecine chinoise, serait une œuvre collective de compilation des données médicales. Il aurait été rédigé entre 300 et 100 avant J.-C. Il comporte deux parties :

✔ *Questions simples* de l'empereur Huangdi (*Su Wen*), qui comprend les principes fondamentaux de la médecine chinoise, en particulier, les théories des méridiens, du *yin* et du *yang* et des cinq éléments, ainsi que les méthodes diagnostiques ;

✔ *Axe spirituel* (*Ling Shu*), consacré à l'acupuncture et établissant la localisation de 160 points d'acupuncture et les différents types d'aiguilles à utiliser.

D'importants ouvrages de médecine voient le jour, notamment, le *Nanjing* (*Classique des difficultés*), rédigé par Qin Yue Ren sous la dynastie des Han, qui reprend les points exposés dans le *Huangdi Neijing*. Il introduit plusieurs innovations importantes : la théorie du *qi* originel (*Yuan Qi*) et de la Porte de la Vie (*Ming Men*), la théorie des cinq points *shu* (points de transport) et une explication des méthodes de la prise des pouls.

Qin Yue Ren, premier médecin chinois

Qin Yue Ren, qui a vécu au Ve siècle avant J.-C., a combattu la superstition et pratiquait une médecine scientifique axée sur l'observation, l'interrogatoire et la palpation. Il était expert dans de nombreuses spécialités, notamment la gynécologie et la pédiatrie.

Quant au *Jin Kui Yao Lue* (*Prescriptions essentielles du coffret d'Or*), écrit vers 220 par Zhang Zhongjing, il traite principalement de médecine interne, de chirurgie et de gynécologie.

La pharmacologie chinoise s'impose à la même époque, à travers :

✔ le *Shen Nong Ben Cao Jing* (*Traité des herbes médicales*), écrit au Ier siècle avant J.-C. et attribué à « l'Ancien Empereur », le penseur « divin » Shen Nong, qui répertorie 365 substances médicinales et est encore en usage ;

✔ le *Shang Han Za Bing Lu* (*Traité des maladies fébriles et variées*), écrit par Zhang Zhongjing au début du IIIe siècle, est classique dans le domaine de la pharmacologie et de la pathologie clinique.

Publié en 259 après J.-C., le *Zhen Jiu Jia Yi Jing* (*Classique d'Acupuncture et de Moxibustion*) écrit par Huang Jimi, est le premier livre complet sur l'acupuncture et la moxibustion (technique de stimulation des points d'acupuncture). Il constitue toujours, avec le *Ling Shu*, un ouvrage de référence dans le domaine de l'acupuncture.

La pensée médicale chinoise

La médecine chinoise s'appuie sur des concepts philosophiques qui régissent le monde et le corps humain : le *yin* (féminin) et le *yang* (masculin), les cinq mouvements (*wu zing*), les méridiens, le *qi*.

Le yin et le yang

Les médecins chinois pensaient que la conception du corps humain reposait sur la dualité entre deux entités cosmogoniques indissociables, opposées, complémentaires et dynamiques : le *yin* et le *yang*.

✔ Le *yin*, principe négatif féminin, faible et passif, exprime l'ombre, le froid, la profondeur, l'humidité. Il représente les forces de décroissance : l'automne et l'hiver, l'ouest et le nord, la terre, la lune, le vide, la mollesse et les nombres pairs.

✔ Le *yang*, principe actif masculin, chaud et agissant, représente les forces de croissance : le printemps et l'été, l'est et le sud, la splendeur, la dureté, le ciel, le soleil et les nombres impairs.

Il existe une relation dynamique entre le *yin* et le *yang* : lorsque l'un croît, l'autre décroît ; l'un succède à l'autre.

Dans la pensée médicale chinoise, la bipolarité en équilibre entre le *yin* et le *yang* est nécessaire pour assurer la bonne santé, le bien-être et une moindre vulnérabilité aux maladies. La maladie est considérée comme la conséquence d'un déséquilibre entre le *yin* et le *yang*.

En cas de maladie, le médecin doit évaluer si elle est due à une anomalie du *yin* ou du *yang* (par carence, excès, stagnation, etc.).

L'anatomie, la physiologie et la pathologie s'intègrent ainsi dans cette dualité complémentaire du *yin* et du *yang*.

Le corps humain comprend une partie *yin* (le bas, le ventre, la droite, l'intérieur) qui s'oppose à la partie *yang* (le haut, le dos, la gauche, l'extérieur).

La médecine chinoise tient compte du *qi* qui correspond à l'énergie vitale, au souffle qui surgit de la confrontation du *yin* et du *yang*. Les fonctions corporelles et spirituelles de l'être humain sont la résultante d'une action combinée du *qi yin* et du *qi yang*, qui agissent en opposition et en complémentarité.

Le *qi* se manifeste par un flux continu qui circule dans tout le corps à travers un réseau immatériel, mais précis, des trajets longitudinaux appelés méridiens (*jing mai*) et de leurs ramifications (*luo mai*). Chaque méridien est associé à une fonction physiologique particulière et à un organe interne.

On distingue 12 méridiens, dits principaux ou ordinaires. Certains endroits de ces trajets sont accessibles en un point que le médecin connaît, ce qui lui permet d'agir en facilitant la circulation, en régularisant le *yin-yang* et les perturbations d'un organe en relation avec un méridien donné. La plupart des points (*xue*) utilisés en acupuncture et moxibustion se trouvent sur les trajets des méridiens.

Les cinq mouvements (wu xing)

Dans la culture chinoise, cinq mouvements composent l'Univers. Elle considère qu'il existe un équilibre entre le principe d'engendrement (l'Eau engendre le Bois, qui engendre le Feu, qui engendre la Terre, qui engendre le Métal, qui engendre l'Eau) et le principe de contrôle (l'Eau contrôle le Feu, qui contrôle le Métal, qui contrôle le Bois, qui contrôle la Terre, qui contrôle l'Eau).

 Zou Yan (305 av. J.-C. – 240 av. J.-C.) a eu l'idée d'associer au principe du *yin* et du *yang* les cinq mouvements (Bois, Feu, Terre, Métal, Eau). L'association entre ces deux conceptions a abouti à la création d'un nouveau courant de pensée appelé *Yinyang wuxing jia* (École du *yin-yang* et des cinq agents). Le Bois et le Feu sont associés au *yang*, tandis que le Métal et l'Eau sont associés au *yin*.

Les cinq agents ou mouvements permettent d'expliquer le fonctionnement du corps humain et les relations qui existent entre les différents organes. Le rein rattaché à l'eau est l'antagoniste du cœur rattaché au feu. La rupture de l'équilibre entre les cinq agents est responsable des maladies.

Les méridiens

La pensée médicale chinoise considère que le corps humain est constitué d'unités anatomiques dotées de fonctions particulières, qui sont reliées entre elles par des canaux ou « méridiens », au nombre de douze, dans lesquelles circule un flux ininterrompu régulé par les cinq agents. Ce flux est constitué de sang et de *qi*, substance volatile qui circule dans le corps et qui est alimentée par l'extérieur, mais aussi par l'intérieur de l'organisme.

Le qi

Le *qi* est le concept essentiel de la médecine chinoise. Il procède de la confrontation du *yin* et du *yang* et fournit une énergie vitale qui circule dans le corps humain toujours dans le même sens. Elle part du poumon, entre 3 et 5 h du matin, pour y revenir le lendemain à la même heure. On estime qu'elle arrive dans le cœur entre 11 h et 13 h, puis dans le « Maître du cœur » (c'est-à-dire dans ce qui correspond à la circulation sanguine) entre 19 h et 21 h.

Ces unités anatomiques fonctionnelles sont de deux types :

- ✔ les *zang*, qui sont les organes qui siègent en profondeur du corps : les reins, les poumons, le foie, la rate, le cœur et le péricarde. À chaque organe correspondent une planète et une saison (par exemple, le cœur et l'été) ;
- ✔ les *fu*, qui assurent les transformations et qui siègent en superficie : l'estomac, l'intestin grêle, le gros intestin, la vessie, la vésicule biliaire.

Selon la pensée médicale chinoise, les maladies résultent de l'action d'un certain nombre de causes susceptibles de rompre l'équilibre corporel qui sont de trois types :

- ✔ six causes externes, qui affectent l'organisme par la bouche, le nez ou les voies cutanées : le vent, le froid, l'humidité, la chaleur, la canicule et la sécheresse ;
- ✔ sept causes internes : la colère, le chagrin, la tristesse, la frayeur, la joie, le souci et la peur ;
- ✔ d'autres causes, comme une faible constitution, le surmenage, une vie sexuelle excessive ou insuffisante, des traumatismes, les poisons et la mauvaise hygiène alimentaire.

La médecine traditionnelle chinoise considère que l'adoption de certaines mesures préventives, comme la limitation des excès, permet à l'homme d'avoir un équilibre. Il déjoue ainsi les attaques extérieures d'influences pathogènes et reste donc en bonne santé.

Un examen clinique complet

L'examen clinique en médecine chinoise ne s'attache pas à un symptôme, mais plutôt à l'ensemble des troubles. Le médecin tient compte des données de l'interrogatoire, de l'inspection de l'olfaction (odeur de l'haleine), de l'audition (son de la voix, bruits émis par le patient qui pose son bras sur un coussin). Il attache une grande importance à l'apparence physique extérieure et en particulier à l'aspect de la langue, de l'œil, des urines et des fèces. Il tient compte de la respiration et complète sa consultation par l'évaluation de la palpation des canaux dans les différentes parties du corps, comme le conseille le *Huangdi Nejing*, ou celle du seul poignet, comme le propose le *Nanjing*.

Le pouls permet de mesurer le *qi* car la force du *qi* permet de faire circuler le sang.

Il existe 200 espèces de pouls, dont 26 pour indiquer un pronostic mortel.

À l'issue de son examen, le médecin pose le diagnostic et prescrit le traitement. Le pronostic de l'affection repose sur la confrontation des données de l'inspection et de l'état des pouls. Il est jugé bon lorsqu'il y a concordance entre la couleur du visage et la prédominance du pouls ; il est estimé mauvais, en cas de discordance.

L'acupuncture

L'acupuncture est une méthode thérapeutique très ancienne. Il semblerait que des aiguilles de pierre ou d'os datant d'il y a 6 000 ans avant J.-C., que l'on a retrouvées lors de fouilles archéologiques, aient été utilisées pour sa pratique.

Le principe de l'acupuncture est d'assurer la régulation de la circulation du *qi* grâce à la manipulation d'aiguilles au niveau de points précis situés sur les méridiens. Chacun de ces points exerce une action sur un organe ou une fonction déterminée de l'organisme.

À l'origine, on distinguait environ 160 points d'acupuncture. On en utilisait 349 au VIᵉ siècle et 747 en 1981.

La pratique de l'acupuncture peut être associée à des procédés de stimulation complémentaires :

- ✔ la moxibustion, qui consiste à coller sur la peau du patient un cône ou un bâtonnet, puis à l'enflammer afin de provoquer une ampoule ;
- ✔ les *ba guan zi*, ventouses qui sont appliquées de façon fixe sur un point ou que l'on fait glisser le long d'un méridien ;
- ✔ le *pi fu zhen*, marteau léger à long manche, dont la tête est garnie de sept pointes d'aiguilles, avec lequel on frappe la surface de la peau.

L'acupuncture a été introduite en Europe grâce à Georges Soulié de Morant (1878 – 1955), consul de France à Pékin, à partir des années 1920. Après avoir été interdite en Chine au XIXᵉ siècle, elle a été de nouveau autorisée en 1950 à la faveur de l'arrivée au pouvoir du Parti communiste. En France, l'acupuncture a été officiellement reconnue par l'Académie de médecine, dans les années 1950.

La pharmacopée

La pharmacopée chinoise est très riche : elle comporte des minéraux, mais aussi des plantes qui peuvent être administrées sous la forme de poudres, de décoctions, de pilules, de comprimés, de sirops ou d'onguents. Les plantes sont classées en fonction de :

- ✔ leur nature : fraîche, froide (caractéristique du *yin*), neutre, tiède ou chaude (caractéristique du *yang*) ;
- ✔ la saveur, en relation avec les cinq éléments et les flux énergétiques, chacune ayant des effets physiques (douce et tonifiante, acide et astringente, salée et humidificatrice, amère ou piquante).

Sur le plan thérapeutique, les médecins chinois traitaient la syphilis par le mercure et la gale par le soufre. Ils utilisaient le chanvre indien et l'opium comme anesthésique.

L'ayurveda, aux origines de la médecine indienne

Les premiers fondements de la médecine traditionnelle indienne, ou *ayurveda* (science de la longue vie), ont été élaborés il y a plus de 5 000 ans avant J.-C. Elle aurait été introduite par des sages vivant dans l'Himalaya, les Rishis, au nombre de sept. Le dieu Brahma leur aurait, en effet, révélé la connaissance (*veda*), entièrement mémorisée par des familles de prêtres (*brāhmana*) avant d'être restituée plus tardivement sous une forme écrite dans les *Veda*, recueils sacrés d'hymnes et de prescriptions de l'hindouisme en sanskrit. Le quatrième Veda, *Atharva Veda*, est le texte source de l'*ayurveda*, qui s'intéresse aux conditions organiques, biologiques et psychologiques de l'existence, à la préservation de la santé et à la maladie, ainsi qu'aux règles de pratique médicale.

L'univers est un tout. L'homme évolue en échangeant matière, énergie et information avec son environnement. La maladie est considérée comme un désordre, ou plutôt la volonté, le plus souvent, d'une divinité offensée, suite à une transgression des règles qui gouvernent le monde.

La physiologie de l'ayurveda

L'*ayurveda*, qui s'appuie sur une observation de la nature, offre une interprétation rudimentaire, mais rationnelle, de la constitution du corps, des fonctions vitales et des maladies, selon une approche de l'homme dans sa globalité (le corps est lié au psychisme).

Dans le système de pensée indien, quatre éléments composent l'univers : l'air, la terre, le feu et l'eau, auxquels s'ajoute une cinquième donnée, le vide. Il en va de même pour le corps humain : les os, les tissus, les muscles, la peau correspondent à la terre ; les liquides corporels, à l'eau ; la vitalité et le mouvement, au feu ; la respiration, à l'air. Les cavités correspondent au vide.

Les différentes fonctions vitales sont réglées par l'intrication et l'équilibre de trois principes dynamiques qui circulent dans l'organisme, les *dosha* :

- *vata*, principalement composé d'air et vide (qui permet la mise en mouvement) ;
- *pitta*, comportant essentiellement du feu (qui assure la digestion) ;
- *kapha*, formé d'eau et de terre (qui permet la cohésion).

La vie résulte de l'activité de ces humeurs, l'état de santé de leur répartition : tout déséquilibre, en excès ou en insuffisance, entre ses différents éléments physiologiques est susceptible de provoquer la maladie.

L'art du médecin consiste principalement à prévenir la maladie (hygiène, diététique) et à rétablir l'harmonie antérieure en cas de maladie. La bonne santé repose sur leur équilibre, l'excès ou l'insuffisance de l'un de ces *dosha* provoquant l'affection.

Une médecine globale

L'*ayurveda* envisage une prise en charge de la personne dans ses dimensions physique, psychique, sociale, morale et spirituelle, sur la base d'un certain nombre de qualités morales, comme la bonté, la droiture, la modestie, le respect des autres et une propreté corporelle rigoureuse. Et, conformément à la théorie indienne du *karman*, le psychisme intègre l'apport des existences antérieures.

La pratique médicale ayurvédique est rationnelle et repose sur des diagnostics issus de l'observation, des pronostics et des indications thérapeutiques. Elle établit une distinction entre :

- ✔ les maux (*roga*), qui sont accidentels (coups, blessures, morsures) ;
- ✔ les maladies (*vyadhi*) ;
- ✔ les symptômes (*laksana*).

La clinique était évoluée : les médecins indiens avaient recours à des procédés d'investigation clinique sophistiqués (glossoscopie, uroscopie…).

Des brahmanes médecins

Dans l'Inde ancienne, ceux qui assuraient les fonctions de médecins étaient les prêtres de la caste des brahmanes. Ils formaient une profession organisée et hiérarchisée. Instruits, sachant lire et écrire l'ancien sanskrit et comprendre les langues locales, ils devenaient médecins après avoir bénéficié d'un enseignement théorique ou pratique, soit dans le cadre de leur famille, soit auprès d'un maître qui perpétuait une morale professionnelle très rigide. Certains médecins étaient attachés à la prise en charge des souverains et des princes locaux ; d'autres étaient salariés dans des centres de soins financés par des seigneurs.

Le *bhishaj* était un prescripteur ambulant de plantes.

Trois grands sages président à la médecine ayurvédique :

- ✔ Atreya, pour la médecine interne ;
- ✔ Kashyapa pour la gynécologie, la pédiatrie ;
- ✔ Dhanvantari, pour la chirurgie.

Les samhita médicaux

Entre le VIe siècle avant J.-C. et le IVe siècle après J.-C., l'*ayurveda* connaît son âge d'or. Divers enseignements de médecins ont été réunis en *samhita* (écritures compilées). Trois grands médecins indiens, Sushruta, Charaka et Vagbhata, ont laissé des écrits : *Sushruta Samhita, Charaka Samhita* et *Ashtanga Samgraha*.

Sushruta

Chirurgien indien du Ve siècle avant J.-C., Sushruta est l'auteur du traité *Sushruta Samhita,* transcription de l'enseignement du sage Dhanvantari. Des interventions de chirurgie de la cataracte, de chirurgie plastique du nez, d'opération des calculs urinaires sont évoquées.

Susruta souligne l'importance de l'examen clinique et, en particulier, de l'inspection, de la palpation, de l'utilisation du spéculum rectal et de l'auscultation, pour poser le diagnostic de l'une des 1 120 maladies qu'il répertorie. Il y évoque, en particulier, le *madhumeha,* ou urine de miel, qui correspond au diabète.

Par ailleurs, Sushruta donne des informations précises sur les plantes médicinales et les préparations des remèdes.

Charaka

Charaka aurait vécu au début de notre ère et serait l'auteur des huit livres du *Charaka Samhita*, qui décrit le diagnostic et le traitement des maladies par la médecine interne.

Vagbhata, qui a vécu au IVe siècle après J.-C., présente dans l'*Ashtanga Samgraha*, les huit spécialités de l'*ayurveda*, les *ashtanga*.

Les huit branches de l'ayurveda

On distingue dans l'*ayurveda* huit disciplines : chirurgie générale (*shalya*), ophtalmologie et oto-rhino-laryngologie (*salakya*), thérapeutique générale (*kayachikitsa*), médecine des possessions démoniaques (*bhutavidya*), obstétrique et puériculture (*kaumarabhrtya*), toxicologie (*agadatantra*), médecine rajeunissante (*rasayana*), médecine des aphrodisiaques (*vajikarana*).

Des traitements médicaux novateurs

Les médecins traditionnels indiens utilisaient des traitements à base de végétaux ou de minéraux, tels que des sels de mercure ou d'arsenic. Ils élaboraient des formes médicamenteuses multiples. Ils proposaient la réalisation de bains médicamenteux, de décoctions, d'inhalations et de fumigations. Ils préconisaient également l'aromathérapie ou l'utilisation des huiles et des parfums ainsi que le recours à l'ensemble des techniques du yoga : postures, respiration, relaxation, méditation.

Des interventions de chirurgie plastique

Les chirurgiens indiens anciens avaient atteint un haut degré de perfection dans l'esthétique, en grande partie en raison de la symbolique du nez chez les hindous, qui est la marque de l'honneur.

 L'amputation du nez était considérée comme la mesure la plus infamante pour punir ou pour humilier une personne. Il s'agissait du châtiment habituellement infligé aux criminels, mais aussi aux femmes infidèles ou même simplement soupçonnées d'adultère.

Dans le *Sushruta Samhita* (voir p. 18) est décrite une intervention de reconstruction du nez extrêmement audacieuse. Dans un premier temps, elle reposait sur le découpage d'une zone de peau du front qui restait attachée à la région d'intersection entre le nez et l'œil. Dans un second temps, elle était rabattue sur la partie du nez qui avait été amputée.

 L'idée originale a été de comprendre qu'il fallait préalablement aviver cette zone de façon à permettre à la zone de peau découpée de rester viable, grâce à l'apport des vaisseaux de l'orbite.

En dehors de ces opérations visant à réparer les conséquences des châtiments corporels, les hindous pratiquaient différentes opérations, dont une greffe destinée à restaurer les lobes des oreilles déchirés par le port de lourds anneaux.

 Pour réaliser ces interventions particulièrement astucieuses, les chirurgiens utilisaient des aiguilles « droites » et « recourbées », en bronze ou en os, des brins de chanvre, des fibres végétales, des poils et des tendons d'origine animale qui servaient plus spécifiquement à ligaturer les artères et les veines.

La médecine traditionnelle tibétaine

La médecine tibétaine trouve son origine aux alentours de 2000 avant J.-C. La divination était le moyen d'identifier les maléfices à l'origine des maladies. Le traitement reposait sur l'exorcisme.

Entre le Iᵉʳ et le VIIᵉ siècle après J.-C., les fondements de la médecine tibétaine se sont mis en place à la suite de contacts entre les médecins locaux de tradition bön (la plus ancienne spiritualité du Tibet) et les médecins de Mongolie, de Chine et d'Inde, brahmanes et bouddhistes.

Le *Gyudshi*

Le grand essor de la médecine tibétaine s'est déroulé entre les VIIᵉ et VIIIᵉ siècles, au moment de la constitution de la nation tibétaine et de la naissance de l'écriture tibétaine. Au cours de cette période, des traductions en tibétain d'ouvrages médicaux indiens et chinois ont été introduites au Tibet.

Au VIIIᵉ siècle, Yuthok Yonten Gonpo (708 – 833), médecin tibétain, a rédigé le texte médical fondateur de la médecine traditionnelle tibétaine intitulé *Gyudshi* (les *Quatre Tantras médicaux*), qui rassemble la théorie générale de la science médicale, l'exposé de 84 000 maladies et les méthodes de soins avec 2 293 ingrédients de médicaments.

Principes de médecine tibétaine

La médecine tibétaine repose sur les principes philosophiques du bouddhisme. Son objectif est de maintenir ou de rétablir l'équilibre des humeurs. Elle considère qu'il existe deux causes de maladies :

- l'« ignorance spirituelle » (*marigpa*), cause fondamentale de toutes les maladies. Cette ignorance se manifeste à travers l'illusion de l'être humain qui se pense comme individu distinct de son environnement. L'ignorance favorise la perturbation de l'organisme par trois « poisons » psychiques qui peuvent se combiner : la bêtise, l'avidité et l'animosité ;

- la deuxième cause est liée à une perturbation des trois fluides humoraux (ou énergies corporelles) qui régissent l'ensemble des fonctions vitales de l'organisme : le pneuma (*lung*, l'air, principe de mouvement), la bile (*tripa*, principe de chaleur) et le phlegme (*beken*, principe de froid et de stabilité). Les trois énergies corporelles (air, bile et flegme) sont étroitement liées aux cinq éléments qui constituent l'univers : terre, eau, feu, air et éther (espace). La colère est à l'origine d'un excès de production de bile ; l'attachement produit du vent ; l'ignorance produit du phlegme. Outre ces trois fluides et leurs sécrétions (sueur, urine, selles), la médecine tibétaine considère sept autres éléments du corps : le chyle (produit par la digestion des aliments), le sang, la chair, la graisse, les os, la moelle, le sperme.

Diagnostics et traitements

Le diagnostic, dans la médecine tibétaine, repose sur l'évaluation du déséquilibre des trois humeurs, en tenant compte des données de l'observation (examen du teint, des yeux, de la langue et des urines, de la palpation (prise des pouls) et de l'interrogatoire du malade.

Les traitements agissent sur différents symptômes de mal-être pour éviter le développement d'une vraie maladie :

- le *Lu Jong* constitue un ensemble d'exercices tibétains de guérison, très anciens, destinés à rééquilibrer les éléments dans le corps et à soigner les maladies ;
- le *Ku Nye* est un massage thérapeutique, au moyen d'huiles infusées ou de substances extraites du beurre ;
- le *Tsa Lung* est une forme de yoga ;
- la moxibustion et le *Dul Tsi Nga Lum* (bain des cinq nectars) sont également pratiqués.

Chapitre 2

La médecine
assyro-babylonienne

*L*a Mésopotamie, région surnommée le « Croissant fertile » dans ce qui correspond à l'Irak d'aujourd'hui, n'est pas seulement le berceau de l'écriture, où elle a été inventée vers 3300 ans avant J.-C. ; elle a aussi vu la naissance d'une astrologie scientifique, des mathématiques et de l'astronomie. Ces acquis fondamentaux ont contribué à l'essor de la médecine.

Exercée par des prêtres-médecins, la médecine assyro-babylonienne est placée sous le joug d'une religion toute puissante : elle n'en reste pas moins inventive et connaît de véritables avancées. Un authentique savoir médical se construit, qui se transmet de père en fils de manière initiatique, accompagné du développement d'une riche pharmacopée offrant des remèdes efficaces.

Au XVIIIe siècle avant J.-C., le Code de Hammurabi dessine quant à lui les prémisses de la déontologie médicale…

Des malédictions divines

En Mésopotamie, le système religieux reposait sur la soumission des hommes à de nombreux dieux anthropomorphes considérés comme redoutables. La maladie était perçue comme la sanction divine envers ceux qui avaient commis une infraction aux règles ou une offense à un ou plusieurs dieux. Un texte d'origine inconnue stipule ainsi que « si les mains et les pieds d'un patient lui font mal et qu'il ne cesse de se plaindre sans qu'en aucun endroit son corps ne soit chaud : c'est un ensorcellement ».

Le panthéon mésopotamien comprenait de nombreux dieux, dont les trois principaux étaient Anu, Enlil et Enki. D'autres dieux exerçaient également un rôle particulier sur la santé :

- Ninib, fils de Enlil, était le dieu solaire ;
- Ea, le dieu des eaux, avait un rôle purificateur et éloignait les démons responsables de la maladie ;
- Nabu, fils de Marduk, était le dieu des sciences occultes et de la médecine ;
- Nihgishzida, dieu guérisseur, était représenté par un serpent à deux têtes ;
- Gula était une déesse qui régissait la médecine. Ses temples pouvaient servir de lieux de traitement. Ses enfants, Damu et Ninazu, étaient également invoqués pour obtenir la guérison.

À côté des dieux, il y avait des démons qui étaient responsables de maladies :

- Adad infligeait les douleurs du cou ;
- Namtaru causait les maladies de la sphère oropharyngée ;
- Ishtar entraînait des douleurs thoraciques ;
- Nergal, dieu des enfers, provoquait la fièvre ;
- Ashakku donnait des affections pulmonaires ;
- Tiu engendrait des migraines.

Lorsqu'un Assyro-Babylonien tombait malade, il devait rechercher lui-même dans son comportement ce qui avait pu déplaire aux dieux, sans forcément trouver la réponse. Parfois, la faute était évidente (il avait eu commerce avec la femme de son voisin) ou avait trait à son manque de caractère (il avait dit non au lieu de oui).

Des prêtres-médecins

La médecine mésopotamienne associait des principes de magie et des rituels religieux. Les prêtres-médecins étaient chargés d'obtenir, au terme d'un protocole rigoureux, l'expulsion du démon censé être responsable de la maladie : ils effectuaient une observation du foie ou « hépatoscopie ».

Le corps médical était issu de la classe des prêtres et faisait partie des fonctionnaires des palais et des temples qui prêtaient serment le seizième jour du mois de Nissan, c'est-à-dire à l'équinoxe de printemps. On distingue trois catégories de prêtres-médecins :

- l'*azu* (celui qui connaît l'eau), parfois nommé aussi *Iazu* (celui qui connaît l'huile), était un médecin proprement dit ;

   ✔ le *baru* (terme dérivé d'un verbe akkadien qui signifie « examiner »,
« scruter ») était un devin qui examinait les choses inhabituelles et qui
donnait le message que les dieux voulaient entendre ;

   ✔ le *ashigu*, qui exerçait des fonctions d'exorcisme et de purification.

La classe de médecins *azus* était respectée, comme le prouve le terme *Azu gallutu* ou art suprême de la médecine. Peu nombreux, ils se succédaient de père en fils dans leurs fonctions, comme Makur-Marduk à Sin-Ashari.

La transmission du savoir médical se faisait de manière initiatique, selon la formule : « Que celui qui sait instruise celui qui sait et que celui qui ne sait pas ne lise pas. » Les prêtres-médecins bénéficiaient d'un enseignement médical dans des écoles qui dépendaient des temples. Ils étudiaient des textes inscrits sur des tablettes d'argile qui décrivaient les principaux symptômes des maladies. Il semble qu'il ait existé à Nippur une véritable école de médecine. La bibliothèque d'Assurbanipal comportait, au VIIIe siècle avant J.-C., près de 20 000 tablettes.

Le recours à l'hépatoscopie

Cet acte solennel consistait en la lecture des oracles dans le foie d'animaux qui étaient le plus souvent des moutons sacrifiés pour désigner les dieux, ou les mauvais esprits, responsables des maladies. Le prêtre sacrifiait un animal puis lisait dans son foie (*kabbitu*) les signes qui lui permettaient d'établir d'abord le diagnostic, puis le traitement. La place du foie était importante pour les Assyro-Babyloniens qui considéraient que cet organe était l'origine de la vie. En revanche, le cœur (*libbu*) était le siège de l'âme et de la conscience. Ils pensaient que le foie recevait et distribuait le sang dans l'organisme. Il a été retrouvé, dans les fouilles réalisées sur les sites mésopotamiens, des modèles de foie en bronze ou en argile portant des inscriptions liturgiques.

Une médecine digne de ce nom

La plupart des connaissances que nous avons sur la médecine assyro-babylonienne ont été obtenues grâce à l'étude de 800 fragments de tablettes retrouvés à Assur, à Babylone, à Borsippa, à Uruk, à Nippur. Ils appartiennent à la collection Kujundschik provenant de la bibliothèque du roi Assurbanipal (668 av. J.-C. – 627 av. J.-C.) située à Ninive.

Les Assyros-Babyloniens ont été particulièrement novateurs dans le domaine de la prévention des maladies en envisageant l'éviction des malades sous prétexte qu'ils étaient sous l'emprise d'une malédiction divine et qu'en conséquence, il n'était pas souhaitable qu'elles soient transmises à leurs proches.

Ils savaient poser le diagnostic d'un grand nombre d'affections. Ils ont été les premiers à analyser les signes des maladies. Ils identifiaient ainsi un dérèglement biliaire (« mal jaune »), ou encore le scorbut (*bushanu*) dont la description apparaît sur les tablettes d'argile. L'épilepsie est elle aussi déjà décrite avec l'« aura » (phénomène hallucinatoire) qui annonce la crise et les sensations bizarres (*zuqqutu*) assaillant le malade, lequel s'affaisse en poussant un cri : « *Uaaï* ».

Ils réalisaient des interventions chirurgicales comme les réductions de fractures et de luxations, ainsi que les drainages d'abcès.

Le texte d'un certain Arad-Nanaï (800 av. J.-C.) à son roi témoigne de la connaissance du tamponnement postérieur en cas d'épistaxis (saignement de nez) :

« En ce qui concerne le patient qui saigne du nez, le *badmugi* (chambellan) m'a dit qu'une hémorragie avait eu lieu hier soir (le pansement du malade constitue, il faut le dire, une faute chirurgicale, étant en effet ajusté sur les narines, de sorte qu'il arrête la respiration sans empêcher l'hémorragie par l'arrière-bouche). Fais donc tamponner le nez, l'air ne pourra plus y pénétrer et l'hémorragie cessera. »

Les premiers chirurgiens esthétiques du monde

On dispose de nombreux témoignages faisant état d'une pratique chirurgicale relativement élaborée. L'un des aspects les plus étonnants est la réalisation par les Assyro-Babyloniens d'interventions d'ordre esthétique, comme la greffe d'implant d'os chez les femmes qui souhaitaient avoir un nez busqué pour mieux répondre aux exigences de la mode alors en vigueur.

Une pharmacopée originale

Les tablettes mésopotamiennes révèlent l'emploi d'une pharmacopée riche de plusieurs centaines de plantes ou substances végétales. On a recensé plus de mille noms de plantes médicinales dont ils avaient identifié certaines propriétés thérapeutiques.

Les médecins assyro-babyloniens préconisaient l'utilisation de styrax (famille des plantes dicotylédones), mais aussi du thym, du myrte, des feuilles de saule, du cyprès et de la jusquiame. Ils soignaient les maux d'estomac avec la belladone. Ils utilisaient le chanvre, l'opium, l'ivraie comme narcotiques. Ils proposaient aussi l'usage de substances minérales : le sel, le cuivre et ses dérivés, l'antimoine, l'arsenic, l'alun, le souffre, l'oxyde de zinc et le fer.

Un texte sumérien du XXIIᵉ siècle avant J.-C. mentionne les ingrédients et le mode de préparation des médications, avec des détails sur les différentes opérations à effectuer (dessiccation, purification, extraction, cuisson, filtrage, etc.).

Afin d'acquérir toute leur efficacité, les plantes étaient recueillies la nuit à la seule lumière de Sin (le dieu de la lune) et on devait les laisser pourrir avant leur utilisation, ce qui devait amener la dissolution des démons. Les substances étaient incorporées dans des recettes plus ou moins complexes de médicaments : poudres, potions, lotions, onguents, pommades, pilules, suppositoires...

À côté de cette pharmacopée, les Assyro-Babyloniens avaient recours à des substances magiques comme la graisse de vipère, la chair de lézard ou la peau de caméléon...

Le Code de Hammurabi, premier traité médical

Au XVIIIᵉ siècle avant J.-C., le code élaboré par le roi Hammurabi retrace des décisions de justice énoncées dans le cadre de l'exercice de la chirurgie. On retrouve des articles sur les honoraires, mais aussi sur les problèmes de responsabilité professionnelle du médecin ou, plus particulièrement, du *gallabu* :

« Si un médecin a traité un homme d'une plaie grave avec le poinçon de bronze, et guéri l'homme, s'il a ouvert la taie d'un homme avec le poinçon de bronze, et a guéri l'œil de l'homme, il recevra dix sicles d'argent. [...] Si un médecin a traité un homme libre d'une plaie grave, avec le poinçon de bronze, et a fait mourir l'homme, s'il a ouvert la taie de l'homme avec le poinçon de bronze, et a crevé l'œil de l'homme, on coupera ses mains. »

Nous n'avons aucune information sur les éventuelles conséquences que pouvaient avoir de telles sanctions sur les vocations de chirurgien !

Avec ses 282 articles, le Code de Hammurabi est le recueil juridique le plus important du Proche-Orient ancien, antérieur aux lois bibliques. Il est connu grâce à la découverte, en 1901, par l'archéologue Jacques de Morgan de la stèle qui est aujourd'hui exposée au Musée du Louvre à Paris. Ce texte non religieux, mais d'inspiration divine, a été élaboré par Hammurabi vers la fin de son règne (1792 av. J.-C. – 1750 av. J.-C.). Hammurabi a érigé des stèles dans plusieurs villes « afin de proclamer la Justice en ce pays, de régler les disputes et réparer les torts ». Ce texte est un modèle de texte juridique par la concision et la clarté de son style (« Si... »). Il comporte une série d'édits qui réglemente les tarifs des services et des prestations du médecin, du vétérinaire, du maçon, du batelier et de la plupart des artisans, ainsi que, par exemple, le prix de la location à l'année d'un bœuf. Il a permis d'évaluer les valeurs des prestations professionnelles et les coûts sociaux dans la société mésopotamienne.

Chapitre 3

La médecine égyptienne

Grâce à des papyrus médicaux datant de plusieurs millénaires, nous pouvons connaître la médecine des anciens Égyptiens. Dès le Iᵉʳ millénaire avant J.-C., la littérature grecque de l'Antiquité rend hommage à l'expertise des médecins de l'Égypte ancienne, dont la tradition remontant à l'Ancien Empire (IIIᵉ siècle avant J.-C.) jouissait alors d'une extraordinaire renommée.

Cette médecine reposait tant sur un savoir religieux et mythique que sur l'observation des signes extérieurs de maladie. Le médecin égyptien interrogeait le patient, puis faisait un examen clinique. Il recensait les symptômes de maux – internes, externes ou encore surnaturels –, puis formulait un pronostic afin de délivrer un traitement.

Si l'Égypte reste célèbre pour ses pratiques funéraires et ses embaumeurs, les organes du corps n'étaient observés qu'après la mort. Les maux dont souffraient les pharaons furent découverts grâce à leur momie.

Les premiers papyrus médicaux

Les papyrus médicaux égyptiens nous éclairent sur la conception du corps chez les anciens Égyptiens.

Dans la pensée médicale égyptienne, les organes étaient considérés non pas comme des entités individualisées, mais comme un tout dépendant d'une volonté supérieure.

Le cœur, principal organe

Chez les anciens Égyptiens, le cœur avait une place centrale. Même après la mort, il ne pouvait être détaché du corps. La physiologie cardiovasculaire s'organisait autour de trois structures : les conduits (*metou*), le muscle cardiaque (*haty*) et l'intérieur (*ib*), centre de la pensée, de l'intelligence et de la mémoire, qui subissaient l'interaction de cinq facteurs pathogènes circulants (les *setet*, les *oukhedou*, les *ouahou*, les *âaâ* et le sang). Ils ont ainsi posé les jalons d'une physiopathologie cardiovasculaire tout à fait novatrice qui a perduré pendant plus de 30 siècles.

Les deux principaux papyrus médicaux sont le papyrus Ebers et celui d'Edwin Smith.

- ✔ Le papyrus Ebers, long de plus de 20 mètres, est conservé à la bibliothèque de l'université de Leipzig. Il a été acheté par Edwin Smith en 1862, qui le vendit 10 ans plus tard à l'égyptologue Georg Ebers. Il date de 1600 à 1500 avant J.-C. Toutefois, on est pratiquement sûr qu'il s'agit de la copie d'un ouvrage plus ancien remontant à l'Ancien Empire (IIIe millénaire av. J.-C.). C'est le plus important et le plus long papyrus médical actuellement disponible. Il s'agit d'un traité de pharmacologie et de thérapeutique comprenant quelques descriptions cliniques (47 recettes seulement comportent un diagnostic). Il comprend des chapitres extrêmement importants dans l'histoire de la médecine, tel le « Traité du cœur et des vaisseaux », véritable traité de cardiologie.

- ✔ Le papyrus Edwin Smith, conservé à la New York Academy of Medicine, rédigé vers 1550 avant J.-C., est un remarquable traité de pathologie chirurgicale. Bien organisé, il comprend 49 observations rapportant dans un ordre topographique descendant (crâne, face, cou, clavicules, épaules poitrine, colonne vertébrale) la chirurgie des parties molles et la traumatologie.

Il existe d'autres papyrus médicaux comme le papyrus Hearst, le papyrus Berlin 3027, le grand papyrus de Berlin ou papyrus Berlin 3038, le papyrus médical de Londres, le papyrus de Kahoun (pour la gynécologie) ou le papyrus Chester Beatty n° VI.

Les *ostraca*, antisèches des médecins

Des textes médicaux assez courts provenant des papyrus médicaux, les *ostraca*, ont été retrouvés sur des tessons de poterie ou des éclats de calcaire. *L'ostracon* du Caire n° 1091, par exemple, est un éclat calcaire qui contient trois recettes ; une pour écarter la souffrance ; une pour écarter la toux ; une pour le cœur.

Médecine et magie

La magie – ou *héka* (qui signifie régir les puissances) – jouait un rôle important dans l'Égypte ancienne. Elle était fréquemment invoquée dans les manifestations de la vie quotidienne. En effet, le corps, réceptacle des forces vitales de l'univers, devait être en harmonie avec le cosmos. L'organisme pouvait subir l'influence néfaste de démons ou de divinités hostiles, les symptômes d'une maladie traduisant la rupture de cette harmonie. Le rôle du médecin était alors de rétablir cet équilibre en combattant les causes des désordres constatés avec les moyens à sa disposition : la médecine et la magie, étroitement liée à la religion.

La magie était ainsi utilisée pour traiter les maladies dites internes, sans cause extérieure évidente, comme les fractures, les plaies et les blessures. L'acte magique pour soigner un malade comportait la pratique d'un rite oral et la récitation de formules adaptées à chaque affection. Elles pouvaient être associées à un rite manuel reposant sur l'utilisation d'objets. Les techniques utilisées par le médecin-magicien dans le rite oral comprenaient la prononciation d'incantations comportant un ensemble de mots dont l'efficacité résidait dans sa forme, le son et le rythme. Elles reposaient sur le principe du transfert, des mythes artificiels, des formules incompréhensibles et des empreintes magiques.

Dans le domaine de la médecine, les principes de la magie s'appuyaient sur quatre axes fondamentaux :

- ✔ le principe d'identité permettait d'associer une plante ou un minéral à un organe ou à un symptôme en raison de son aspect, de sa couleur ou de son nom.
- ✔ le principe de la solidarité indiquait que toutes les parties du corps étaient toujours associées. Les Égyptiens pensaient donc qu'il était possible d'agir sur un individu en utilisant une mèche de cheveux ;
- ✔ le principe de l'homéopathie affirmait que « le semblable appelle le semblable », autrement dit « deux événements qui se suivent une fois se suivront forcément à l'avenir » ;
- ✔ le principe inspiré de la légende d'Iris et d'Osiris considérait la mort comme « *un long sommeil* ».

La pratique de la magie était cependant considérée comme dangereuse, car elle permettait au médecin d'entrer en contact avec l'univers divin, peuplé de démons dangereux. Le papyrus Ebers débute ainsi par un prologue magique constitué de trois textes destinés à assurer la protection du médecin. Le médecin se servait aussi d'amulettes, d'images divines et de statues guérisseuses. Il prononçait des formules magiques, souvent incompréhensibles, pour aider à la guérison. Ces artifices étaient censés lui permettre d'assurer le transfert des troubles dans le monde divin.

Trois types principaux de médecins exercent dans l'Égypte antique :

- les *ouabou*, prêtres-médecins, étaient attachés à la Cour du Pharaon. Ils jouaient le rôle d'intermédiaires entre les hommes et la terrible déesse Sekhmet, responsable des épidémies ;

- les *sounou*, médecins du peuple ;

- les *saou*, magiciens, sorciers, rebouteux conjurateurs de Serket. Ils bénéficiaient du pouvoir de prévenir et de guérir les morsures et piqûres d'animaux venimeux grâce à des remèdes ou à des formules magiques.

À chaque mal son dieu !

Parmi les nombreux dieux égyptiens, un certain nombre jouaient un rôle médical :

- Thot était considéré comme le médecin des dieux. Il aurait ainsi guéri Horus à deux reprises : une première fois après une piqûre par un scorpion et, une seconde fois, après la perte de son œil au cours du combat contre Seth. On le considérait comme le protecteur des médecins et tout spécialement des spécialistes des yeux ;

- Isis, surnommée la « grande magicienne », disposait d'un pouvoir de guérisseuse. Elle connaissait les remèdes les plus efficaces. On faisait appel à Isis en cas de morsure et de piqûre ;

- Horus, représenté par un faucon portant un double collier ou un anthropomorphe à tête de faucon, était considéré comme le dieu guérisseur des morsures d'animaux ;

- Hathor, qui apparaît sous la forme d'une vache ou d'une femme portant des oreilles et des cornes de vache coiffée d'un disque solaire, était la protectrice des femmes, de la maternité et de la fécondité. Elle était la patronne des sages-femmes ;

- Thoueris, représentée sous les traits d'une femelle hippopotame aux nattes de lion et aux mains d'humain, veillait sur la maternité et l'allaitement ;

- Meskhenet soulageait les douleurs de la femme en couches. Elle incarne les briques sur lesquelles se plaçait la femme au moment de l'accouchement ;

- Khnoum apparaissait avec une tête de bélier aux cornes horizontales et torsadées. Les Égyptiens considéraient qu'il modelait l'être qui allait naître sur son tour de potier ;

- Meret Seger ou Miritskro, incarnée par une femme surmontée d'une tête de serpent, assimilée à Hathor, était invoquée au cours des piqûres de serpents ;

- Douaou était le dieu des oculistes sous l'Empire ;

- Nekhbet était considérée également comme la protectrice des accouchements ;

- Renenout, représentée sous la forme d'une femme à tête de serpent ou de lionne, était la déesse de l'allaitement ;

- Amenhotep était honoré comme dieu guérisseur.

Les sounou

Le *sounou*, médecin du peuple assurait à la fois des soins médicaux et chirurgicaux.

 Le mot *sounou* est dérivé du mot *soun* qui signifie la souffrance. Il signifie textuellement « celui de ceux qui sont malades », « l'homme qui soulage ceux qui ont mal » ou encore « celui qui s'intéresse aux individus souffrants ». Le hiéroglyphe qui le désigne comporte une flèche (ou lancette) et un pot (ou mortier) associés à un homme assis.

L'examen médical

Face à un malade, le médecin égyptien réalisait un examen clinique rigoureux et précis, au terme duquel il posait un pronostic et délivrait un traitement. Il estimait qu'il était de son devoir de soigner ses malades, même ceux dont le pronostic était mauvais, comme le précisait le papyrus Ebers n° 200 : « Occupe-toi de lui, ne l'abandonne pas ».

L'examen clinique commençait par un interrogatoire effectué auprès du malade : « Si tu le questionnes sur l'endroit atteint qui est sur lui… » (Papyrus Smith n° 20). Celui-ci lui permettait de décrire l'origine de ses troubles.

Dans un second temps, le médecin réalisait une inspection de l'ensemble du corps, ainsi que des urines, des excréments et de l'expectoration. La place de l'odorat était importante, comme le rappelle le papyrus de Kahoun qui précise, par exemple, qu'une affection gynécologique dégageait une odeur de « viande rôtie ».

Le médecin réalisait aussi une palpation qui permettait de détecter une fièvre anormale, une tumeur ou une fracture.

 Nombreux sont les historiens de la médecine qui se sont demandé si les médecins égyptiens réalisaient déjà la palpation du pouls (c'est un médecin grec de l'école d'Alexandrie qui a indiqué l'intérêt de la mesure du pouls, vers 340 – 300 avant J.-C.). Un extrait du papyrus Edwin Smith semble y faire référence : « Quand tu examines un homme, c'est comme compter les choses avec un boisseau (mesure à blé) ou compter quelque chose avec les doigts. »

La palpation avait certainement une fonction symbolique puisqu'elle permettait d'établir un contact entre le médecin et le malade par l'intermédiaire des doigts. Comme le précise le papyrus Smith, après l'examen clinique qui énumérait les symptômes et signes fonctionnels : « Si tu examines un homme ayant… », un diagnostic était établi : « Vous direz en ce qui le concerne : un malade qui souffre de… ». Les médecins égyptiens précisaient alors leur pronostic : « Une maladie que je traiterai » ou « Une maladie avec laquelle je me battrai » ou encore « Une maladie pour laquelle on ne peut rien ».

Toutes sortes de spécialistes

Le témoignage d'Hérodote, qui a visité l'Égypte à l'époque perse en 630 avant J.-C., nous explique qu'il n'existait que des médecins spécialistes : « La médecine est, chez eux, divisée en spécialités : chaque médecin soigne une maladie et une seule... Aussi le pays est-il plein de médecins, spécialistes des yeux, de la tête, des dents, du ventre, ou encore des maladies d'origine incertaine. »

Les domaines d'intervention des *sounou* se répartissaient ainsi :

- les ophtalmologistes étaient désignés sous le terme de *sounou-irty* ou de *sounou-irt* ou, plus rarement, de *sounou-seneb-irty* ; respectivement « des deux yeux », « de l'œil » ou « qui guérit les deux yeux » ;

- le « berger de l'anus », *nerou pehout*, désignait le médecin qui disposait de connaissances plus particulières dans la prescription et dans l'administration des remèdes par voie rectale ;

- les « médecins du ventre » étaient appelés *sounou khet*. Ces derniers avaient probablement une double spécialité puisque *khet* signifie à la fois le ventre et l'utérus dans le langage populaire ;

- il a également été rapporté un spécialiste particulier désigné sous l'appellation « celui qui connaît les organes du corps humain cachés aux yeux », c'est-à-dire les organes internes ;

- le médecin chargé des soins dentaires était appelé soit « celui qui s'occupe des dents », le *ibhy* (du mot *ibh* pour dent), soit « celui qui traite les dents », le *iry ibh* ;

- ceux qui exerçaient la profession de chirurgien portaient, selon le papyrus Ebers, le titre de *sa hemen* qui signifie « l'homme du cautère », évoquant la lance du dieu guerrier Hémen.

On peut se demander si les titres médicaux énoncés ne correspondaient pas à des compétences particulières plutôt qu'à une spécialité telle que nous l'envisageons aujourd'hui.

L'arsenal thérapeutique du sounou

Les Égyptiens utilisaient les potions, les infusions, les décoctions, les macérations, les pilules, les pastilles, les boulettes, les cataplasmes, les onguents, les pommades, notamment ophtalmiques et auriculaires, les emplâtres, les collyres, les inhalations, les fumigations, les suppositoires, les lavements, les onctions, les gargarismes et les bains de bouche, les tampons et les injections vaginales.

Ils utilisaient des substances d'origine minérale, végétale et animale dotées de véritables vertus thérapeutiques :

- le miel constitue un des produits les plus fréquemment mentionnés. Il était utilisé pour ses propriétés adoucissantes, antibactériennes et antifongiques ;

- le foie, riche en vitamine A, rentrait dans la composition de recettes ophtalmologiques ;

- les fruits du sycomore (*Ficus aegyptiœ*), la coloquinte, le ricin et l'aloès servaient de laxatifs ;

- pour traiter les affections intestinales, la prise de levure de bière était préconisée ;

- la racine de grenadier, aux propriétés antihelminthiques, était administrée en cas de diarrhée ;

- le mélilot offrait des vertus antispasmodiques, antiseptiques, diurétiques et calmantes ;

- le pavot, mais aussi la jusquiame, narcotique et analgésique, et le datura aux propriétés hallucinatoires et atropiniques constituaient des sédatifs ;

- l'albâtre était incorporé dans des onguents pour la peau (Ebers 714 et 715, Hearst 153 et 154), l'ocre jaune (argile riche en oxyde ferrique hydraté) traitait le trachome et la pelade ;

- des recettes ophtalmologiques étaient préparées à base de galène (sulfure de plomb) et de chrysocolle (sulfate de cuivre hydraté).

Les observations chirurgicales exposées dans le papyrus d'Edwin Smith nous apprennent aussi que les Égyptiens disposaient d'un certain nombre d'instruments qui sont décrits sommairement dans les paragraphes consacrés aux traitements.

Que savaient les médecins égyptiens de l'anesthésie ?

Pour réaliser l'anesthésie, les Égyptiens auraient utilisé des plantes comme le pavot et la mandragore, qu'ils connaissaient et qui sont représentées sur des bas-reliefs et des colliers. Dans son témoignage, Dioscoride a évoqué l'utilisation par les Égyptiens d'une curieuse forme d'anesthésie locale à l'aide de la « pierre magique » qui pourrait être une pierre siliceuse revêtue d'un enduit narcotique à base d'opium.

Les fouilles archéologiques ont également permis de retrouver des instruments chirurgicaux dont la qualité et la texture témoignent d'un excellent niveau technologique. Les praticiens de l'Égypte ancienne utilisaient des couteaux, des pinces et même un jonc à usage unique pour réaliser des incisions.

« Tu seras sounou mon fils ! »

La transmission du savoir médical se faisait de père en fils, afin que ce dernier puisse remplacer le premier dans ses prérogatives. Des dynasties médicales ont ainsi vu le jour, comme celle de la famille de Iouny qui a vécu sous le Nouvel Empire. À cette formation reposant sur l'instruction individuelle dans le cadre familial, s'ajoutait un enseignement délivré à l'école du palais, ou dans des maisons de vie (*per ânkh*) où des scribes (*hiérogrammates*) écrivaient et recopiaient les textes religieux et médicaux anciens. Les principaux papyrus qui permettent de connaître la médecine égyptienne sont des copies d'originaux conservées dans les maisons de vie.

Des médecins de bonne réputation

L'Égypte est présentée par Homère, le plus ancien écrivain grec dont les textes nous sont parvenus (VIIIe siècle av. J.-C). Dans *l'Odyssée*, elle apparaît comme une « terre féconde qui produit en abondance des drogues, les unes salutaires, les autres nuisibles, et où les médecins l'emportent en habileté sur tous les autres hommes, car ils sont les descendants de Péon. »

PORTRAIT

Le divin Péon

Péon était un célèbre médecin originaire d'Égypte, qui guérit jadis toutes les divinités de l'Olympe et fut ensuite adoré dans quelques contrées comme le dieu de la médecine.

Au cours de l'Antiquité, de nombreux médecins étrangers attirés par cette renommée, comme Hippocrate, venaient approfondir leurs connaissances médicales en Égypte.

Des médecins égyptiens étaient par ailleurs appelés à l'étranger pour y soigner des personnalités de haut rang, comme l'a souligné Hérodote, historien du Ve siècle avant J.-C. : « Darius avait coutume d'attacher à sa personne, les médecins égyptiens les plus réputés. » Un spécialiste des yeux égyptien s'est ainsi rendu au chevet de Cyrus, roi de Perse, à la demande du pharaon Amasis.

 L'examen de tablettes d'argile provenant des archives de la chancellerie des pays étrangers, dans les ruines de Tell-El-Amarna, nous apprend également qu'Aménophis IV (Akhenaton) a reçu un courrier d'un prince mitannien nommé Shama-Adda qui souhaitait qu'on lui envoie un des médecins de sa cour. Plusieurs textes diplomatiques font aussi état d'échanges entre le pharaon Ramsès II et le roi hittite Hattousil III à propos d'une demande d'un médecin, afin de traiter sa sœur qui souffrait de stérilité.

Peseshet, femme médecin

Des femmes égyptiennes ont exercé la profession de médecin, ce qui n'est pas étonnant quand on connaît le statut exceptionnel – comparé à d'autres civilisations – qu'avaient les femmes en Égypte. La plus connue a été Peseshet, qui a vécu vers 2700 avant J.-C. sous l'Ancien Empire égyptien. Son titre de « directrice des femmes médecins » figure sur une stèle fausse-porte retrouvée dans une tombe de Guizeh en 1930. Ce titre laisse donc entendre qu'il existait d'autres femmes médecins. Il est probable qu'elles assuraient la prise en charge des dames de la Cour et, en particulier, de la famille royale.

Une distribution pyramidale du corps médical

L'examen des stèles funéraires met en évidence une hiérarchisation du corps médical. En haut de l'échelle il y avait les médecins du palais. Ils étaient considérés comme les meilleurs praticiens du royaume. Parmi eux, le « Grand des médecins » (*Our Sounou*), nommé par le roi dont il assurait la prise en charge médicale, était situé au-dessus du « maître médecin » (*mer sounou*) dont dépendait le médecin de base (*sounou*).

Vénéré à Memphis comme « grand médecin des dieux et des hommes », « dieu qui protège les humains » « qui donne la vie à tous ceux qui s'adressent à lui », Imothep (2700 av. J.-C. – 2620 av. J.-C.) est le plus ancien médecin attesté de l'Humanité.

Imothep, père de la médecine

Imhotep, dont le nom signifie en hiéroglyphes « qui donne satisfaction », était le fils de l'architecte Knofer. Il est né à Ankhtoué dans un faubourg de Memphis. Il a été vizir du pharaon Djeser de la IIIe dynastie (vers 2800 av. J.-C.), après avoir été chef des scribes, grand prêtre d'Héliopolis, astronome, poète et architecte. Il aurait réalisé les plans de la célèbre pyramide à degrés de Saqqarah. Il a été élevé au rang de dieu guérisseur à la Basse-Époque (vers 1000 av. J.-C.). Des temples ont été dédiés en son honneur à Memphis, Thèbes et Saqqarah. Les Grecs l'ont assimilé à leur dieu de la médecine, Asklépios.

Le salaire des médecins

Grâce à des témoignages écrits, nous connaissons les rémunérations des médecins. Certains d'entre eux recevaient des honoraires importants sous forme de cuivre et de natron. Par exemple celui qui a soigné l'épouse d'Usihé, comme l'atteste le papyrus de Turin 1880 daté de l'an 29 du règne de Ramsès III. Le pharaon faisait preuve de générosité avec ses médecins : il est fait mention de la remise de larges colliers d'or, appelés « colliers de reconnaissance », à Penthou, qui était chef des médecins royaux sous Akhenaton au temps du Nouvel Empire. De son côté, Nebamon a reçu du prince syrien et de son épouse, en remerciement des soins délivrés, des esclaves, du bétail et aussi du cuivre et du natron. Il y avait une disparité dans les salaires des médecins. Ceux qui étaient affectés à la nécropole de Deir-El-Medineh au cours de la XXᵉ dynastie avaient un salaire moins important que les ouvriers. Ils recevaient un khar d'une espèce de graine (blé) et un khar d'une autre (orge), alors qu'un simple ouvrier recevait respectivement 3 et 4 khar.

L'hygiène pour lutter contre les maladies

Les Égyptiens ont été victimes de nombreuses épidémies qui étaient traitées, selon le papyrus Ebers, par des formules magiques, par le lavage des aliments, des lits et des ustensiles de ménage. Voici celles qui ont été identifiées :

- nous savons qu'ils ont souffert de la variole, comme cela a été le cas pour Ramsès V, dont la momie montre qu'il présentait sur la face, l'abdomen et les cuisses des papules, communément admises comme des stigmates de variole ;

- Ruffer a retrouvé, sur une momie d'époque tardive, des nodules inflammatoires et des lésions cicatricielles d'un poumon pouvant évoquer celles que provoque la peste.

- la lèpre, dont le foyer initial est asiatique, a été importée en Égypte autour de 350 avant J.-C. par l'intermédiaire des armées d'Alexandre Le Grand. Il a été retrouvé sur des momies datant de période grecque ou chrétienne des lésions caractéristiques de la lèpre. Le papyrus Ebers évoque des tumeurs de Khonsou qui pourraient correspondre à des atteintes cutanées de la lèpre, notamment des lépromes ;

- il a été évoqué des cas de poliomyélite sur des momies, comme celle de Ramsès Siptah qui présentait un raccourcissement de la jambe et une hyperextension de la cheville et du pied, ou celle de cette vieille momie (datant de 3700 av. J.-C.) découverte à Deshasheh, où il a été mis en évidence un raccourcissement et un amincissement du fémur gauche ;

- une stèle (conservée à Copenhague) datant de la XVIIIᵉ dynastie met en évidence des anomalies évocatrices de poliomyélite sur le membre inférieur droit, atrophié, d'un portier du temple d'Astarté.

L'hygiène individuelle avait une grande importance chez les Égyptiens, lesquels se lavaient plusieurs fois par jour, notamment les mains avant et après les repas à l'aide d'une cuvette et d'un vase à bec.

La circoncision

Un certain nombre de témoignages suggèrent que les Égyptiens réalisaient les circoncisions dès le troisième millénaire avant notre ère. Selon Hérodote, il s'agissait d'une mesure d'hygiène, comme il l'a expliqué à propos des prêtres : « Ils pratiquaient la circoncision pour des raisons d'hygiène, car ils préféraient la propreté à l'esthétique. » Le même, dans son *Enquête,* a établi le fait que : « Les Phéniciens et les Syriens de Palestine reconnaissent qu'ils tiennent cet usage des Égyptiens ». Diodore de Sicile et Strabon (XVI, 4, 17) estimaient que les Hébreux avaient ramené cette pratique d'Égypte. Il s'agissait d'un des rites du passage à la puberté qui était pratiqué chez le jeune homme, vers l'âge de 16-17 ans. Il a été découvert plusieurs représentations de la circoncision, notamment un bas-relief datant de la VIe dynastie (vers 2423 av. J.-C. – 2262 av. J.-C.), retrouvé sur un mur du mastaba de Ankh-ma-Hor à Saqqarah, qui relate les différentes phases de l'intervention.

 Les fouilles archéologiques ont permis de prouver, notamment à El Amarna, l'existence de salles de bains dans les riches demeures.

Les Égyptiens ne connaissaient pas le savon, ils utilisaient du natron, de la cendre et de la soude. Pour se rincer la bouche, ils utilisaient de l'eau aseptisée avec un sel appelé *bed*. Ils se servaient de nombreuses sortes d'huile et d'onguent pour combattre les mauvaises odeurs du corps. Par exemple le *kyphi*, mélange de myrrhe, genêt, encens et fenugrec ou des onguents à base de térébenthine.

Certaines substances, pulvérisées, mélangées et jetées sur le feu, servaient aussi à embaumer la maison et les vêtements : « Oliban sec, graines de pin, térébenthine, cinnamome, graines de melon, roseaux de Phénicie, et mis sur le feu » (papyrus Ebers n° 852). Hérodote, qui évoque le fait que les Égyptiens faisaient leurs besoins à l'intérieur des maisons, dévoile l'existence de latrines qui étaient de véritables cabinets d'aisance munis d'un siège comme ceux qui ont été découverts à El Amarna. Les villes disposaient de systèmes d'égouts pour évacuer les eaux usées.

Les moustiques étaient particulièrement nombreux dans l'Égypte ancienne, comme le suggère le témoignage d'Hérodote qui a précisé que les Égyptiens avaient eu l'idée ingénieuse d'utiliser des moustiquaires pour se protéger de ce type de désagrément : « Contre les moustiques très abondants chez eux, ils ont trouvé ces défenses : au-dessus de la région des marais, ils en sont protégés par les tours où ils montent pour dormir, car les vents empêchent les moustiques de voler haut. Dans la région des marais, ils ont un autre moyen : chacun y possède un filet qui lui sert pendant le jour à pêcher, mais qui la nuit a un autre usage : l'homme en enveloppe la couche où il prend son repos et se glisse dessous pour dormir. S'il dort enveloppé d'un manteau ou d'un drap, les moustiques le piquent à travers l'étoffe, mais, à travers le filet, ils ne s'y essaient même pas. »

Les momies et leurs secrets

Pour les Égyptiens, la mort est suivie d'une dissociation des éléments matériels et immatériels constituant l'être humain, qui continuent les uns et les autres leur évolution isolément, en dehors de l'enveloppe corporelle. Parmi ces éléments, le *Ka* avait une grande importance car il était considéré comme un « double » physique attaché à l'enveloppe charnelle de l'individu. Les Égyptiens pensaient que le *Ka* continuait à être le véritable représentant de la personnalité humaine, tout comme il l'avait été pendant la vie. Ils considéraient qu'il fallait donc faire en sorte de conserver le corps pour que le *Ka* puisse en reprendre possession aussi souvent qu'il lui convenait. Mais, surtout, ils estimaient qu'il était de la plus grande importance de faire en sorte que le tombeau comporte, en dehors du corps, un certain nombre d'éléments comme du mobilier ou de l'alimentation, afin que le *Ka* puisse continuer dans la tombe la vie qu'il avait menée sur terre.

Grâce à des techniques élaborées de conservation des corps, les momies des embaumeurs égyptiens nous ont légué la trace des pathologies qui affectèrent les pharaons.

Des embaumeurs experts en anatomie

Si les médecins ne pratiquaient pas d'intervention à l'intérieur du corps, qui était sacré, les embaumeurs égyptiens avaient eux une excellente connaissance de l'anatomie.

 Plusieurs arguments plaident en faveur d'une relation entre les médecins et les embaumeurs. En effet il est écrit dans le papyrus Smith : « Elle [la compresse] désigne le [même] pansement que celui qui est à la disposition de l'embaumeur, et que le médecin utilise » (Papyrus Smith, n° 4, 19-V, 5).

Il existe par ailleurs plusieurs familles qui comportaient à la fois des médecins et des embaumeurs, comme l'a établi une stèle d'offrandes datant du Moyen Empire à Abydos. On y évoque trois personnes : Nemtiemhat qui était « chef des médecins », tandis que son frère Chedoui était prêtre-*sem* et embaumeur et que son fils Tétou était prêtre-lecteur et *hery-tep* (magicien) « supérieur des mystères de la salle d'embaumement ». L'existence de ces titres au sein d'une même famille a suggéré que cette relation n'était probablement pas fortuite et laisse supposer un savoir-faire commun.

La momification

L'embaumement était pratiqué selon un rituel précis qui se déroulait en six étapes successives.

Deux ou trois jours après le décès, après réception du corps par les prêtres sur la rive est du Nil, la dépouille était transportée sur un bateau vers la rive ouest, où elle était installée dans la « Tente de Purification » (*l'Ibou*).

La première étape, la purification du corps, y était pratiquée par le chef des embaumeurs, « le Supérieur des Mystères », qui portait un masque de bois ou de terre cuite à l'effigie du dieu Anubis. Le corps était ensuite entièrement nettoyé avec de l'eau contenant du natron, puis il était « épilé », la chevelure étant laissée en place. Après un séchage, le corps était nettoyé à l'aide d'un linge imprégné de colorant qui laissait une fine pellicule rougeâtre sur la peau - cela donnait différentes teintes de peau aux momies.

La deuxième étape débutait par l'habillement du défunt avec ses propres vêtements. Sa famille l'accompagnait dans un deuxième lieu : l'*Ouabet*, la « Place Pure ». Les embaumeurs le déshabillaient pour extraire les viscères, en pratiquant une incision de petite taille – 12 centimètres en moyenne. Il était laissé en place la rate, les reins, ainsi que la vessie et les organes génitaux féminins. Le pénis était soit gardé, soit coupé et entouré de lin ou replacé dans l'abdomen. Le cœur, considéré comme le siège de la conscience et des sentiments, était également laissé en place dans le thorax.

La troisième étape comportait le traitement des viscères selon deux phases distinctes. Le corps faisait d'abord l'objet d'un lavage soigneux, puis il était immergé dans un liquide liquoreux saturé d'aromates et de résine, le *shedeh*. Les viscères étaient ensuite enduits de résine et d'huile, puis chacun était enveloppé dans une étoffe de lin pour être placé dans un des quatre vases canopes.

La quatrième étape consistait en l'extraction du cerveau – ce qui a été réalisé sur presque toutes les momies du Nouvel Empire. Un produit était introduit dans la cavité crânienne afin de la nettoyer. Après plusieurs heures, le liquide était évacué par des manipulations du corps et remplacé par une substance résineuse liquide et chaude. Les orifices (nez, bouche et oreilles) étaient recouverts de résine, de cire fondue ou bourrés de tampons de lin.

Au cours de la cinquième étape, la cavité abdominale et thoracique était remplie avec du natron solide, tandis que le corps faisait l'objet d'une déshydratation sur un lit, légèrement incliné vers les pieds, pendant 70 jours.

La sixième étape consistait en l'emmaillotage de la momie au moyen de bandelettes imprégnées de cire ou de gomme végétale, puis en l'application d'un masque de tissu ou de papyrus renforcé de plâtre ou de résine.

L'étude des momies et la paléopathologie

Dans le domaine médical, l'examen des momies avec des techniques modernes est à la base de la paléopathologie et fournit de précieuses informations sur les pathologies qui affectaient les anciens Égyptiens. Outre leur datation au carbone 14, notamment, différentes techniques sont utilisées :

✔ les premières autopsies scientifiques de momies ont été réalisées à la fin du XIXe siècle, après la découverte de célèbres pharaons sur le site de Deir el-Bahari. Depuis les années 1970, les études réalisées sur les momies se font selon des protocoles peu mutilants, bien établis et faisant intervenir des équipes multidisciplinaires comprenant des radiologues, des dentistes, des anatomopathologues, des parasitologues, des bactériologues, des entomologistes et des spécialistes des végétaux antiques ;

✔ la radiographie permet de détecter les « fausses momies », mais aussi de mettre en évidence des corps étrangers, comme des amulettes dans l'épaisseur des bandelettes. Grâce à la radiologie, il est possible d'évaluer la stature du sujet par l'étude du rachis et des os longs des membres, de déterminer son sexe par les clichés du bassin et du crâne, son âge grâce au panoramique dentaire. Les clichés radiologiques permettent de mettre en évidence des images osseuses pathologiques, mais aussi des lésions des tissus mous (calcifications artérielles, lithiases biliaires, kystes calcifiés, etc.) ;

✔ l'utilisation du scanner, depuis les années 1970, a permis de visualiser de manière plus précise les anomalies corporelles, mais aussi de mieux comprendre les modalités de la momification : la technique de bandelettage utilisée, les objets funéraires dissimulés, les matières placées à l'intérieur du corps, la forme, la taille et la localisation exacte de l'incision de la paroi abdominale ;

✔ l'apport de l'endoscopie a permis d'approfondir la connaissance des momies. Elle permet de réaliser une observation des lésions corporelles et des biopsies de tissus. L'étude des matières fécales des momies permet de connaître précisément la composition des repas des Égyptiens ;

✔ l'observation des cheveux avec leurs follicules au microscope optique et au microscope électronique permet de mettre en évidence des lésions du cuir chevelu, mais aussi de déterminer la couleur des cheveux. Nous savons ainsi que Ramsès II était roux ;

✔ le développement de la paléobiochimie permet de déterminer les taux de protides, de lipides, de glucides, mais aussi de vitamines présents dans les corps, ce qui apporte des renseignements précieux sur la santé des personnages momifiés ;

✔ l'utilisation de techniques de biologie moléculaire va permettre l'étude de maladies sévissant en Égypte ancienne, jusqu'alors inconnues, et par ce biais de comprendre la fréquence et l'évolution des pathologies retrouvées. Cette technique va également permettre l'étude de certaines relations de parenté entre les membres des familles de pharaons, mais aussi les rapports que les Égyptiens entretenaient avec les populations environnantes.

Ces momies malades...

L'étude scientifique des momies a mis en évidence que les anciens Égyptiens souffraient déjà de maux prétendus modernes... Les maladies cardiovasculaires touchaient ainsi les classes aisées égyptiennes, surtout à partir du Nouvel Empire, qui a vu s'épanouir la civilisation égyptienne.

Acné ou escarres

L'examen des momies offre des informations intéressantes sur les problèmes dermatologiques dont souffraient les Égyptiens. On a identifié des affections dermatologiques en rapport avec l'âge avancé des sujets au moment de la momification. Ainsi la présence de comédons sur quelques momies de sujets âgés témoigne de l'existence d'une acné sénile. Une prêtresse d'Amon de la XXIe dynastie présente quant à elle des escarres des fesses et du dos, probablement à la suite d'un alitement prolongé avant son décès. Dans un souci d'esthétique, les embaumeurs ont tenté de dissimuler ces lésions avec des pièces de peau de gazelle !

Le cœur malade de la princesse Teye

La momie de la princesse Teye, décédée à l'âge de 50 ans, qui a vécu au cours de la XXIe dynastie, soit 1 000 ans avant J.-C., a été retrouvée à Deir el-Bahari et a fait l'objet d'une étude très rigoureuse. Elle a permis de poser un diagnostic rétrospectif particulièrement intéressant. L'étude du cœur, réduit à cause de la déshydratation à la taille d'un « œuf de poule », a mis en évidence plusieurs anomalies. D'une part, il y avait une petite masse calcifiée de la valve mitrale témoignant d'une vieille endocardite et, d'autre part, un épaississement fibreux bien marqué avec des calcifications focales des coronaires, ainsi qu'une zone de fibrose au niveau du myocarde. Elle souffrait sans doute d'angor et gardait des séquelles d'infarctus du myocarde. Il est probable qu'elle a présenté une hypertension artérielle sévère. Cette femme souffrait certainement d'obésité, comme le souligne l'existence de plis cutanés abdominaux. Des lésions d'artériosclérose ont été par ailleurs retrouvées sur les artères de moyen calibre.

L'athérosclérose, déjà !

Au cours d'un congrès de cardiologie organisé à Orlandon (Floride) en 2009 par l'American Heart Association, Gregory Thomas a présenté une étude cardiovasculaire de 22 momies égyptiennes de l'époque pharaonique. Il a ainsi mis en évidence, chez neuf d'entre elles, des calcifications sur la paroi interne des artères témoignant d'un antécédent d'athérosclérose. Il a été établi que les traces de calcification étaient plus fréquentes chez les sujets décédés après l'âge de 45 ans. Il s'agissait de momies de personnages appartenant à la classe socio-économique élevée, qui bénéficiaient d'une alimentation riche et qui étaient sédentaires.

Les auteurs de ce travail ont conclu qu'il était peut-être important de relativiser l'influence de nos modes de vie actuels sur l'apparition de maladies considérées comme modernes...

Les différents maux de Ramsès II, mort à 99 ans

L'examen de la momie de Ramsès II, au cours des travaux de restauration qui ont eu lieu en 1976, a permis de montrer qu'il avait une dentition en mauvais état et portait une prothèse dentaire. Il souffrait d'une spondylarthrite ankylosante et présentait des signes d'artériosclérose, ce qui ne l'a pas empêché d'atteindre le grand âge !

Le mystère du sexe d'Akhenaton

Les représentations d'Aménophis IV, connu sous le nom d'Akhenaton, ont soulevé un certain nombre d'interrogations. Son visage présente des traits allongés, un menton proéminent, saillant et mince. À cela s'ajoutent un cou frêle et long, un amincissement du thorax. Ses glandes mammaires sont excessivement développées. L'abdomen est proéminent, tandis que le bassin est élargi. Les parties génitales ne sont pas visibles sur l'une des statues où il est représenté nu. Un certain nombre d'auteurs se sont interrogés sur la représentation asexuée d'Akhenaton, d'autant qu'il existe des arguments en faveur d'une stérilité. La paternité des six enfants qu'il a eus avec Néfertiti a été remise en question, car il est inhabituel qu'aucun ne bénéficie du titre de fils.

Un certain nombre d'hypothèses diagnostiques ont été formulées : trouble hormonal, aberration chromosomique, tumeur testiculaire ou surrénalienne, cancer... Sans pouvoir être éclairées par des recherches sur une momie restée introuvable !

Chapitre 4

La médecine des Hébreux

Chez les Hébreux, la vision de l'Homme, les rapports au corps, à la vie et à la mort sont marqués par une religion monothéiste, la première de l'Histoire.

Nous n'avons guère de données archéologiques pour nous renseigner sur les connaissances médicales des Hébreux et la place qu'occupait la médecine hébraïque dans l'Antiquité…

Nos premières sources sont bibliques et s'appuient sur la lecture de l'Ancien Testament. Rédigés à partir de la fin du VIIIe siècle avant J.-C., les cinq premiers livres de la Torah (la Genèse, l'Exode, le Lévitique, les Nombres, le Deutéronome) rassemblent les lois (les Dix Commandements) que le prophète Moïse, descendant du patriarche Abraham, a reçues de Dieu sur le mont Sinaï. Ces textes donnent aux Hébreux une loi fondamentale et une éthique rassemblant leur peuple sur des prescriptions et valeurs communes. Les commentaires de la Bible (le Talmud) nous livrent quant à eux des informations précises sur les pratiques des médecins, particulièrement avancées, tant sur le plan physiopathologique que médico-légal.

La médecine et la Loi

Les Hébreux avaient le plus grand respect pour les principes moraux et religieux et considéraient que la croyance en l'Éternel assurait le maintien en bonne santé.

Le respect de la loi divine

Le scepticisme à l'égard de la puissance de l'Éternel, ainsi que la transgression de la Loi divine, étaient ainsi susceptibles de provoquer des châtiments divins. Dans la Torah, il est d'ailleurs rappelé :

« Si vous ne m'écoutez point, et que vous cessiez d'exécuter tous ces commandements ; si vous dédaignez mes lois et que votre esprit repousse mes institutions, au point de ne plus observer mes préceptes, de rompre mon alliance, à mon tour, voici ce que je vous ferai : je susciterai contre vous d'effrayants fléaux, la consomption, la fièvre, qui font languir les yeux et défaillir l'âme » (Lévitique 26, 14-16).

On retrouve d'ailleurs de nombreux exemples de survenue de maladies consécutivement à la transgression de lois divines :

✔ Myriam a contracté la *tsaarath*, qui est probablement la lèpre, après avoir médit contre son frère Moïse ;

✔ le roi Yoram présente une maladie des entrailles en guise de punition.

Néanmoins, le lien n'est pas toujours évident :

✔ Job, considéré comme juste, intègre et respectueux des commandements divins, est victime des maladies les plus effroyables et des malheurs les plus atroces. Mais Dieu le met à l'épreuve et finira par le récompenser de sa loyauté ;

✔ un certain nombre de personnages de la Bible sont victimes de maladies sans avoir réalisé de péchés. Ainsi, il n'existe pas d'explication à la cécité d'Isaac ou à la stérilité de Rachel…

La stérilité des matriarches

La stérilité était considérée comme une des pires malédictions chez les Hébreux. Elle a touché de nombreuses femmes de la Bible, qui ont finalement réussi à enfanter : Sarah, Rebecca, Rachel, Hannah, Ruth, etc. Le cas de Sarah, l'épouse d'Abraham, est particulièrement symbolique puisqu'elle est tombée enceinte à 90 ans passés. Le nom de son fils, Isaac (« il rira » en hébreu), a pour origine la réaction de cette dernière. En effet, à l'annonce de cette nouvelle, elle s'était mise à rire (*Tsahaqqah*) en disant : « Flétrie par l'âge, ce bonheur me serait réservé ! Et mon époux est un vieillard ! » (Genèse 18, 1-14).

L'Éternel est cause de la maladie, mais il est également celui qui assure la guérison, comme le soulignent de nombreux extraits de la Bible : « Je suis le Seigneur qui te guérit » (Exode 15, 26). Pour guérir, le malade doit donc adresser des prières susceptibles d'annuler la décision divine. Il récite alors une prière spéciale en guise de remerciements à l'Éternel.

La circoncision était quant à elle considérée comme l'expression du sceau de l'alliance entre Dieu et Abraham : « Voici mon alliance que vous observerez entre moi et vous et ta postérité après toi pour toutes leurs générations ; circoncire tout mâle d'entre vous. Vous retrancherez la chair de votre excroissance et ce sera un signe d'alliance entre moi et vous. ». Dans la Bible, Abraham est le premier à la réaliser. À l'âge de 99 ans, il circoncit ses enfants Ismaël et Israël. Moïse a ensuite imposé la circoncision pour tous les enfants mâles âgés de huit jours avant l'entrée des Hébreux en Palestine. Et celle-ci s'est imposée non seulement chez les Hébreux, mais aussi chez les esclaves qui vivaient parmi eux.

Contre-indications à la circoncision

La circoncision était pratiquée seulement si l'état de l'enfant le permettait. Elle n'était pas réalisée chez un enfant malade et il était nécessaire d'attendre une semaine entière après sa guérison pour intervenir. Les Hébreux connaissaient aussi le risque de maladies hématologiques héréditaires. En conséquence, ils interdisaient la réalisation d'une circoncision si deux ou trois des frères aînés de l'enfant à circoncire étaient morts d'hémorragie à la suite de leur circoncision ou si deux sœurs avaient eu un enfant qui avait succombé à l'opération.

Les médecins du Temple

Des médecins assuraient la prise en charge médicale des 20 000 personnes chargées de la surveillance et de l'administration des biens du Temple de Jérusalem. Ils s'occupaient également des problèmes de santé des prêtres descendants du frère de Moïse, Aaron (les Cohanim), qui avaient des responsabilités sacerdotales supérieures importantes.

Les médecins du Temple étaient chargés de déterminer si les prêtres étaient capables d'exercer leur ministère, car ils ne devaient pas présenter de défauts corporels, conformément aux préceptes de l'Éternel à Moïse :

« Quiconque a une infirmité ne saurait être admis : un individu aveugle ou boiteux, ayant le nez écrasé ou des organes inégaux ; ou celui qui serait estropié, soit du pied, soit de la main ; ou un bossu, ou un nain ; celui qui a une taie sur l'œil, la gale sèche ou humide, ou les testicules broyés » (Lévitique 21,17-18).

Les premiers experts médico-légaux

Les Hébreux attachaient une grande importance au respect des règles énoncées dans le cadre de tribunaux talmudiques. Des médecins participaient aux décisions des tribunaux (selon le Talmud, « sans médecin, pas de justice »).

Les médecins experts étaient sollicités par les juges et donnaient leur avis afin de déterminer le montant des indemnités que le responsable d'un préjudice devait verser à la victime en cas de blessures ou à sa famille en cas d'homicide volontaire ou involontaire. Les Hébreux ont été ainsi les premiers à établir les modalités d'une indemnisation pécuniaire.

La loi prévoit cinq sortes d'indemnités : pour les dommages corporels (*nezek*), pour la douleur, pour les soins occasionnés jusqu'à la guérison complète, pour l'arrêt de travail et pour le préjudice moral (*boshet*).

La fameuse loi du *talion* (Lévitique 24,20) est universellement connue :

« œil pour œil, dent pour dent ! Celui qui cause une lésion à un homme, on la lui causera ».

Elle ne signifie pas qu'il convient de faire subir à l'auteur d'un préjudice physique la même blessure. Elle fait plutôt allusion à une compensation financière à hauteur de la valeur d'un œil.

Les médecins hébreux réalisaient de véritables expertises médicales en cas d'accident survenu sur un lieu de travail ou sur la voie publique, de coups et blessures et d'autres atteintes au respect de la personne humaine, ou encore de crimes comme le viol.

Quelle punition pour le viol ?

Le viol était passible de la peine capitale si la femme était mariée. En cas de viol d'une femme célibataire, l'homme avait l'obligation de verser une indemnité pour le préjudice causé et d'épouser la femme violée sans pouvoir par la suite divorcer, quels que soient la situation matérielle et l'état moral ou physique de cette dernière (aveugle, lépreuse ou boiteuse). Il était parfois demandé de procéder à l'examen de la femme violée, afin de vérifier qu'elle n'utilisait pas le sang d'un animal ou une matière colorée pour induire les juges en erreur. Le Talmud décrit ainsi des méthodes permettant de différencier une tache occasionnée par le sang et celle d'un colorant.

Il était également fait appel aux médecins pour écarter un doute sur la pureté ou l'impureté de la femme, en particulier dans les cas de divorce ou de stérilité.

Une médecine préventive élaborée

Les Hébreux ont conçu des règles tout à fait novatrices dans le domaine de la médecine préventive. Parmi les 613 commandements (*mitsvots*) de la Torah qu'ils devaient respecter, 213 concernent la prévention des maladies infectieuses, l'hygiène environnementale, corporelle et alimentaire.

Des épidémies fréquentes

L'Ancien Testament évoque à plusieurs reprises la peste et la lèpre.

La peste

On retrouve des références à ce que nous pensons être la peste dans la Bible, où elle est désignée sous le nom de *dever*, *magefah* ou *negef* :

- les Philistins ont contracté la peste aux environs de 1050 avant J.-C., après le vol de l'arche d'Alliance. Les habitants des villes dans lesquelles ils l'avaient transportée ont également été touchés par la peste : « Et la main du Seigneur s'appesantit lourdement sur les habitants d'Ashdod et les détruisit et affligea Ashdod et ses rives de tumeurs » (Premier livre de Samuel 5, 6) ;

- les armées de Sennachérib, rois des Assyriens en l'an 701 avant J.-C., ont été décimées à la suite de la prière d'Ézéchias, roi du royaume de Juda, ce qui a permis la victoire des Hébreux (Deuxième livre des Rois 19, 35) ;

- la peste a touché la ville de Jérusalem aux environs de l'an 1000 avant J.-C. pour punir David d'avoir ordonné le dénombrement de son peuple : « L'ange étendit sa main vers Jérusalem pour l'exterminer, mais Yahvé se repentit de ce mal et il dit à l'ange qui exterminait le peuple : " Assez ! retire à présent ta main " » (Deuxième livre de Samuel 24,16).

 Les sages du Talmud considéraient que la peste pouvait se transmettre d'une ville à l'autre non seulement par l'intermédiaire des individus qui s'y rendaient, mais aussi par les animaux. Ils estimaient que la meilleure option à envisager en cas d'épidémie de peste était de s'enfuir du lieu où elle sévissait.

La lèpre

L'existence de la lèpre est évoquée dans plusieurs passages de la Torah. On y trouve les caractères cliniques permettant de poser le diagnostic de lèpre, mais surtout les éléments permettant de différencier la lèpre tuberculoïde de la lèpre lépromateuse. Les malades souffrant de lèpres étaient considérés comme impurs et étaient isolés du reste de la communauté : « Tant que durera son mal, il sera impur et, étant impur, il demeurera à part : sa demeure sera hors du camp. » (Lévitique 13,46-47)

On peut se demander si l'affection désignée sous le terme de lèpre (*tzaarath*) était réellement cette maladie. Le terme regroupe plus vraisemblablement de nombreuses dermatoses.

La lutte contre les infections

Le fait de se prémunir contre les affections susceptibles d'altérer la santé constituait pour les Hébreux un devoir sacré. Ils considéraient ainsi qu'il était de la plus haute importance d'isoler des individus contagieux et de procéder à la désinfection de leurs effets.

Ils envisageaient le risque de contamination en cas de contact avec un défunt. En conséquence, il était rappelé que « celui qui touchera un mort, un corps humain quelconque sera impur pendant sept jours ».

Concernant la lutte contre les maladies vénériennes, un passage du Lévitique rappelle aussi à ce propos : « Tout homme qui a une gonorrhée est par-là même impur… que sa chair laisse couler son pus, ou qu'elle le retienne, il est impur. Tout lit sur lequel il couchera sera impur, et tout objet sur lequel il s'assiéra sera impur. Celui qui touchera son lit lavera ses vêtements, se lavera dans l'eau et sera impur jusqu'au soir… »

Il était également attaché une grande importance à l'éviction des rats et des mouches considérés comme des possibles vecteurs de maladies épidémiques.

Les meilleurs exemples de règles d'hygiène sont celles qui étaient imposées aux soldats. Des latrines devaient en effet être mises en place :

 « Quand tu marcheras en corps d'armée contre tes ennemis, tu devras te garder de toute action mauvaise. Tu réserveras un endroit en dehors du camp, où tu puisses aller à l'écart ; tu auras aussi une bêchette dans ton équipement, et quand tu iras t'asseoir à l'écart, tu creuseras la terre avec cet instrument et tu en recouvriras tes déjections. Car l'Éternel, ton Dieu, marche au centre de ton camp pour te protéger et pour te livrer tes ennemis : ton camp doit donc être saint. Il ne faut pas que Dieu voie chez toi une chose déshonnête, car il se retirerait d'avec toi. » (Deutéronome 23, 10-15)

L'hygiène corporelle

Dans la vie quotidienne, l'hygiène corporelle était considérée comme très importante chez les Hébreux, car le corps était jugé comme indissociable de l'esprit. La loi hébraïque rappelait que « chacun doit laver tous les jours son visage, ses mains et ses pieds, par respect pour son Créateur ». Le lavage des mains était quant à lui rituellement réalisé tous les matins au réveil, mais aussi après s'être coupé les cheveux ou les ongles et après la défécation.

L'usage de se laver les mains avant et après avoir mangé a d'abord été en vigueur chez les prêtres, puis s'est généralisé à tous les Hébreux.

Il est important de souligner que le lavage des mains après le repas n'est pas considéré comme un commandement (*mitszva*), mais plutôt comme une obligation (*hova*).

Les règles d'hygiène de la menstruation permettaient, quant à elles, de limiter les risques infectieux.

Les règles alimentaires

Les Hébreux insistaient sur le respect des règles d'hygiène alimentaire. Il est précisé dans la Torah qu'il est interdit de manger un animal « tant que son sang maintient sa vie » (Genèse 9, 4). Il est également précisé : « Ne mangez le sang d'aucune créature. Car la vie de toute créature, c'est son sang : quiconque en mangera sera retranché » (Lévitique 17, 14). La consommation de viande d'un animal mort de façon naturelle (*nevélah*) ou déchirée par des bêtes sauvages était formellement interdite.

Certains poissons, ainsi que les fruits de mer, les coquillages et les crustacés étaient exclus de l'alimentation (Deutéronome 14, 9).

Pourquoi une nourriture cacher ?

Certains ont avancé des arguments d'ordre hygiénique et sanitaire pour expliquer le respect des règles alimentaires *cacher*. Ainsi l'absence de consommation de porc limiterait le risque de contracter certaines affections parasitaires.

Néanmoins, d'autres auteurs considèrent que l'adoption de ces règles alimentaires leur permettait de limiter les échanges avec les autres peuples et de conserver leur unité.

La consommation de l'eau faisait également l'objet de règles. Dans un but prophylactique, il était interdit de boire de l'eau qui aurait été en contact avec un animal blessé ou mort. Les récipients utilisés pour les repas devaient être propres.

Des précurseurs de la diététique

La Torah et le Talmud insistent sur l'importance de suivre un régime alimentaire équilibré pour être en bonne santé. Le Talmud souligne ainsi l'importance de limiter son appétit à ses besoins : « Mange quand tu as faim, bois quand tu as soif ».

Les sages Talmud connaissaient parfaitement les conséquences de la faim sur le psychisme, rappelant qu'elle limitait les capacités de réflexion et les réactions émotionnelles. Ils recommandaient de ne pas se goinfrer : « La gloutonnerie est comme un poison mortel pour le corps humain et la véritable cause de toutes les affections. » En conséquence, il est donné le conseil suivant : « On ne mangera pas jusqu'à réplétion complète de l'estomac, mais on restera d'un quart environ au-dessus de la satiété complète ».

On retrouve dans le Talmud un certain nombre de conseils diététiques, comme celui de boire pendant les repas, de manger à heure fixe et de prendre soin de bien mâcher ses aliments. Il est déconseillé de manger debout et il est conseillé de pratiquer un exercice physique après tout repas : « Si quelqu'un mangeait et ensuite ne faisait pas une petite marche d'au moins quatre coudées, sa nourriture se corromprait [dans son estomac] et il aurait l'haleine fétide. »

La première opération de chirurgie esthétique

Le traité *Baba Mézia* du Talmud raconte une opération de lipectomie chez un certain Rabbi Éléazar qui souffrait d'obésité : « On le transporta dans une maison en briques. On lui ouvrit le ventre et on retira de nombreuses corbeilles de graisse. Celles-ci furent exposées au soleil du mois d'Ab [juillet] et de Tamouz [août], pourtant il n'y eut pas de putréfaction... » (*Baba Mézia*, 83 b).

Pour réaliser ce type d'intervention, on utilisait un poison en guise d'anesthésique, une sorte d'hallucinogène appelé *samma deshinta* en hébreu, qui pourrait correspondre à de la mandragore associée à du vinaigre.

Chapitre 5

La médecine dans la Grèce ancienne

*L*es premiers fondements de la médecine des Grecs sont liés aux mythes, dont le plus célèbre est celui d'Esculape, vénéré comme un dieu. Les médecins se sont réclamés de sa tradition et les malades ont cherché la guérison dans les temples qui lui étaient dédiés.

Progressivement, il s'est développé une médecine scientifique fondée sur l'observation et la méthode, qui a pris le dessus sur la religion. La médecine était considérée comme une discipline scientifique par les philosophes, de Pythagore à Diogène. Mais c'est Hippocrate et les auteurs du *Corpus hippocratum* qui ont apporté en Europe la plus grande contribution à la médecine, avec la théorie des humeurs (sang, phlegme, bile jaune, bile noire) et le relevé des qualités physiques qui leur sont associées (chaud, froid, sec, humide), l'examen du malade et la pose d'un diagnostic, ainsi que les principes d'éthique médicale.

Le serment d'Hippocrate, véritable profession de foi du médecin, reste au XXIe siècle la base de la déontologie que tous les étudiants en médecine récitent le jour de leur thèse : « Dans toute maison où je serai appelé, je n'entrerai que pour le bien des malades… ».

La médecine grecque avant Hippocrate

Les Grecs anciens considéraient que les dieux étaient responsables de la maladie ; en conséquence, les prêtres-médecins étaient les seuls habilités à communiquer avec eux.

Puis, les philosophes, qui étaient également de grands savants, ont élaboré des théories qui ont favorisé la révolution de la médecine apportée par Hippocrate.

La médecine des dieux

Selon les récits mythologiques, les dieux veillaient sur les différents aspects de la vie, notamment la santé :

- Héraclès est considéré comme un précurseur dans le domaine de l'hygiène. Grâce à son ingéniosité, il a par exemple nettoyé les écuries du roi Augias – l'un de ses 12 travaux – en détournant le cours des fleuves, s'épargnant ainsi de se salir les mains. D'après Pline, il aurait aussi découvert la jusquiame, une plante aux effets narcotiques ;

- Aphrodite, déesse de la beauté et de l'amour, inspirait aux hommes et aux divinités la passion sexuelle ;

- Héra, épouse de Zeus, assurait la protection des femmes enceintes et la fertilité ;

- Hermès, fils de Zeus et d'Héra, messager des dieux, était le dieu de l'Alchimie ;

- Asclépios, fils d'Apollon, était le dieu de la médecine, dont l'art lui avait été enseigné par le Centaure Chiron. Il était capable de déclencher les maladies, mais aussi de les guérir. Il est représenté debout, tenant à la main un bâton autour duquel s'enroule un serpent, symbole de la connaissance, de la prudence et de la force - image qui préfigure le caducée. Asclépios avait le pouvoir de ressusciter les morts, ce qui lui a valu la haine des dieux de l'enfer qui se sentaient spoliés de leur pouvoir, notamment Hadès. En conséquence, Zeus, le maître des dieux de l'Olympe, inquiet de voir l'au-delà se dépeupler si Asclépios continuait à ressusciter les morts, décida de le foudroyer ;

- les fils d'Asclépios héritèrent de son pouvoir de guérir : le génie Télesphore aidait à la convalescence ; Machaon et Podalirios, ancêtre du grand médecin Hippocrate, étaient médecins. Homère a raconté dans l'*Iliade* comment Machaon, utilisant des poudres végétales (*pharmaka*), s'était occupé des blessés pendant la guerre de Troie ;

- parmi les cinq filles d'Asclépios, Hygie était la déesse de la santé et Panacée était capable de guérir tous les maux par les plantes.

À partir du VIe siècle avant J.-C., les descendants d'Asclépios, les Asclépiades, ont établi des temples en Thessalie, à Tricca, mais aussi à Épidaure, en 375 avant J.-C., sur le lieu présumé du tombeau d'Asclépios, dont il reste des vestiges archéologiques. Ce dernier attirait de nombreux Grecs venus chercher la guérison. Tous les quatre ans, des fêtes dramatiques et sportives avaient lieu en l'honneur d'Asclépios (les *Asclépieia*).

Dans les temples d'Asclépios, les soins étaient délivrés selon un cérémonial bien établi. Après le coucher du soleil, le malade passait la nuit à *l'asclépion* où il attendait la visite des dieux. Le matin, au cours de son réveil, il pouvait espérer être guéri ou bien il relatait ses rêves afin que les médecins puissent les interpréter. Parfois, il recommençait ce cérémonial plusieurs jours de suite. Le malade guéri jetait de l'or dans une fontaine en guise de reconnaissance.

Les sanctuaires étaient des lieux dans lesquels il était possible de procéder à des sacrifices et de faire des offrandes, mais aussi de consulter les oracles pour poser des questions aux dieux et obtenir des réponses. Le sanctuaire le plus célèbre était celui d'Apollon à Delphes, où la Pythie, prêtresse et prophétesse, délivrait des paroles sibyllines.

La Pythie de Delphes

La Pythie était assise sur un trépied sacré, censé être le trône d'Apollon. Le consultant, qui ne la voyait pas car il en était séparé par une tenture, formulait sa demande.

La Pythie entrait en transe, lançait des cris et des hurlements comme si elle était possédée par les dieux. Ses paroles, incohérentes, étaient recueillies, interprétées et rédigées en vers ou en prose par un prophète. Le fidèle emportait cette réponse écrite à laquelle il devait trouver un sens. Au début, il n'était délivré qu'une seule consultation par an. Par la suite, il a été instauré une consultation mensuelle qui avait lieu le septième jour du mois, excepté pendant les trois mois d'hiver où Apollon ne donnait aucun oracle.

Les hommes politiques grecs ont souvent eu recours à la Pythie, laquelle a connu son apogée entre 700 et 400 avant J.-C.

Les Asclépiades ont tiré un enseignement de leur expérience quotidienne et empirique qui leur a permis d'apprendre à reconnaître et à soigner les maladies. Ils ont eu progressivement recours à la diététique et à la prescription de plantes.

Cette expérience marque le début de la médecine d'observation et, surtout, le détachement de la pratique magique et religieuse. Progressivement, l'asclépiade a été remplacé par le *iatros*, autrement dit celui qui guérit. Le savoir médical était transmis par les Asclépiades de père en fils.

Philosophes et savants

Entre le VIIe et le VIe siècle avant J.-C., les premiers « intellectuels » de l'Histoire ont cherché à comprendre et à expliquer les phénomènes de la nature. La puissance du raisonnement a ainsi conduit un certain nombre de philosophes à dissocier la médecine de la magie, en particulier Pythagore (570 av. J.-C. – 480 av. J.-C.) qui considérait que la santé était l'expression de l'harmonie entre les nombres. Il a établi l'universalité des quatre éléments que l'on retrouve dans le corps humain : la terre, le feu, l'eau et l'air.

D'autres philosophes-savants ont élaboré des concepts novateurs qui ont joué un rôle fondamental dans la révolution hippocratique :

- Thalès de Milet (625 av. J.-C. – 547 av. J.-C.) considérait que l'eau était l'élément fondamental nécessaire à la vie animale et végétale, contrairement à Héraclite d'Éphèse (vers 576 av. J.-C. – vers 480 av. J.-C.) qui considérait que c'était le feu ;

- Alcméon de Crotone (vers 550 av. J.-C. – 470 av. J.-C.), élève de Pythagore, s'est intéressé vers 500 avant J.-C. à la connaissance du corps humain. Il est considéré comme le premier physiologiste de l'histoire de la médecine et comme le premier médecin ayant réalisé des dissections et des expériences sur les animaux. Il a insisté sur le rôle du cerveau, dont il considérait qu'il était le centre de l'intelligence et de l'âme. Il a décrit les nerfs de l'œil. Il a établi qu'il existait une différence entre les veines et les artères et qu'il y avait une relation étroite entre le cerveau et les organes sensoriels. Il a étudié l'origine de l'embryon et a fait l'erreur de considérer que le sperme provenait de l'encéphale ;

- Empédocle d'Agrigente (vers 490 av. J.-C. – vers 430 av. J.-C.) a émis l'hypothèse selon laquelle la combinaison de quatre éléments indivisibles (l'eau, la terre, l'air et le feu) et leurs caractéristiques associées (l'humidité, la sécheresse, le froid et le chaud) déterminent la santé, les divers tempéraments ou caractères. Cette conception a constitué le socle de la théorie des quatre humeurs qui a perduré pendant deux millénaires en médecine. Il a également décrit l'anatomie des muscles, des ligaments et de l'oreille interne ;

- Démocrite d'Abdère (vers 460 av. J.-C. – vers 370 av. J.-C.) a considéré que le monde était constitué de vide et d'atomes, des particules indivisibles en perpétuel mouvement. Il a réalisé la dissection d'animaux et a entrepris un classement des médicaments.

La médecine d'Hippocrate

On doit à Hippocrate le fameux « serment » que prêtent les médecins… Rompant avec l'origine divine des maladies, ce médecin a changé le cours de l'histoire. Pourtant, il ne disposait pas de connaissances anatomiques et physiologiques élaborées et il faisait essentiellement confiance aux vertus curatives de la nature.

Sous son impulsion, la médecine est devenue rationnelle et curative. Hippocrate précise dans ses *Aphorismes* : « Aux grands maux, les grands remèdes appropriés. »

Il énonce aussi que le premier principe du médecin doit être de ne pas nuire au malade (« *Primum non nocere* »).

Hippocrate de Cos, « père de la médecine »

Hippocrate est né en 460 avant J.-C. sur l'île de Cos, face à la presqu'île de Cnide, dans une famille attachée au culte d'Asclépios. Il a bénéficié de l'enseignement de son grand-père, Hippocrate l'Ancien, puis de son père Héraclidès, mais aussi de Démocrite, d'Hérodicus de Sélymbir et de Gorgias. Sa mère descendait d'Héraclès.

Après avoir acquis un solide savoir médical, Hippocrate est parti sur le continent comme médecin itinérant (*périodeute*) pour approfondir ses connaissances. En 443 avant J.-C., il a réalisé un grand voyage d'études en Égypte, en Syrie, en Italie, en Sicile. Il lui a été attribué la paternité d'une œuvre immense de près de soixante traités qui a constitué une véritable innovation dans le domaine de la médecine.

Les *Aphorismes* constituent le traité le plus célèbre du *Corpus Hippocraticum* qui a été appris par cœur par des générations de médecins jusqu'au XVIIIe siècle.

La conception des maladies selon Hippocrate

Hippocrate excluait toute intervention divine ou magique sur la santé des Hommes : « les maladies ont une cause naturelle et non surnaturelle, cause que l'on peut étudier et comprendre ».

La doctrine médicale de la théorie des humeurs, mise au point par Hippocrate et les auteurs du *Corpus Hippocraticum*, a été adoptée par Galien (voir page 69). Elle a joué un rôle prépondérant dans l'histoire de la médecine jusqu'à la fin du XVIIIe siècle.

La théorie des humeurs

Hippocrate a élaboré un raisonnement qui repose sur la théorie des quatre humeurs (le sang, la lymphe ou le phlegme, la bile jaune et la bile noire ou l'atrabile) correspondant aux quatre éléments pythagoriciens (l'air, le feu, la terre et l'eau) et quatre qualités physiques (chaud, froid, sec, humide). Le sang était élaboré au niveau du cœur, le phlegme était sécrété par l'hypophyse, la bile jaune par le foie et la bile noire ou l'atrabile par les petites veines.

La santé du corps et de l'âme dépendaient de l'équilibre des humeurs. Il était donc possible de trouver une cause physique à la maladie, et l'ayant diagnostiquée, une thérapeutique adaptée, sachant que la nature soigne souvent le mal.

Hippocrate a construit sa pensée médicale en s'appuyant sur quatre concepts :

- l'importance du rôle de la nature de l'homme et de son environnement dans la survenue des maladies ;
- la maladie, conséquence d'une atteinte de l'organisme dans sa globalité et non seulement de l'atteinte d'un seul organe comme cela était envisagé auparavant ;
- l'existence d'un équilibre des quatre types d'humeur au sein de l'organisme, la maladie résultant d'une modification de la sécrétion d'une des humeurs ;
- l'équilibre entre les quatre humeurs, susceptible de se rompre en cas d'intervention d'un facteur intrinsèque propre au malade (l'âge de la vie, les facteurs congénitaux, génétiques ou constitutionnels et les facteurs raciaux) ou extrinsèque (saison, mode de vie, aliments) ou encore de l'association des deux types de facteurs.

Hippocrate considérait que les maladies évoluaient en trois phases : une phase d'incubation, suivie d'une phase critique au cours de laquelle les troubles atteignaient leur maximum d'intensité, puis une phase de résolution où les humeurs en excès étaient évacuées ou s'aggloméraient dans un endroit du corps pour former un abcès.

L'examen du malade par Hippocrate

Hippocrate a insisté sur l'importance de l'interrogatoire du malade pour connaître ses antécédents et ses prédispositions héréditaires, ainsi que de l'examen clinique. Il a mis au point une méthode d'examen très rigoureuse qui comportait quatre étapes :

- recherche des antécédents du malade ;
- identification des signes généraux de la maladie (fièvre, dyspnée, troubles digestifs, troubles d'élimination) ;

✔ étude des signes locaux de la maladie ;

✔ examen méthodique du malade (visage et yeux, posture) et palpation, succussion (qui consistait à secouer le patient afin d'écouter les bruits provoqués), auscultation par l'application de l'oreille sur le corps et, enfin, examen des urines, vomissements et selles.

Les maladies du cœur selon Hippocrate

Dans le domaine de la pathologie cardiovasculaire, Hippocrate a établi un certain nombre de descriptions cliniques remarquables. Il a expliqué que « le cœur, organe solide et épais, ne peut subir de dommages à la suite d'un afflux d'humeur et ne peut éprouver de douleur ». Il livre une description d'une crise angineuse : « Lorsque les douleurs se portent au cœur, il se produit des palpitations, de l'asthme, la poitrine est serrée par une griffe, et certains malades se couchent en avant. » Hippocrate a insisté sur le caractère péjoratif de certains troubles cardiaques : « Les douleurs aiguës se portant pour peu de temps vers la clavicule et le dos sont funestes » ou « Le retour fréquent de la cardialgie chez une personne âgée annonce une mort imminente ».

« *Primum non nocere* »

Le traitement de la maladie reposait selon Hippocrate sur le rétablissement de l'équilibre des humeurs et donc sur l'évacuation des « humeurs vicieuses », selon deux moyens :

✔ soit par l'utilisation de médicaments capables de déplacer l'humeur et de la faire revenir à sa place d'origine ;

✔ soit par l'excision, afin de faire sortir l'humeur en excès.

Sur le plan thérapeutique, il proposait l'administration de vomitifs, de purgatifs et, surtout, la pratique de la saignée. Ainsi il est fait mention, en cas de tableau évoquant l'infarctus du myocarde, de l'utilisation de la saignée : « La douleur se déclarant vers la clavicule ou une pesanteur se faisant sentir dans le bras ou autour de la mamelle ou au-dessous du diaphragme, il importe d'ouvrir la veine du pli du cou... »

La pharmacopée préconisée par Hippocrate était riche. Elle comprenait plus de 230 drogues parmi lesquelles des substances d'origine minérale comme le cuivre, l'alun, le nitre, l'argent ou l'or, mais aussi d'origine végétale comme l'orge, le concombre, les lentilles, la grenade, la courge, le chou, l'oignon, la centaurée, l'euphorbe, l'ail, l'origan, le miel, le raisin, le vin ou le lait. La mandragore, la jusquiame et le pavot étaient utilisés pour anesthésier les patients et pour soulager les douleurs. L'hellébore blanc ou l'asaret étaient utilisés comme vomitifs.

L'exercice de la chirurgie était une autre facette de son activité thérapeutique. Le *Corpus Hippocraticum* évoque la réalisation d'excisions de tumeurs, de réduction de fractures, d'excisions d'hémorroïdes ou de fistules anales, ou encore d'incisions de paupières en cas d'inflammation.

Certains de ses instruments ont été décrits dans l'*Officine du médecin* ou dans ses traités chirurgicaux (tels le banc médical, l'échelle à succussion, les attelles et bandages) ; d'autres ont été retrouvés dans des sanctuaires, notamment à Épidaure.

Le serment d'Hippocrate

On attribue à Hippocrate la rédaction du serment qui a inspiré celui que tous les étudiants en médecine récitent lors de la soutenance de leur thèse. Ce serment constitue le socle de l'éthique médicale.

« Je jure par Apollon, médecin, par Esculape, par Hygie et Panacée, par tous les dieux et toutes les déesses, les prenant à témoin que je remplirai, suivant mes forces et ma capacité, le serment et l'engagement suivants : Je mettrai mon maître de médecine au même rang que les auteurs de mes jours, je partagerai avec lui mon avoir, et, le cas échéant, je pourvoirai à ses besoins ; je tiendrai ses enfants pour des frères, et, s'ils désirent apprendre la médecine, je la leur enseignerai sans salaire ni engagement. Je ferai part des préceptes, des leçons orales et du reste de l'enseignement à mes fils, à ceux de mon maître, et aux disciples liés par un engagement et un serment suivant la loi médicale, mais à nul autre. Je dirigerai le régime des malades à leur avantage, suivant mes forces et mon jugement, et je m'abstiendrai de tout mal et de toute injustice. Je ne remettrai à personne du poison, si on m'en demande, ni ne prendrai l'initiative d'une pareille suggestion ; semblablement, je ne remettrai à aucune femme un pessaire abortif. Je passerai ma vie et j'exercerai mon art dans l'innocence et la pureté. Je ne pratiquerai pas l'opération de la taille, je la laisserai aux gens qui s'en occupent. Dans quelque maison que j'entre, j'y entrerai pour l'utilité des malades, me préservant de tout méfait volontaire et corrupteur, et surtout de la séduction des femmes et des garçons, libres ou esclaves. Quoi que je voie ou entende dans la société pendant l'exercice ou même hors de l'exercice de ma profession, je tairai ce qui n'a jamais besoin d'être divulgué, regardant la discrétion comme un devoir en pareil cas. Si je remplis ce serment sans l'enfreindre, qu'il me soit donné de jouir heureusement de la vie et de ma profession, honoré à jamais parmi les hommes ; si je le viole et que je me parjure, puissé-je avoir un sort contraire ! »

Traduction par Émile Littré, 1844.

Voici le « serment médical », version moderne du « serment d'Hippocrate » que récitent aujourd'hui les médecins.

Le serment médical

« Au moment d'être admis(e) à exercer la médecine, je promets et je jure d'être fidèle aux lois de l'honneur et de la probité.

Mon premier souci sera de rétablir, de préserver ou de promouvoir la santé dans tous ses éléments, physiques et mentaux, individuels et sociaux.

Je respecterai toutes les personnes, leur autonomie et leur volonté, sans aucune discrimination selon leur état ou leurs convictions. J'interviendrai pour les protéger si elles sont affaiblies, vulnérables ou menacées dans leur intégrité ou leur dignité. Même sous la contrainte, je ne ferai pas usage de mes connaissances contre les lois de l'humanité.

J'informerai les patients des décisions envisagées, de leurs raisons et de leurs conséquences. Je ne tromperai jamais leur confiance et n'exploiterai pas le pouvoir hérité des circonstances pour forcer les consciences.

Je donnerai mes soins à l'indigent et à quiconque me les demandera. Je ne me laisserai pas influencer par la soif du gain ou la recherche de la gloire.

Admis(e) dans l'intimité des personnes, je tairai les secrets qui me seront confiés. Reçu(e) à l'intérieur des maisons, je respecterai les secrets des foyers et ma conduite ne servira pas à corrompre les mœurs.

Je ferai tout pour soulager les souffrances. Je ne prolongerai pas abusivement les agonies. Je ne provoquerai jamais la mort délibérément.

Je préserverai l'indépendance nécessaire à l'accomplissement de ma mission. Je n'entreprendrai rien qui dépasse mes compétences. Je les entretiendrai et les perfectionnerai pour assurer au mieux les services qui me seront demandés.

J'apporterai mon aide à mes confrères ainsi qu'à leurs familles dans l'adversité.

Que les hommes et mes confrères m'accordent leur estime si je suis fidèle à mes promesses ; que je sois déshonoré(e) et méprisé(e) si j'y manque. »

Version actualisée par le Pr. Bernard Hoerni, publiée dans le Bulletin de l'Ordre des médecins, 1996, n° 4.

Les sectes médicales

Après la mort d'Hippocrate en 377 avant J.-C., on assiste à un éclatement des groupes de praticiens et de professeurs en une multitude d'écoles et de sectes médicales rivales.

L'école dogmatique

Appelée également « école hippocratique », l'école dogmatique a été fondée par les fils d'Hippocrate, Thessalos et Dracon, ainsi que par son gendre Polybe. Elle se plaçait dans la continuité des conceptions émises par Hippocrate. Les membres les plus importants de cette école étaient :

✔ Aristote (384 av. J.-C. – 322 av. J.-C.). Ce fils de médecin, né à Stagire en Macédoine un demi-siècle après Hippocrate, a été l'élève de Platon. Il a fondé l'école ou secte péripatéticienne (« ceux qui se promènent ») à Athènes. Il considérait qu'il y avait trois sortes d'âmes :

• l'âme végétative pour les plantes ;

• l'âme sensitive (sensitivo-motrice) que possédaient les animaux ;

• l'âme rationnelle, propre à l'homme qui disposait également des deux autres types d'âmes.

Aristote a été le précurseur de l'anatomie comparée et il a souligné l'importance de la connaissance de l'anatomie humaine. Il a transposé à l'homme les découvertes anatomiques qu'il avait pu observer à l'occasion de dissections d'animaux, en particulier de singes. Son mérite a été de considérer que chaque organe avait une fonction précise. Il pensait que le cœur était non seulement l'organe central de la circulation, mais aussi le siège de l'âme, de la pensée et la source de la chaleur, tandis que le cerveau et les poumons assuraient le refroidissement du corps ;

✔ Dioclès de Karystos (IVe siècle av. J.-C.) était le fils d'un anatomiste, Archidamos, qui a réalisé de nombreuses dissections animales. Il a écrit de nombreux traités d'embryologie, d'anatomie, de diététique et de thérapeutique ;

✔ Praxagoras de Cos (seconde moitié du IVe siècle av. J.-C.) a enseigné à l'école de médecine d'Alexandrie. Il a souligné l'importance du rôle du pouls et a mis en évidence sa modification en cas de maladie. Son erreur a été de penser que les artères et les veines contenaient de l'air.

L'école empirique

Les adeptes de l'école empirique, apparue au cours du IIIe siècle avant J.-C., s'opposaient à ceux de l'école dogmatique. Ils préféraient s'intéresser aux traitements médicaux plutôt qu'à l'origine des maladies.

L'école de médecine d'Alexandrie

À partir du IVe siècle avant J.-C., une école médicale exceptionnelle s'est développée en Égypte, à Alexandrie, capitale du monde intellectuel où la dynastie des Ptolémée donna aux savants grecs d'importants moyens pour qu'ils approfondissent leur science.

L'essor de l'anatomie a été très important, grâce à la pratique des dissections de cadavres et des vivisections humaines sur des criminels. Il a été rendu possible grâce au libéralisme et à la tolérance dont faisait preuve le roi Ptolémée Ier Sôtêr, lequel a favorisé le développement de la Grande Bibliothèque qui a compté plus de 700 000 ouvrages.

Deux illustres membres de l'école de médecine d'Alexandrie, qui étaient élèves des médecins hippocratiques, ont contribué à accroître les connaissances de l'anatomie :

- ✔ Érasistrate de Céos (vers 300 av. J.-C. – vers 240 av. J.-C.), qui a réalisé l'étude anatomophysiologique du système nerveux. Il a différencié les nerfs moteurs des nerfs sensitifs, reconnu les valvules cardiaques et souligné l'importance du cervelet et du bulbe. Il estimait que le foie était à l'origine du sang. Il estimait qu'il y avait deux systèmes : l'un sanguin veineux, l'autre aérien artériel. Il a émis le concept qu'en cas de pléthore ou de blessure, le sang se frayait un passage vers les artères à travers des communications spéciales ;

- ✔ Hérophile de Chalcédoine (vers 335 av. J.-C. – vers 280 av. J.-C.) a étudié le système nerveux et a mis en évidence les relations entre le cerveau et les nerfs, qu'il a différenciés en nerfs sensitifs et moteurs. Il a fait une remarquable description de l'œil, de la cornée, du cristallin et du nerf optique. Il a distingué les artères des veines et a, surtout, prouvé qu'elles contenaient du sang et non de l'air. Hérophile a par ailleurs rapporté que les femmes avaient des testicules comme les hommes, mais qu'ils étaient cachés dans leur ventre. Il a fallu attendre près de vingt siècles avant que le terme « testicules féminins » ne soit remplacé par celui d'ovaires.

Ces deux anatomistes ont joué un rôle capital dans l'histoire de la médecine, grâce à la précision de la description des différents organes et l'établissement d'hypothèses de relations fonctionnelles entre eux.

Pourtant, leurs travaux n'ont pas influencé leurs confrères, peu confiants envers l'anatomie. Ils ont continué à obéir scrupuleusement aux théories émises par Aristote.

Hérophile et la mesure du pouls

Hérophile de Chalcédoine, auteur d'un *Manuel du pouls,* est sans doute le premier médecin à avoir mesuré le rythme du pouls. Se référant à une pendule à eau, il a compris que le pouls variait mathématiquement en fonction de l'âge, du sexe et du tempérament de chaque sujet. Il établit le lien entre les pulsations artérielles senties au poignet et les battements cardiaques.

Chapitre 6

La médecine dans la Rome antique

Dans ce chapitre :

▶ Des Grecs à Rome

▶ Galien, père de la médecine

▶ Le système médical romain

*L*a médecine de la Rome antique est un héritage de la médecine grecque. Elle est exercée presque exclusivement par des médecins grecs tenus en esclavage. Sous la République romaine, être médecin n'était pas forcément la panacée !

Ce n'est qu'à partir du Ier siècle avant J.-C. et l'avènement d'une médecine d'Empire qu'elle commence à être considérée. Après Hippocrate, Galien deviendra même le plus grand médecin de l'Antiquité. Et notre médecine moderne a largement hérité de la médecine romaine.

Une médecine grecque à Rome

Le mépris des Romains pour les travaux manuels explique en partie leur dédain pour l'exercice de la médecine, qui était considérée comme indigne des gens cultivés. Elle était donc exercée par des esclaves, des médecins hébreux et surtout par des médecins grecs.

Selon Pline l'Ancien (23 – 79 apr. J.-C.), le premier médecin grec de Rome a été Archagathos, citoyen de Sparte. Il s'était installé dans une boutique servant à la fois de pharmacie, de cabinet de consultation et de clinique chirurgicale, offerte par l'État en 219 avant J.-C. Il était apprécié pour ses soins chirurgicaux, ce qui lui a valu la dénomination de médecin des plaies (*vulnerarius*) tout en étant traité de « bourreau » (*carnifex*), probablement en raison de la haine qu'il suscitait.

Les préjugés à l'égard des médecins pourraient s'expliquer par l'hostilité des citoyens romains à l'égard des Grecs. Les médecins grecs avaient mauvaise réputation, car on les accusait d'avoir l'attrait de l'argent pour seule motivation. Et, surtout, on leur reprochait de ne pas être détenteurs d'un vrai savoir médical, comme s'en plaignit Pline :

« Il n'y a aucune loi qui châtie l'ignorance, aucun exemple de punition capitale. Les médecins apprennent à nos risques et périls : ils expérimentent et tuent avec une impunité souveraine, et le médecin est le seul qui puisse donner la mort. Bien plus, on rejette le tort sur le malade : on accuse son intempérance et l'on fait le procès de celui qui a succombé » (Pline, *Histoire naturelle,* XXIX, 18).

Sous la République romaine, tout le monde pouvait s'improviser médecin. Aucune preuve d'un quelconque savoir médical n'était exigée pour exercer la médecine.

Le simple fait de parler grec, de disposer d'un réseau relationnel et, surtout, d'avoir du bagout, permettait d'avoir une clientèle pécuniairement intéressante. Comme l'a écrit Pline :

« Ceux qui pratiquent la médecine sans parler le grec n'ont point d'autorité, même auprès des personnes à qui cette langue est inconnue et peu familière. »

Ce n'est que progressivement qu'un enseignement de la médecine a été mis en place.

Les premières écoles de médecine

Au Ier siècle avant J.-C., la première école privée de médecine fondée à Rome est l'œuvre d'Asclépiade de Bithynie né à Pruse (124 av. J.-C. – 40 av. J.-C.). La première école de médecine publique, ou *scola medicorum*, sera créée en 14 après J.-C., à la fin du règne de l'empereur Auguste.

La plupart de ces médecins établis à Rome étaient des esclaves ou des affranchis. En 46 avant J.-C., Jules César a établi le droit de cité pour les médecins grecs afin de réglementer l'organisation des études médicales et, surtout, pour éviter l'installation de charlatans attirés par l'appât du gain. Seule la validation d'un enseignement appelé *« medicus a republica »* pouvait permettre l'autorisation d'exercer la médecine à Rome.

L'avènement d'Auguste, premier empereur de Rome (en 27 av. J.-C.), a vu le développement de la médecine et l'instauration d'un service public dans ce domaine.

Il a fallu attendre le IIIe siècle pour assister à la mise en place d'un véritable enseignement de la médecine, de la chirurgie et de la botanique dans des locaux et des bibliothèques mis à disposition par l'État par l'empereur Alexandre Sévère (222 – 235). Puis, c'est sous le règne de Julien (361 – 363) que l'obtention d'un permis d'exercer la médecine est devenue obligatoire, après un examen devant un jury de médecins (*collegium medicorum*).

Les sectes médicales

À Rome, différentes sectes médicales, qui possédaient chacune leur chef de file, confrontaient leur conception du fonctionnement du corps humain :

- les atomistes, opposés aux théories d'Hippocrate, étaient dirigés par Asclépiade de Bithynie (124 av. J.-C. – 20 av. J.-C.) qui s'était installé à Rome en 91 avant J.-C. Ils considéraient que le corps humain, à l'instar du monde, était constitué d'un ensemble d'« atomes », invisibles à l'œil et en perpétuel mouvement, qui rentraient et sortaient du corps à travers les « pores » ou « canaux » de la peau. La santé d'un individu dépendait du mouvement des atomes et il fallait soigner le malade « *tuto, celeriter, et juncunde* » (« sûrement, rapidement et agréablement ») avec des bains, de la gymnastique et l'ingestion d'eau fraîche, afin de favoriser la circulation des atomes à travers les pores ;

- les méthodistes, qui s'inspiraient de l'épicurisme, avaient pour chef de file Thémison de Laodicée (123 av. J.-C. – 43 av. J.-C.). Pour eux, le monde était formé d'une multitude d'atomes qui s'unissaient au hasard. Leur répartition était responsable d'un état de contractilité du corps avec pour conséquence trois états : l'état de resserrement (*strictum*), l'état de relâchement (*laxum*) et un état intermédiaire associant les deux premiers phénomènes (*mixum*). Ceux-ci étaient traités en conséquence ;

- les pneumatistes, qui se rattachaient à philosophie stoïcienne, étaient dirigés par Athénée d'Attalie (10 av. J.-C. – 54 apr. J.-C.). Ils accordaient la plus grande importance au *pneuma*. Ce terme désignait l'air extérieur qui était transformé en souffle psychique par le cœur afin d'assurer le fonctionnement des différents organes du corps. Les maladies survenaient en cas d'accumulation du *pneuma* dans un organe où il ne pouvait plus circuler librement ;

- les éclectistes avaient pour chefs de file deux médecins grecs, Archigène d'Apamée et Agathinos de Sparte (Ier siècle apr. J.-C.). Selon eux, les maladies avaient des causes évidentes, mais aussi des facteurs cachés. En conséquence, toute vérité médicale découlait de l'expérience.

Le système médical de l'Empire romain

Dans la société romaine, les médecins avaient différents statuts et exerçaient auprès de différents publics. La spécialisation était plus développée qu'en Grèce. Il y avait des spécialistes pour toutes les parties du corps, les diverses opérations ou les soins les plus variés.

Des médecins fonctionnaires : les archiatres

En dehors des médecins libéraux installés dans des échoppes (*taberna*), il y avait les archiatres, des médecins employés par les administrations publiques et privées. Ils bénéficiaient d'un salaire et avaient des prérogatives précises.

Il existait plusieurs catégories d'archiatres, dont les conditions de travail étaient variables :

- les archiatres palatins étaient attachés à la prise en charge des personnalités du palais et de l'Empereur. Leurs revenus pouvaient être considérables ;
- les archiatres populaires ou municipaux étaient installés dans différentes villes. Leur rôle était de soigner gratuitement les indigents. Leur nombre variait en fonction de la population des cités de l'Empire : dix pour les grandes villes, sept pour les villes de second ordre, cinq pour celles de moindre importance ;
- les médecins du collège des Vestales étaient des prêtresses chargées de garder éternellement allumé le feu sacré de la cité.

Certains archiatres étaient affectés à la prise en charge des gymnastes ou des gladiateurs.

Les médecins des armées romaines

Les armées romaines disposaient d'un corps de médecins militaires auxquels on donnait plusieurs titres : *medicus cohortes, medicus castrensis, medicus duplicarus, medicus ordinarus.*

Il y en avait quatre par cohorte (600 hommes). Certains étaient des spécialistes (chirurgiens, oculistes). Leur fonction principale était d'assurer les soins des combattants sur le champ de bataille. En dehors de la prise en charge des soldats blessés, ils examinaient les nouvelles recrues et donnaient des conseils de prévention hygiénique de façon à limiter le risque d'épidémies.

Le plus célèbre des médecins militaires a été Dioscoride (40 – 90 apr. J.-C.), qui a pu voyager et approfondir ses connaissances médicales.

De nombreuses spécialités

Nombreux étaient les médecins romains qui n'exerçaient qu'une seule spécialité. Il y avait des dermatologues, des diététiciens, des chirurgiens, des hydrothérapeutes, des dentistes. Galien dénonçait ce morcellement excessif et ridicule de la médecine en de multiples spécialités.

Entre autres, les médecins romains se sont distingués dans le domaine de l'ophtalmologie.

✔ Celse (14 – 37 apr. J.-C.) a ainsi mis au point un procédé opératoire d'extraction de la cataracte.

L'opération de la cataracte chez les Romains

On plaçait le malade face à la lumière, sa tête étant fermement maintenue par un aide placé derrière lui. Le praticien introduisait dans l'œil une aiguille dotée d'une extrémité très pointue, jusqu'à ce qu'une résistance soit rencontrée. Celle-ci traduisait le contact avec la cataracte, laquelle était rapidement poussée dans la partie inférieure de l'œil. La cataracte était alors déchirée en plusieurs fragments grâce à l'aiguille.

Cette intervention a été pratiquée sans modification profonde jusqu'en 1745, date à laquelle Jacques Daviel a décrit l'extraction extracapsulaire du cristallin.

✔ Rufus d'Éphèse (vers 110 – 180) a décrit clairement l'anatomie oculaire, les rapports des différentes parties de l'œil et la structure du cristallin.

Galien, le plus grand médecin de l'Empire romain

Bien qu'Hippocrate soit considéré comme le précurseur de la médecine, c'est Galien qui, 700 ans plus tard, a véritablement compris, vulgarisé et transmis le savoir du savant grec. Galien a laissé une œuvre immense, qui a été érigée en dogme pendant plusieurs siècles malgré ses données anatomiques et physiologiques rudimentaires ou… erronées.

Le médecin des gladiateurs

Galien (130 – 201) est né à Pergame, cité prospère d'Asie Mineure dotée d'une bibliothèque colossale qui conservait près de 200 000 volumes. Il était le fils de Nicodémos, un riche architecte féru de mathématiques et d'astronomie. Il décida d'exercer la médecine à l'âge de 17 ans, après un songe au cours duquel Esculape lui aurait rendu visite.

Au cours de ses voyages, il bénéficia de l'enseignement des savants les plus connus de l'Antiquité. Pendant cinq ans, il suivit les enseignements de la prestigieuse école d'anatomie et de physiologie d'Alexandrie. De retour à Pergame en 158, devenu médecin des gladiateurs, il améliora ses connaissances chirurgicales et approfondit ses connaissances anatomiques en observant attentivement les blessures béantes des hommes qu'il soignait après les combats. De plus, il mit en application les vertus thérapeutiques du vin rouge sur les blessures afin d'empêcher l'inflammation.

En 163, il s'installa à Rome où il devint célèbre, ce qui lui valut de nombreux ennemis parmi ses confrères. En 166, il quitta Rome à l'occasion d'une épidémie de peste, non sans être taxé de couardise. En 168, il fut rappelé par l'empereur Marc Aurèle (161 – 180) qui le nomma médecin de son fils Commode. Il resta ensuite à Rome jusqu'à sa mort en 201.

L'héritage de Galien

Galien a laissé une œuvre colossale de près de 22 volumes qui s'articulait sur les dissections et les expérimentations qu'il avait réalisées sur des milliers d'animaux. Il a fait des découvertes essentielles sur le plan anatomique.

Il a ainsi mis en évidence la structure différente des artères et des veines. Il a montré que les artères contenaient du sang et que les pulsations artérielles étaient la conséquence des battements du cœur et non des dilatations périodiques du *pneuma*. Il a établi le rôle du diaphragme et de la cavité thoracique dans la respiration. Il a démontré que les urines étaient sécrétées par les reins et non par la vessie comme on le croyait auparavant.

Galien a toutefois fait de graves erreurs anatomiques, tel le concept de l'existence d'une communication entre les ventricules gauche et droit assurant le passage du sang. Sa théorie « circulatoire » a été érigée comme un concept inaliénable pendant plusieurs siècles !

Concernant la physiologie humaine, Galien a élaboré un concept selon lequel l'être humain était composé de quatre éléments primitifs (l'eau, l'air, la terre et le feu) et de quatre éléments liés (le sang, la pituite, la bile et l'atrabile) qui étaient répartis par trois organes fondamentaux : le cœur, le foie et le cerveau.

Le foie sécrétait le sang à partir des aliments ingérés, *pneuma* « végétatif » qui se distribuait dans l'organisme par les artères. Le cerveau assurait la transformation en *pneuma* psychique qui était transporté par les nerfs aux différents organes afin de leur assurer la sensibilité et le mouvement. Les artères apportaient le *pneuma* vital. Le cœur jouait à la fois le rôle de pompe attractive et expulsive du sang et du *pneuma*, et celui de mélangeur des deux fluides, sur le chemin du poumon et des organes périphériques.

La physiologie de Galien

Galien estimait que la physiologie humaine était placée sous l'influence de trois esprits :

🖝 l'esprit vital, qui siégeait dans le cœur ;

🖝 l'esprit animal, qui dépendait du cerveau ;

🖝 l'esprit naturel, qui dépendait des organes du ventre.

Sur le plan thérapeutique, Galien prétendait que le maintien de la santé dépendait du bon équilibre dans le fonctionnement des organes, tandis que les maladies étaient la conséquence d'un mélange imparfait des humeurs. Cela l'a conduit à utiliser la saignée de façon tout à fait abusive, usage qui perdurera en bénéficiant du soutien sans faille de l'Église.

La thériaque

La thériaque est un médicament administré par voie orale. Il est composé de 64 poisons et antidotes d'origine minérale, animale et végétale, associés à des produits tels que du miel, du sirop ou du vin. Elle a été mise au point par Nicandros de Colophon (vers 275 av. J.-C.), médecin auprès du roi de Pergame, Attale. Nicandros de Colophon a écrit *Theriaca*, un poème de 958 lignes consacré aux poisons et aux morsures d'animaux sauvages et de serpents. Selon Pline, le véritable créateur de la thériaque est Mithridate VI Eupator, roi du Pont (132 av. J.-C. – 63 av. J.-C.) qui souhaitait créer un médicament universel capable de le protéger de toutes les maladies et de tous les poisons. Sa thériaque, appelée *Theriaca Mithridaticum* ou *Antidotum Mithridaticum* (il avait expérimenté ses antidotes aux poisons sur ses prisonniers), comprenait 46 substances, notamment de l'opium et des herbes aromatiques. La recette de la thériaque a été rapportée à Rome par les soldats qui l'ont transmise à Andromachus, médecin de l'empereur Néron. Il a apporté des améliorations à la thériaque en y introduisant de la chair séchée de vipères qu'il a dénommée *Theriaca Andromachi Senioris*. Galien a mis au point une thériaque qui a continué à être utilisée pendant près de 18 siècles.

Ce que nous devons aux Romains

Les Romains ont apporté des innovations dans le domaine de la médecine, en mettant au point un certain nombre d'instruments médicaux comme le spéculum gynécologique, les sondes, les scalpels, les cathéters ou les spatules. Ils disposaient d'un savoir-faire manifeste dans le domaine de l'ophtalmologie, mais ils ont surtout été les précurseurs du thermalisme et du système hospitalier.

Les inventeurs du thermalisme

Les Romains ont apporté une contribution majeure à l'hygiène publique.
Ils furent en effet les premiers à préconiser la réalisation de mesures de
salubrité collectives perfectionnées (alimentation en eau, égouts), lorsqu'ils
construisaient des édifices, des cités et des citadelles.

Les Romains ont joué un rôle important dans le développement du thermalisme. Les eaux étaient utilisées en boisson, en bain, en douche générale ou
localement :

- eaux alcalines pour ceux qui souffraient de l'estomac ;
- eaux sulfureuses, indiquées dans les cas de maladies de peau, d'algies diverses et de rhumatismes ;
- eaux cuivreuses contre les affections des muqueuses et, tout spécialement, celles de la bouche et des yeux ;
- eaux salines, recommandées en bain aux « lymphatiques » et aux femmes atteintes de dysménorrhée.

Plus tard, on emploiera les boues végétominérales en application locale ou
en bain.

Les premiers hôpitaux à Byzance

À l'époque romaine, au cours des premiers siècles de l'Église, les asiles pour
voyageurs, hostelleries pour pèlerins, hospices pour vieillards ou maisons
charitables se sont multipliés.

En 400, le premier hôpital (*nosoconium*) est construit. Le *xenodochium* constituait, quant à lui, un lieu d'accueil pour les infirmes ou les pauvres.

Des hôpitaux seront créés par les Byzantins, à partir du IVe siècle après J.-C.,
d'abord à Édesse et à Césarée de Cappadoce, puis bientôt à Constantinople,
ainsi que dans toutes les villes de l'Empire byzantin.

Deuxième partie
La médecine au Moyen Âge

Dans cette partie...

Après la chute du dernier empereur romain d'Occident, en 476, la capitale du monde intellectuel se déplace à Constantinople, la « Nouvelle Rome ». De nombreux progrès médicaux sont réalisés dans la brillante civilisation de l'Empire byzantin chrétien.

Avec la naissance de l'islam au VIIe siècle, la pratique médicale trouve un nouveau souffle. Les médecins arabes, délaissant le grec, diffusent leur savoir dans la langue du Coran. De prestigieux lieux de savoir médical à Gundishapur, Ray, Bagdad, Damas, Le Caire, Kairouan, Fez, Cordoue, Grenade, Séville et Tolède se sont développés. Les convertis (chrétiens, juifs et Iraniens) y ont occupé une place prépondérante. L'héritage qu'ils ont transmis et enrichi est parvenu en Europe occidentale, grâce à des traducteurs tels que Constantin l'Africain, Gérard de Crémone ou Arnaud de Villeneuve, et a été diffusé par les universités de Salerne et de Montpellier.

En Occident, pendant tout le Moyen Âge, qui se termine par la chute de l'Empire romain d'Orient et la prise de Constantinople par les Turcs, en 1453, l'Église exerce son emprise sur la société. Dans le domaine de la médecine, la doctrine galénique devient la référence et le progrès est freiné par de nombreuses interdictions la faisant végéter dans un long immobilisme.

Chapitre 7
La médecine des Arabes

Dans ce chapitre :

▶ Islam et médecine

▶ La médecine de Rhazès, Avicenne, Averroès, Maïmonide et autres grands savants du monde arabe

▶ Les premiers grands hôpitaux

Après l'effondrement de l'Empire romain d'Occident, la plus grande partie des connaissances savamment et patiemment accumulées par les médecins grecs et romains a été perdue, en grande partie en raison de l'obscurantisme encouragé par l'Église (voir chapitre 8).

L'âge d'or de la médecine arabe se situe entre le VIIe siècle (622, date de l'Hégire, marque le début de l'islam) et le XIIIe siècle, quand les grandes universités européennes commencent à se développer.

L'islam accorde beaucoup d'importance aux sciences. Le Coran, qui retrace la parole de Dieu révélée à son prophète, comporte ainsi un grand nombre de préceptes d'hygiène alimentaire et corporelle destinés à assurer le maintien en bonne santé de l'homme.

Entre le VIIIe siècle et le XIIIe siècle, les médecins arabes ont fait brillamment prospérer le patrimoine médical gréco-romain, inexploité dans l'Occident chrétien, et l'ont enrichi des principes de la médecine hindoue.

La médecine arabe réunit de grands savants de langue arabe : Rhazès le Persan, auteur du traité *Kitab al-Hawi*, qui embrasse les connaissances médicales au Xe siècle ; Avicenne l'Iranien, philosophe, savant, médecin, auteur du *Canon de la médecine*, synthèse des œuvres d'Hippocrate, Galien, Aristote ; en Andalousie il y a Averroès, élève d'Avenzoar, ou le grand chirurgien Abulcasis, auteur du *Kittab Al-Tasrif,* ainsi que des juifs comme Moïse Maïmonide, médecin et rabbin ou encore Israeli l'oculiste. Participant à la traduction en arabe des textes médicaux grecs et romains, les juifs vivant dans le monde arabe ont joué un rôle décisif. Plus tard, au cours du déclin de la civilisation arabe, ils ont assuré la traduction en grec de l'œuvre compilée ou améliorée de la médecine arabe, qu'ils ont transmise en Occident.

Quatre médecins célèbres ont exercé dans l'Espagne musulmane : Avenzoar à Séville, Abulcasis et Averroès à Cordoue et le plus prestigieux d'entre eux, Avicenne. Ces médecins ont développé un raisonnement médical à un niveau bien plus élevé que celui qui existait dans l'Occident chrétien. La diffusion du savoir médical se fait grâce à la langue arabe. Elle permettait aux savants de correspondre entre eux d'un bout à l'autre de l'immense Empire arabe.

Ibn al-Nafīs a fait preuve d'un mérite exceptionnel en mettant en évidence l'existence de la petite circulation, ou circulation pulmonaire, près de trois siècles avant sa découverte par Michel Servet (1556) et Rinaldo Colombo (1559).

Les califes ont encouragé la construction d'hôpitaux. Les médecins arabes ont considérablement amélioré les connaissances pharmacologiques, ce qui a permis l'introduction dans l'arsenal thérapeutique d'un certain nombre de médicaments.

Les passeurs du savoir

Les médecins arabes ont largement diffusé le savoir antique, traduisant de nombreux traités de médecine dans leur langue, notamment ceux d'Hippocrate, de Galien et Dioscoride. Ils ont aussi innové dans le domaine de l'enseignement médical, en insistant sur l'importance de la pratique. La chirurgie, l'ophtalmologie, la physiologie et la pharmacopée ont connu de nouvelles avancées.

Les préceptes médicaux du Coran

Le prophète Mahomet considère le médecin comme un sage, dont la fonction est de dévier les forces occultes afin d'obtenir la guérison. Le Coran et la tradition islamique encouragent ainsi les croyants à éviter les excès dans tous les domaines et à observer, penser, réfléchir, raisonner. Les conseils médicaux et diététiques y prennent une place importante et constituent la médecine du Prophète.

Il recommande l'adoption de règles dans le domaine de l'hygiène. Ainsi les ablutions et l'entretien de toutes les parties du corps à l'état de propreté sont considérés par les musulmans comme des préceptes religieux (« La propreté fait partie de la foi »).

Sur le plan de la diététique, il préconise d'éviter l'excès de nourriture, de même que la colère et les passions tristes. Le vin et le porc sont interdits. Dans l'un de ses propos, Mahomet dit : « L'estomac est le réceptacle des maladies, la diète est le principe de la guérison et l'intempérance est la source de toutes les maladies ».

La prévention des maladies est également évoquée : « Le propriétaire d'animaux malades ne devrait pas les conduire au propriétaire d'animaux en bonne santé », ou encore : « Fuis le lépreux comme tu fuirais le lion ». Et, pour finir : « Si tu entends que la peste a éclaté dans un pays, n'y va pas ; si elle se déclare dans un pays où tu séjournes, ne le quitte pas. »

Lorsque la maladie n'a pu être évitée, il existe des traitements, car « Dieu n'a pas fait descendre de maladie qu'il n'en ait pas fait descendre de remède ». Ce remède utilisé par le Prophète se présente sous trois formes :

- ✔ les médicaments naturels ;
- ✔ les médicaments divins ;
- ✔ un composé des médicaments naturels et divins.

Plusieurs « faits et dires » (*hadiths*) du Prophète rapportent que toute création a son contraire et tout mal un remède qui lui est contraire, ce qui constitue à la fois un encouragement pour le malade et une incitation pour le médecin à le chercher.

Mahomet lui-même pratiquait la médecine. Il aurait bénéficié de l'enseignement de son ami Ibn Kalada (550 – 635), le célèbre médecin arabe. Dans son entourage, il y avait aussi plusieurs médecins, notamment Abou Nouaïm, sans doute l'auteur d'une partie des 300 *hadiths* ou traditions médicales arabes. Absy Ben Kab a quant à lui pratiqué des cautérisations et des saignées pour Mahomet. Lorsque le Prophète s'est fracturé accidentellement une incisive, c'est sa fille Fatima qui lui a appliqué des cendres de papyrus brûlé pour stopper l'hémorragie.

Des grands médecins

La médecine de Mahomet eut de son vivant, en Arabie, une audience relativement restreinte. Un siècle plus tard, sous l'impulsion de ses descendants, le monde arabo-musulman s'étend tout autour du monde méditerranéen et même jusqu'en Inde, formant l'un des plus grands empires que les hommes aient connus.

À partir du VIIIe siècle, sous l'impulsion du calife Al-Mamun (786 – 833), un important mouvement de traduction de l'héritage scientifique et philosophique de l'Antiquité s'est mis en place, grâce au chrétien Hunayn ibn Ishaq (809 – 873), qui a écrit lui-même un grand nombre d'ouvrages de médecine.

De grands savants – Rhazès, Abulcasis, Avicenne et Averroès –, contribuent ensuite à faire avancer la pratique médicale, en s'appuyant sur le raisonnement logique, et brillent par l'universalité de leurs connaissances, l'importance de leurs écrits et leur habileté dans le domaine chirurgical.

Rhazès, le « Galien des Arabes »

Abu Bakr Muhammad Ibn Zakariya al-Razi – ou Rhazès – est né en Perse vers 854. Après avoir étudié à Bagdad, il voyagea en Syrie, en Égypte et en Espagne. Élève de Ali Ibn Rahbane al-Tabari (780 – 877), il devint médecin-chef de l'hôpital de Ray, sa ville natale située près de Téhéran, puis de l'hôpital de Bagdad. Le calife al-Mansur, le fondateur de Bagdad, qui n'aurait pas été satisfait de son explication sur la survenue de la variole, le rendit aveugle d'un coup de cravache. Le médecin persan mort en 926 pensait que « La médecine ne paraît facile qu'aux imbéciles ». Il a laissé une œuvre volumineuse rédigée en arabe.

Razès considérait la médecine comme « l'art qui se consacre à la préservation des corps sains, au combat de la maladie, et au rétablissement de la santé du malade ». Il était réputé pour la justesse et la précision de ses diagnostics. Il a insisté sur l'importance de la conservation de la santé par un régime alimentaire équilibré et l'exercice physique.

Sa méthode, rationnelle, s'appuyait sur une démarche clinique précise et méticuleuse, alliant observation, auscultation et expérience. Elle rejetait toute explication ésotérique des phénomènes naturels.

Il est l'auteur de plus de 200 ouvrages, dont deux œuvres maîtresses :

✔ le *Kitab al-Hawi fi al-tibb* comprenait 22 volumes de médecine pratique et de thérapeutique. Il est divisé en cinq grands chapitres consacrés aux maladies locales, aux maladies générales, aux venins, aux poisons et aux médicaments. Il s'agit d'une énorme compilation d'œuvres d'auteurs grecs, indiens, arabes, à laquelle Rhazès (qui citait ses sources) a apporté de longs commentaires personnels et des notes critiques ;

✔ le *Liber Al Mansouri ou Kittab Al Manousir* est un abrégé du précédent ouvrage.

Abulcasis, le père de la chirurgie moderne

Abu al-Kassim al-Zahrawi, plus connu sous le nom d'Abulcasis (936 – 1013), est né à El Zahra, petite bourgade située à quelques kilomètres de Cordoue. Considéré comme le plus prestigieux des chirurgiens arabes, il était doué d'un incroyable savoir-faire en chirurgie, traumatologie, orthopédie, ophtalmologie et obstétrique. Abulcasis devint médecin à la Cour du calife Al-Hakam II (961 – 976) et mourut vers 1013, après avoir formé des étudiants venus de toute l'Europe.

Esprit novateur et original, Abulcasis s'appuyait sur sa connaissance des textes médicaux de l'Antiquité :

« Ce que j'en sais, je le dois uniquement à la lecture assidue des livres des Anciens, à mon désir de les comprendre et de m'en approprier la science ; puis, j'y ai ajouté l'observation et l'expérience de toute ma vie ».

Dans le *Kittab Al-Tasrif,* la *Pratique* (ou la *Méthode*), encyclopédie de 1 500 pages divisée en 30 volumes, il a compilé les connaissances médicales acquises, qu'il a amélioré avec le fruit de ses travaux personnels. Le dernier livre, consacré à la chirurgie, a contribué à son immense réputation.

Abulcasis a cherché à redonner des lettres de noblesse à la chirurgie qui était alors considérée comme une pratique de charlatans et d'incultes, comme le parent pauvre de la médecine. Il regrettait l'interdiction des dissections car « si on ignore l'anatomie, on tombera dans l'erreur et tuera les malades ».

Abulcasis n'opérait les patients qu'après avoir posé un diagnostic précis et envisagé le déroulement de l'intervention. Il faisait preuve d'un raisonnement logique, plein de bon sens. C'est ainsi qu'il proposait l'emplacement de services de chirurgie dans les lieux les plus « sains » des villes, disposant d'un accès à l'eau courante. Inventif, il assurait l'anesthésie au moyen d'éponges imbibées de substances actives comme la jusquiame, l'opium ou le cannabis. Séchées au soleil, elles étaient utilisées humidifiées dans les narines des patients.

Dans sa *Méthode*, il présente les figures des instruments dont il se servait pour opérer et le texte détaillé des interventions. Six siècles avant Ambroise Paré, il explique, par exemple, la pratique des ligatures artérielles en cas d'hémorragie. Il réalisait des sutures des plaies avec du crin, du coton, de la soie ou des boyaux de chat. Il a d'ailleurs décrit de nombreuses techniques de suture, comme le point de surjet, les sutures en lacet ou les sutures en « S ». Pour immobiliser les fractures, il utilisait un emplâtre composé de farine et de blanc d'œuf appliqué sur des bandes de lin pour les rigidifier. Il a également réalisé les premières trachéotomies, mis au point une méthode de réduction des luxations de l'épaule, les premières excisions de varices.

En obstétrique, il a conceptualisé plusieurs manœuvres en cas d'accouchement difficile et il a décrit la grossesse extra-utérine. Il a inventé la première seringue à piston pour les lavements.

Traduite en latin, l'œuvre d'Abulcasis a servi de référence aux médecins pendant cinq siècles.

La chirurgie audacieuse des médecins arabes

Les médecins arabes étaient capables de réaliser, à partir du Xe siècle, des interventions comme l'ablation des cancers de la langue, du sein, des testicules. Ils savaient traiter chirurgicalement les abcès du foie, les hémorroïdes et les fistules anales. En cas de rétention d'urine, ils réalisaient des sondages vésicaux.

Avicenne, le « Prince des médecins »

Abu Ali al-Husayn Ibn Abdallah Ibn Sina ou Avicenne (980 – 1037) est né près de Boukhara, en Iran. À 10 ans, ce fils de haut fonctionnaire maîtrisait l'arithmétique, l'algèbre et la théologie. Il était capable de réciter l'intégralité du Coran et réussissait à reconstituer toute la géométrie d'Euclide dont il ne connaissait que les premiers passages. Très jeune, il fut amené à soigner avec succès l'émir de Boukhara. Il mena alors une carrière de médecin et devint plusieurs fois vizir (Premier ministre) des princes, ce qui lui valut de connaître la prison suite à des intrigues de Cour et de devoir fuir à l'étranger. Il fut finalement rappelé à la Cour pour soigner le dirigeant de Hainadan (partie sud de la Perse), Amir Shwnsud-Dawla, qui souffrait de coliques néphrétiques. À la mort de celui-ci, en 1023, il se réfugia à Ispahan où il fut protégé par l'émir Ala Eddin. C'est là qu'il acheva dans la quiétude son œuvre monumentale, le *Canon de la médecine*. Il mourut en 1037 à Hamedan, ville de l'ouest de l'Iran, à l'âge de 57 ans, victime probablement d'une dysenterie.

Figure majeure de la médecine et de la philosophie, Avicenne fut un grand savant. Également mathématicien, astronome, physicien et poète, il eut une grande influence sur la pensée médiévale. Il a écrit plus de 150 ouvrages en arabe ou en persan, en prose ou en vers. Son *Canon de la médecine* et ses interprétations d'Aristote feront autorité jusqu'au XVIIe siècle.

Le *Canon de la médecine,* qui comprend cinq livres, offre une synthèse ordonnée des doctrines d'Hippocrate, de Galien et d'Aristote, enrichies des réflexions philosophiques et observations médicales d'Avicenne.

Avicenne a rapporté des descriptions précises, entre autres, de la cataracte, des différentes variétés de méningites, ainsi que des deux formes de paralysies faciales : centrale et périphérique. Il a décrit les symptômes du diabète, notant l'odeur sucrée des urines chez le diabétique. Il a livré sa propre définition du cancer : « Le cancer est une tumeur qui augmente progressivement de volume. Elle est destructrice et étend des racines qui s'insinuent parmi les tissus avoisinants. »

Jusqu'au XVIIe siècle, *Al-Kitab al-Qanoun fi al-Tibb* (*Canon de la médecine*) a été considéré comme le fondement de la médecine pour les praticiens et l'ouvrage le plus lu après la Bible, figurant dans les universités européennes aux côtés des œuvres de Galien et d'Hippocrate. Écrit en arabe, il a été traduit en latin par Gérard de Crémone entre 1150 et 1187, puis en hébreu et dans différentes langues.

Dans un cantique médical de 1 300 vers, l'*Urjuza*, qui résume le *Canon*, Avicenne donne cette définition :

« La médecine est l'art de conserver la santé et éventuellement de guérir la maladie survenue dans le corps. »

Averroès, philosophe et médecin

Abu al-Walid Mohamed Ibn Ruchd ou Averroès est né en 1126 en Andalousie, dans le Califat de Cordoue où son père était premier juge (*cadi*). Après avoir étudié le Coran, la grammaire, la poésie, le droit, la physique, l'astronomie, les mathématiques, il a commencé à étudier la médecine auprès du grand clinicien arabe Avenzoar (1073 – 1162). Il devint lui-même *cadi* à Séville (1169) et Cordoue (1182), puis poursuivit sa carrière de magistrat et de médecin auprès de princes influents au Maroc. Mais ses idées philosophiques (il voulait concilier Aristote et l'islam) lui valurent des ennuis, l'exil et la prison. Revenu en faveur à la fin de sa vie, il est mort à Marrakech en 1198.

Averroès, philosophe et commentateur d'Aristote, fut dans le domaine de la médecine à la fois praticien et théoricien. Son œuvre médicale la plus connue est *Al-Kitab al-Kulliyat fi al-Tibb* (*De la médecine universelle*), écrit avant 1162, dont les sept volumes ont été traduits en latin par Bonacosa en 1255 sous le titre de *Colliget*, puis en hébreu.

Il prônait une médecine scientifique, héritée des Grecs, qu'il fallait concilier avec l'ensemble des préceptes du Prophète en matière de soins. Il considérait que la médecine est un art dans lequel la théorie et la pratique sont indissociables et qu'il est important de s'appuyer sur l'observation et l'expérimentation, ainsi que sur des connaissances acquises en matière d'anatomie et de physiologie.

Parmi ses recherches médicales, il a établi que le cerveau était le lieu où s'élaboraient l'imagination, la réflexion et la mémorisation. Il a mis en évidence l'importance de la rétine dans la vision. Il a été le premier à envisager le phénomène de l'immunisation chez les sujets qui avaient contracté la variole la première fois.

Averroès aurait été le maître du médecin et théologien juif Maïmonide (1138 – 1204). C'est de fait à des juifs et des chrétiens, attachés à conserver et traduire ses textes, qu'il doit sa reconnaissance posthume.

Médecins juifs en terre d'islam

Dans l'empire musulman, les juifs, traduisant en arabe les textes gréco-romains, ont joué un rôle essentiel dans la conservation et la transmission des acquis de la médecine. Grâce aux traductions des œuvres grecques, latines et syriaques en arabe et en hébreu et réciproquement, l'Occident hérita des grands progrès réalisés par les Juifs et les Arabes. C'est ainsi que le premier contact effectif de l'Occident médiéval avec la pensée grecque s'est fait grâce aux traductions en hébreu.

De plus, dans tout l'Orient, à Damas, à Kairouan, au Caire, à Cordoue, à Séville et à Saragosse, les médecins juifs ont apporté une contribution à la médecine.

En Espagne, la collaboration médicale judéo-arabe a été particulièrement fructueuse. En France, les centres médicaux de Lunel, Montpellier et Béziers accueillaient des traducteurs juifs assurant la traduction des ouvrages en langue arabe. Le plus célèbre d'entre eux a été Juda ben Saul Ibn Tibbon (1120 – 1190) dont les descendants, nommés les Tibbonides, ont assuré la traduction d'un nombre considérable d'ouvrages médicaux et philosophiques.

Parmi les médecins juifs, les deux plus célèbres furent Isaac Israeli et Maïmonide.

Israeli

Isaac ben Salomon Israëli (850 – 953) est né en Égypte, où il s'est fait connaître comme oculiste. Il émigra en Tunisie, à Kairouan, vers 904, et bénéficia de l'enseignement d'Ishaq Ibn Imran, formé à l'école de Bagdad. Pendant un demi-siècle, Isaac Israeli sera médecin particulier à la Cour des califes.

Les traités médicaux d'Israeli sont tous écrits en arabe. Ils furent traduits ensuite en latin par Constantin l'Africain au XIᵉ siècle. Ses traités *Des fièvres, Des urines, Des aliments* ou *Des diètes* constituent des trésors de la médecine judéo-arabe. Traduits en latin, ils ont été utilisés pour l'enseignement dans les écoles de médecine de Salerne, Montpellier, Paris et même dans celles de Padoue, Bologne et Pavie jusqu'à la fin du XVIᵉ siècle.

Maïmonide, un grand philosophe médecin

Moïse Maïmonide est le nom que l'Occident chrétien a donné à Moshe ben Maimon, connu sous le nom arabe de Abu Imran Musa Ibn Maymun. Il a été désigné dans le monde juif sous le nom de Rambam, acrostiche obtenu à partir des différents éléments de son nom. Issu d'une famille de rabbins, Maïmonide est né à Cordoue, la grande capitale de l'Espagne arabe en 1135, soit neuf ans après Averroès, qui aurait été son maître à penser et condisciple. Il a été formé par son père, qui était également mathématicien et astronome. Mais Maïmonide et sa famille quittèrent Cordoue en raison du fanatisme religieux. Ils s'installèrent successivement à Grenade (1149 – 1150), Fez (1160), Saint-Jean d'Acre (1165), Alexandrie et au Caire (1168), où Maïmonide devint médecin de la Cour de Saladin Le Magnifique (1169 – 1193), sultan d'Égypte et de Syrie. Selon la légende, il aurait soigné Richard Cœur de Lion et Baudoin IV le Lépreux au cours de la troisième croisade. Il a été nommé prince (*naggid*) de la communauté juive d'Égypte et mourut en 1204 après avoir exercé la médecine pendant plus de quarante ans, gagnant le respect tant des juifs que des musulmans.

Maïmonide ne fut pas seulement un médecin, mais aussi un philosophe, un théologien et le chef spirituel du judaïsme. Son œuvre fut largement traduite, notamment en latin. Dans le domaine de la médecine, ce familier de l'œuvre d'Hippocrate, Aristote et Galien concilia la science, la philosophie aristotélicienne et la religion juive.

Maïmonide avait une conception de l'homme sain et insistait sur la prévention des maladies par une hygiène physique et diététique, ainsi que par une rigueur morale s'appuyant sur la pratique des commandements de la Torah. Dans le domaine thérapeutique, il prônait avant tout la prudence car, à l'instar de Rhazès, il considérait que l'exercice de la médecine est difficile :

« Seuls les charlatans se croient infaillibles ; pour eux, il n'existe pas de cas difficiles ou importants. Ils prétendent même que réfléchir sur une maladie est une perte de temps. »

Maïmonide considérait que la maladie touche l'être humain au niveau de toutes ses facultés ou « âmes » : nutritive, sensitive, imaginative, appétitive ou rationnelle. Il fut l'un des premiers médecins à avoir mis en évidence le rapport qui existe entre le corps et l'esprit dans le domaine de la maladie : ils entretiennent des relations d'interdépendance, la maladie entraînant un déséquilibre avec des répercussions compromettant l'harmonie de l'être, la santé. Un de ses contemporains, anonyme, rendit ainsi hommage dans un poème à ce précurseur de médecine « psychosomatique » :

« L'art de Galien soignait seulement le corps,

celui d'Abou-Amram soigne et le corps et l'esprit.

De même que son savoir a fait de lui le médecin du siècle,

De même il soigne le mal d'ignorance par la sagesse... »

Ses traités médicaux, rédigés en arabe, la plupart du temps sur commande d'un personnage de la Cour, témoignent d'un souci du détail systématique et d'une méthodologie rigoureuse. Le *Traité des Poisons et de leurs Antidotes* a contribué à l'amélioration de la connaissance de la toxicologie ; le *Traité de la Conservation de la Santé* répertorie les règles concernant la santé physique, mentale et sociale ; le *Traité sur l'asthme* s'applique à décrire le déclenchement des crises d'asthme. Il a établi, d'une manière remarquable pour l'époque, une classification et explication des effets des plantes médicinales et envisagé les fondements de la bioéthique dans son *Traité des Aphorismes médicaux,* compilation des connaissances médicales de l'époque qui sera largement utilisée tout au long du Moyen Âge.

Ce que nous devons aux médecins arabes

La médecine arabe est l'héritière de la philosophie de Platon et d'Aristote et de la médecine d'Hippocrate. Le sens pratique et une méthode fondée sur l'observation ont permis aux médecins de réaliser de grandes étapes du progrès médical, notamment avec la création des premiers hôpitaux, la législation de la profession de médecin ou la pharmacologie.

Les premiers hôpitaux modernes

Fidèles aux préceptes du Coran, qui exigent d'aider les indigents, les sultans ont créé des hôpitaux afin de recevoir ceux qui étaient incapables de payer les soins. Le premier hôpital (*maristan* ou *bimaristan*, en persan « maison des malades ») de l'ère musulmane aurait été fondé à Damas vers 707. Ces établissements ont été calqués sur ceux qui avaient été fondés par les chrétiens de Constantinople au IVe siècle.

Entre le IXe et le XIIIe siècle, on assiste à la construction de grands hôpitaux, lieux de soins et de formation, comme ceux de Damas (al-Nuri), de Bagdad (al-Adudi) et surtout du Caire (al-Mansur).

L'emplacement de chaque hôpital était choisi avec attention afin d'éviter toute influence du climat sur la santé.

 On raconte que lorsque le Sultan a demandé à Rhazès le meilleur endroit pour construire un hôpital, ce dernier a fait suspendre un morceau de viande en différents endroits de la ville pendant plusieurs jours et a proposé de construire « l'hôpital à l'endroit où la viande s'était le moins avariée ».

L'enseignement au lit du malade

Le médecin responsable faisait une visite quotidienne au lit du malade, prescrivait les médicaments et les régimes. Chaque service avait son domaine de compétence et comprenait un à trois médecins qui assuraient les soins des malades hospitalisés ; ils se rendaient en consultation dans les autres services lorsqu'on en avait besoin.

Ceux-ci se réunissaient afin de déterminer le meilleur traitement. Quelles que soient les décisions prises, un cahier d'observation était tenu quotidiennement afin que le médecin de garde puisse, à tout moment, connaître l'état de santé du patient. Il existait donc un véritable système de garde de façon à ce qu'il y ait une continuité des soins dans l'hôpital.

La gestion de l'hôpital était assurée par un *nazir*.

Dans leurs hôpitaux, les Arabes installaient des fontaines, garnissaient les lits de draps et distribuaient gratuitement des médicaments aux plus démunis.

Construit en 873, le grand hôpital du Caire, al-Mansur, a été agrandi et rénové par le sultan Al-Mansur Qalawun en 1283. À l'hôpital étaient annexés un orphelinat et une bibliothèque, dans laquelle les étudiants pouvaient emprunter des volumes ayant trait à la médecine, mais aussi à de nombreuses sciences, au droit et à la théologie. Tous ces édifices étaient regroupés autour de la mosquée.

Un exercice de la médecine réglementé

Jusqu'en 931, il n'y eut aucune législation en vigueur concernant la profession de médecin. N'importe quel charlatan ou guérisseur pouvait en effet s'auto-proclamer médecin. Néanmoins, un décès à la suite d'une erreur médicale a conduit le calife al-Muqtadir (908 – 932) à imposer l'obligation de posséder un diplôme pour exercer la médecine. La pratique de la médecine était ainsi interdite à ceux qui n'avaient pas été contrôlés par le médecin du calife.

Cette autorisation d'exercer était subordonnée à la remise d'un certificat d'aptitude ou *idajza*. Il s'agissait du premier test d'aptitude à la profession de médecin. Plus tard, en Égypte, les étudiants en fin de cursus devaient remettre au médecin en chef un mémoire original sur lequel il était interrogé. En cas de succès, ils pouvaient exercer leur profession. Les études médicales étaient donc désormais surveillées et les médecins formés.

Cet exercice se faisait en privé ou à l'hôpital, ou encore, pour certains, dans un palais, comme médecin d'un prince ou d'un calife. En général, l'élève suivait l'enseignement d'un seul maître et d'un seul ouvrage. Celui-ci comportait, en plus de la médecine, l'étude de la philosophie, des sciences naturelles et physiques, notamment la chimie et la pharmacologie, ou encore de l'astrologie. Il était habituel que le fils suive le chemin professionnel de son père, ce qui explique la constitution de grandes dynasties médicales : les Bakhtichou, les Ibn Zohr…

La médecine était enseignée dans le cadre de la fréquentation de l'hôpital ou en suivant la pratique médicale d'un maître. Au sein de l'hôpital, il était délivré un enseignement à la fois théorique et pratique. Les maîtres transmettaient leur savoir aux élèves à partir de cas cliniques, soulevant des problèmes diagnostiques ou thérapeutiques. Il y avait également un enseignement au lit du malade, sous la direction du médecin-chef, qui expliquait aux étudiants la symptomatologie du patient.

Des inspecteurs ou *muhtassib*, fonctionnaires religieux chargés de contrôler et surveiller aussi bien les médecins que les pharmaciens, les barbiers, les droguistes et les ventouseurs, encadraient les connaissances des médecins (*hisba*), fixaient leurs honoraires et infligeaient des sanctions en cas de faute.

Rhazès et l'enseignement au lit du malade

Rhazès, comme beaucoup de médecins, partageait son temps entre l'hôpital et sa clientèle privé. Il délivrait un enseignement selon un protocole bien établi. Il s'asseyait face au patient, puis chacun des étudiants examinait le patient et proposait un diagnostic. En cas d'échec, Rhazès faisait appel à un autre élève jusqu'à ce qu'il obtienne le bon diagnostic. Rhazès donnait ensuite le diagnostic final. Les malades qui présentaient les pathologies les plus compliquées étaient examinés devant tous par le maître.

Les pionniers de la maladie infectieuse

Rhazès considérait qu'il existait un facteur invisible, responsable de maladies, ce qui l'a conduit à proposer la mise en place de mesures d'hygiène publique très élaborées, afin d'éviter toute épidémie. Les sultans encourageaient la mise en place de mesures d'hygiène corporelle et, en particulier, la création de hammams ou de bains publics. Selon les médecins arabes, le hammam favorisait l'humidification des corps, la dilatation des pores, le nettoyage des impuretés accumulées et la disparition des flatulences.

Les médecins arabes tenaient compte de la qualité de l'air. Ainsi, Avicenne considère dans le *Canon de la médecine* que les vapeurs d'eau stagnante, de cadavre ou de matière putride peuvent altérer la qualité de l'air, avec pour conséquence la survenue d'épidémies. Il proposait de purifier l'air en utilisant des parfums ou des fumigations de plantes ou de bois aromatiques, comme le santal, le myrte, la rose, la violette, le musc, l'ambre gris ou le camphre. Selon Avicenne, la qualité de l'air variait en fonction des saisons, de l'altitude et des conditions géographiques, l'habitation et les vêtements jouant un rôle fondamental comme il l'a écrit dans le « Poème de la médecine » :

« L'habitation pourvue de nombreuses ouvertures reçoit tous les vents :

Elle est très froide en hiver, très chaude en été ;

C'est le contraire pour une habitation souterraine.

La chaleur s'obtient grâce aux tissus de soie et de coton, le froid grâce aux vêtements lustrés et de lin.

La chaleur est obtenue par des vêtements en poil de chameau et en laine, mais ils sont un peu secs. »

L'hygiène alimentaire occupait également une place prépondérante. Rhazès considérait qu'il fallait faire attention à la propreté du cuisinier et à son allure, au même titre que la qualité de la nourriture, ses féeries de couleurs, sa saveur, son odeur, pour qu'elle soit séduisante pour le consommateur.

Rhazès recommandait de jeter la première eau de cuisson des haricots secs afin d'éviter la formation de gaz.

L'eau était considérée comme un élément important, en tant que véhicule des aliments dans le corps. En conséquence, les médecins conseillaient fréquemment de la faire bouillir si sa pureté était en doute.

Les médecins arabes ont apporté une contribution importante à l'infectiologie. Ils ont évoqué dans leurs différents ouvrages la notion de contagion.

Rhazès a décrit les différents types de fièvres, qui comprenaient l'état continu, l'état de rechute et l'état agité. Il a déclaré que la fièvre peut être le symptôme d'une maladie ou une maladie en soi. Il a été le premier médecin à décrire la méthode d'extraction de la filaire de Médine (un ver responsable de la dracunculose). Dans son *Kitab al-Hawi fi al-tibb,* il a établi un diagnostic différentiel de la variole et de la rougeole. L'établissement de cette distinction est d'autant plus important que la rougeole est une maladie relativement bénigne, dont la guérison est généralement spontanée, alors que la variole est une maladie redoutable. Le mérite de Rhazès a été d'individualiser les facteurs de mauvais pronostic de la variole et d'avoir donné des conseils judicieux dans la prise en charge des pustules. Il conseillait ainsi de nettoyer les pustules pour limiter la formation d'escarres et de ne pas manipuler les lésions, en particulier autour de la bouche et plus encore des yeux afin d'éviter la cécité.

Avenzoar (1073 – 1162), grand clinicien et maître d'Averroès, élabora des idées originales sur la cause des infections. Il a notamment expliqué que « quelques fièvres proviennent de la corruption de l'air et de la putréfaction de l'eau », tandis qu'il a précisé que « l'air se corrompt quand les eaux se recueillent en un endroit où elles restent stagnantes. » Son livre principal, intitulé le *Taysir* ou *Livre de la simplification*, concerne la thérapeutique et la diététique. Il comporte quelques observations intéressantes sur la gale, dont il a expliqué qu'elle était causée par un minuscule parasite qu'il avait observé et décrit comme étant un très petit animal vivant sous la peau.

Avicenne a évoqué les fièvres et les maladies infectieuses dans le livre IV du *Canon de la médecine.* Il conseillait le séjour à la montagne aux patients souffrant de tuberculose pulmonaire. Il a contribué à améliorer la connaissance de la prise en charge des piqûres d'insectes. Mais, surtout, il a apporté une contribution importante à la connaissance des infections digestives.

Abulcasis a livré, quant à lui, une description précise de la rage, en rappelant l'importance dans le tableau clinique de l'hydrophobie (la peur de l'eau est un des symptômes révélateurs), dont il estimait qu'elle était due à une « extrême déshydratation du cerveau et de l'invasion du corps par la bile ».

La découverte de la circulation sanguine

Au XIIIe siècle, Ibn an-Nafis, médecin-chef à l'hôpital al-Mansur du Caire, a remis en cause la conception de la circulation sanguine de Galien, selon laquelle le sang est élaboré dans le foie, puis distribué aux organes par les veines et consommé par les organes, le système veineux étant séparé du système artériel, sauf au niveau du cœur par l'intermédiaire de pores invisibles... Pour Ibn an-Nafis, le sang sort de la cavité droite du cœur pour aller aux poumons, puis revient vers la cavité gauche du cœur, sans traverser la cloison. Il établit ainsi le rôle des artères coronaires dans la vascularisation du muscle cardiaque : « ... En outre, le postulat (d'Avicenne) qui voudrait que le sang du côté droit serve à nourrir le cœur n'est absolument pas vrai, en effet la nutrition du cœur provient du sang circulant dans les vaisseaux qui pénètrent le corps du cœur... »

Petite histoire de la circulation sanguine

Ce n'est que plusieurs siècles plus tard, en 1553, que Michel Servet (voir chapitre 9), dans son ouvrage capital, *Christianismi restitutio,* a affirmé l'existence de la circulation pulmonaire (et l'absence de pores entre les deux ventricules) : « Du ventricule droit, le sang passe tout au long de conduits dans les poumons... ». Cela lui a valu d'être brûlé à Genève par les calvinistes. Quelques exemplaires avaient cependant pu être distribués.

Le grand anatomiste flamand Vésale renia également en 1553, dans la *Fabrica,* ouvrage d'anatomie en sept volumes, la thèse de l'existence de pores entre les deux ventricules cardiaques.

En 1628, William Harvey (voir chapitre 10) reconnut enfin, dans son ouvrage sur la circulation sanguine, *Exercitatio anatomica de motu cordis et sanguinis in animalibus,* la découverte faite par Ibn an-Nafis plusieurs siècles auparavant.

Les inventeurs de la pharmacie

En 754, la première officine pharmaceutique a été fondée à Bagdad à la demande du calife al-Mansur. Les savants arabes ont joué un rôle important dans la distinction établie entre la médecine et la pharmacie, qui n'existait guère avant le XIe siècle.

Les médecins arabes ont introduit dans la thérapeutique un certain nombre de drogues provenant d'Inde et de Chine, comme le camphre, le benjoin, la coloquinte, le clou de girofle, la rhubarbe, le cachou, le bétel et l'anis. Ils ont aussi incorporé à la pharmacopée des substances minérales, comme les sels d'or, le mercure, les composés d'arsenic, la potasse, le fer hydraté, l'acide acétique et le nitrate d'argent. Les procédés chimiques ont été appliqués à la pharmacie : distillation, sublimation, filtration, dissolution et calcination. En inventant l'alambic – un appareil permettant la distillation –, il leur a été

possible de créer des alcools, des alcoolats, des essences et des eaux aromatiques. Ils ont ainsi mis au point des sirops, des élixirs, des oxymels avec
le vinaigre. Ils ont été les premiers à utiliser, en médecine, le sucre par son
extraction de la canne à sucre, peu utilisé jusqu'alors à côté du miel.

De nombreux ouvrages pharmacologiques ont été écrits par des médecins
tels *De re medica* (830) du Syrien Mésué l'Ancien (786 – 857), qui présente les
préparations pharmaceutiques officielles, le *Kitab al-Hawi* de Rhazès, dont
le dernier volume est consacré à la pharmacie, et le *Canon de la Médecine*
d'Avicenne, qui a servi de base pendant longtemps à l'élaboration des
pharmacopées.

Une révolution dans l'optique

Au XIe siècle, le médecin, physicien, astronome et mathématicien arabe Abu
Ali al-Hasan ibn al-Haytham (connu dans l'Occident médiéval sous le nom
d'Alhazen), est l'auteur d'un traité d'optique, le *Kitab al-manazir*, qui aura une
grande influence jusqu'au XVIIe siècle, notamment à travers sa description
de camera obscura (chambre noire), à l'origine de l'invention de l'appareil
photographique.

Alhazen a établi, contrairement aux Grecs, que la lumière n'est pas émise
par l'œil, mais au contraire qu'elle entre dans l'œil où se forme la sensation
visuelle (pour lui dans le cristallin). Il a aussi mis en avant le phénomène de
réfraction de la lumière : elle change de direction en passant d'un milieu à
un autre, de l'air dans l'eau, par exemple. Le rôle de la rétine ne sera mis en
évidence que six siècles plus tard par Kepler.

Chapitre 8

La médecine au Moyen Âge occidental

....

Dans ce chapitre :

▶ La médecine monastique

▶ La médecine scolastique

▶ Barbiers et chirurgiens

▶ Les grandes épidémies

....

*E*n Occident, la religion chrétienne occupe au Moyen Âge (Vᵉ – XVᵉ siècles) une place centrale dans la société. L'Église considère que la maladie est une punition divine qui permet au malade d'expier ses fautes. La pensée médicale, empreinte de magie, de spiritualisme et d'empirisme, se met brutalement à exclure le rationalisme antique. Érigée en dogme, la médecine de Galien offre un compromis entre science et religion.

L'exercice de la médecine est alors réalisé exclusivement par les moines, dans le cadre de monastères ou de couvents, qui deviennent des foyers de civilisation et de charité. Au cours de cette période monastique (600 – 1100), les dissections étaient interdites afin de ne troubler ni l'ordre divin, ni les saints. L'Église considère comme hérétique toute remise en question des dogmes hérités de l'Antiquité, en particulier les aphorismes d'Hippocrate et les traités de Galien. La tradition médicale laïque, héritée de l'Antiquité, n'a plus droit de cité, sauf dans l'Empire d'Orient et dans le sud de l'Italie, à Salerne, notamment.

À partir du XIᵉ siècle, l'Occident (voir chapitre 7) bénéficie des acquis scientifiques de la civilisation arabe. La médecine scolastique se développe dans des lieux d'enseignement. Ils assurent le renouveau du savoir médical comme celui de Salerne puis de Montpellier et Paris.

Une méthode d'enseignement originale se met en place. Elle s'articule autour de la *lectio* et la *disputio*, la *lectio* reposant sur la lecture et le commentaire des auteurs médicaux antiques et arabes et la *disputio* invitant maîtres et élèves à confronter leurs points de vue.

Le temps de la médecine monastique

Au cours de la première partie du Moyen Âge, seuls les clercs sont autorisés à exercer la médecine. La charité et la compassion occupent une place fondamentale dans leur pratique. La religion est indissociable de la médecine, tant dans son exercice officiel, dans les monastères ou hospices, que dans l'invocation des saints guérisseurs, la prière – assortie de quelques plantes – demeurant le remède à tous les maux...

Les moines médecins ne sont pas les seuls à exercer. Il faut s'en remettre à une chirurgie pratiquée par des laïques, barbiers-chirurgiens, et aux sciences occultes avec leurs alchimistes et astrologues...

« Moines-médecins »

L'Église réserve la pratique médicale aux monastères. Les moines s'instruisent grâce aux ouvrages des savants grecs et romains dont ils font des copies calligraphiées : le savoir médical antique est sauvegardé. Mais dans la plupart des cas, la médecine est exercée par des clercs plus soucieux d'exercer la charité chrétienne que de faire progresser la médecine.

Par ailleurs, l'Église a imposé un respect inconditionnel aux dogmes de Galien, ce qui a limité considérablement le développement de la pensée médicale. Toute remise en cause est considérée comme une subversion ; tout essai de révision ou de discussion, même appuyé sur des faits, est considéré comme hérétique et susceptible de justifier la mise à mort.

Les Bénédictins

Saint Benoît de Nursie (480 – 527) a fondé en 529 le monastère du Mont-Cassin, au nord de Naples, à proximité de Salerne. Il crée un ordre nouveau : de nombreux monastères bénédictins fleurissent alors dans tout l'Occident.

L'école de Monte Cassino

L'école de Monte Cassino est considérée comme la première école de médecine du Moyen Âge. Elle a été l'un des principaux lieux de transmission du savoir médical. Transmission facilitée par les échanges intenses dans cette région où coexistent des personnes aux cultures différentes : la byzantine, l'arabe et la latine.

La règle bénédictine donnait comme consigne de faire preuve de charité et de « prendre soin des frères malades » que l'on « servira comme le Christ lui-même. »

Dans les monastères, les moines assurent la prise en charge médicale de leurs frères et de malades venus de l'extérieur. La confession et la prière constituent l'autre versant de la prise en charge des maladies…

Fondations et ordres hospitaliers

De nombreuses fondations caritatives, dirigées par des religieux, sont construites près des couvents et des cathédrales. Elles ont un devoir d'assistance chrétienne.

À partir de 651, l'Hôtel-Dieu, situé près de Notre-Dame de Paris, accueille les pauvres et les malades. Il restera à la charge entière de l'Église jusqu'au XVIe siècle.

Les grands ordres hospitaliers naissent aux XIe et XIIe siècles et soignent les nombreuses victimes des grandes épidémies : demeurent dans les mémoires les ordres de Saint-Antoine, qui prend en charge les pestiférés, et Saint-Lazare, les lépreux.

La pharmacopée des moines

Les moines cultivent les plantes médicinales dans les jardins des simples, ou *Herbularius*, implantés à proximité des infirmeries. Les plantes sont ramassées au printemps et à la fin de l'été. Elles sont après cette récolte séchées pour la préparation des remèdes de l'hiver.

Certains monastères sont spécialisés dans la production d'une ou de deux variétés botaniques. Elles sont expédiées dans les autres monastères. Le monastère bénédictin de Saint-Gall produit par exemple la menthe poivrée, le fenouil, la sauge et le romarin. Les moines réalisent des herbiers, qui constituent des répertoires de plantes, comme celui de Rufinus, de Thomas de Breslau, de Benedetto Rinio, le *Macer floridus* versifié d'Odon de Meung (fin du XIe siècle), l'*Herbarium* d'Apuleius ou l'*Hortus Deliciarum* de l'abbesse Herrare de l'abbaye de Hohenburg.

Il existait deux variétés de médications :

- ✔ les simples administrés isolément et décrits dans des herbiers ;
- ✔ les composés (associations de simples) dont la composition est reportée dans des réceptaires et des antidotaires, recueils de médicaments composés.

Les simples sont administrés sur la base du principe de la médecine analogique ou médecine des « signatures ». On considère qu'il faut utiliser un simple en fonction de critères morphologiques. C'est ainsi qu'en cas de mélancolie, il est administré des simples de couleur noire et des simples de couleur jaune contre l'excès de bile jaune.

Saints guérisseurs

On fait appel aux saints pour guérir tous les maux, notamment les maladies infectieuses. En cas de boutons et de pustules, on implore sainte Reine, en cas d'érysipèle saint Antoine, en cas de furoncles saint Cloud (qui présente une analogie de nom avec clous) et en cas de rougeole saint Maxime ou saint Adélard.

Pour les malades atteints par la lèpre, on fait appel à saint Job (Satan l'a affligé de cette maladie afin d'éprouver sa foi) ; des léproseries voient le jour. Tandis que saint Élie et sainte Bonose viennent au secours de ceux qui ont attrapé la variole.

À la fin du Moyen Âge, le culte de saint Roch va ainsi devenir très populaire. Il coïncide avec les grandes épidémies de peste qui s'abattent sur l'Europe à partir de 1346, la plus meurtrière étant la fameuse peste noire qui sévit de 1346 à 1353.

LE SAVIEZ-VOUS ?

Saint Roch et la peste

Orphelin très jeune, Roch vend tous ses biens et part en pèlerinage à Rome. Il s'arrête dans un hospice à Acquapendente, en Toscane, où il soigne des malades atteints de la peste. À Rome, il guérit un cardinal. Il soigne sans relâche les malades, assurant la prise en charge des sépultures des morts. Il console les gens à l'agonie et recueille les enfants pour les protéger du mal. Trois ans plus tard, sur le chemin du retour, à Plaisance, il est lui-même victime de la peste. On raconte qu'il a été soigné providentiellement par Dieu qui lui a fait apporter tous les jours une nourriture par un chien venu d'un château voisin et qui a fait jaillir une source d'eau vive du rocher où il était réfugié. Cette eau miraculeuse lui a permis de guérir ses plaies.

Saint Antoine protège de l'ergotisme, appelé « feu de saint Antoine » ou « mal des ardents ». L'ergotisme est provoqué par l'ingestion, le plus souvent en temps de disette, de farines contaminées par un champignon : l'ergot du seigle. Cette affection se manifeste par des hallucinations, des douleurs abdominales, des convulsions, des gangrènes des membres et des brûlures internes.

Saint Guy est, quant à lui, le protecteur des épileptiques, considérés comme possédés par le démon et brûlés vifs. Au moment de la Saint-Guy, les malades se rendent en pèlerinage dans l'une ou l'autre église qui lui est consacrée afin de se libérer de leurs angoisses et de leur mal : c'est la danse de Saint-Guy.

Le feu de saint Antoine

Le célèbre triptyque, *la Tentation de saint Antoine* de Jérôme Bosch (1451 – 1516) évoque le mal des ardents à travers un monde halluciné. Il y expose les souffrances infligées à saint Antoine, soutenu par des moines de la congrégation des Antonins qui soignent les malades souffrant du feu de saint Antoine.

Barbiers-chirurgiens

Au Moyen Âge, la chirurgie ne peut être exercée par les clercs car l'Église l'interdit. La réalisation de dissections de cadavres est également interdite, sous peine d'excommunication. L'exploration du corps humain est prohibée pour ne pas troubler l'ordre divin. L'exercice de la chirurgie, qui n'est pas une science, est donc l'apanage des barbiers !

Seuls quelques religieux appartenant à des ordres mineurs ont l'autorisation de réaliser des actes chirurgicaux. Les séculiers de l'ordre des Antonins qui comportent, en Europe, plusieurs centaines d'abbayes sont considérés comme extrêmement habiles en matière d'amputation.

Cependant, certains barbiers décident de se consacrer pleinement à la chirurgie et fondent une confrérie placée sous l'invocation de saint Côme et de saint Damien.

Entre saint Côme et saint Luc, patron des médecins, une lutte de 500 ans va s'engager !

Maître-barbier

Les barbiers ambulants, qui font office de coiffeurs, sur les places de marché, assurent la plupart des interventions chirurgicales courantes. Ils incisent les abcès superficiels, pratiquent les saignées, réduisent les luxations, appliquent les cautères et délivrent des soins corporels dans les bains publics. Leur réputation repose sur leur habileté et leur dextérité.

En ville, les barbiers exercent aussi dans des boutiques dont l'enseigne indique « Aux trois bassins ». Assimilés à des commerçants, au même titre que les drapiers, les orfèvres ou les aubergistes, ils ne jouissent pas d'une très haute estime.

Le titre de maître-barbier est obtenu après un apprentissage chez un maître. Le plus souvent, le savoir chirurgical est en effet acquis auprès d'un membre de la famille ou dans le cadre d'un compagnonnage.

La confrérie de Saint-Côme

À Paris, certains barbiers-chirurgiens ont décidé de cesser leur activité de barbier pour se consacrer exclusivement à la chirurgie. En 1268, ils fondent la confrérie de Saint-Côme, qui est considérée comme la première faculté de chirurgie.

Les chirurgiens-barbiers sont revêtus d'une robe longue, comme les médecins, et ont adopté pour armoiries « les trois boîtes d'onguents », tandis que leur bannière représente saint Côme et saint Damien, deux martyrs du début du IVe siècle, célèbres pour avoir remplacé la jambe d'un sacristain par celle d'un Éthiopien.

Prémisses de la greffe d'organes

La greffe d'organes ou de membres a fait l'objet de multiples évocations depuis le début de l'histoire de l'humanité. Dans le couvent San Marco à Florence, il existe une fresque de Fra Angelico, datant du XVe siècle, représentant la greffe d'une jambe du diacre Giustiniano par saint Côme et saint Damien. Au IIIe siècle, les deux jumeaux, qui deviendront au Moyen Âge patrons des médecins et des chirurgiens, ont amputé la jambe de Giustiniano, atteinte d'un cancer, et l'ont remplacée par celle d'un Éthiopien récemment décédé.

Cette confrérie était en conflit avec les médecins, qui n'admettaient pas que ces barbiers-chirurgiens « à robe longue » puissent s'attribuer un grade de maîtrise de chirurgie.

Ils étaient également haïs par les barbiers « à robe courte » qui redoutaient leur concurrence.

 La lutte entre les barbiers-chirurgiens de saint Côme et les autres barbiers a duré jusqu'en 1465, date à laquelle le premier barbier du roi Louis XI, Olivier le Daim, obtient de son maître que tous les barbiers exerçant la chirurgie fassent partie de la corporation de Saint-Côme et passent un examen !

Alchimistes et astrologues

La place des alchimistes et des astrologues, avec leurs formules magiques et leurs amulettes, est de plus en plus importante au cours de la période monastique. Les thérapeutiques médicales reposent sur la pharmacie, mais aussi sur l'alchimie et l'astrologie.

Cette dernière est très importante en raison de la conception cosmique de l'homme et de la maladie. Elle intervient dans toutes les prises de décision. Les rois consultent les astrologues avant de se lancer dans des guerres. Pellitus et Bede le Vénérable sont ainsi les astrologues les plus réputés de cette période de l'Histoire.

En médecine, l'astrologie est utilisée pour prévoir l'évolution d'une maladie, adapter la diète ou déterminer les jours favorables à la saignée.

La médecine scolastique

Dans la seconde partie du Moyen Âge (XIe – XVe siècles), la médecine connaît un renouveau en Occident, avec l'école de Salerne, centre du rayonnement médical, puis avec le développement des grandes universités européennes.

Ces premières universités vont se développer autour des enseignements typiques de la scolastique (*scola* signifiant « école »), qui englobe la philosophie, la science et la théologie, en s'appuyant principalement sur la tradition grecque, notamment Aristote, mais sous contrôle du respect du dogme de l'Église.

L'enseignement médical ne commence à s'organiser qu'à partir du XIIe siècle. Des écoles se créent qui donnent naissance aux premières universités.

La « cité hippocratique »

La ville de Salerne a été le point de convergence de tous les grands courants de la pensée médicale, ce qui lui vaut le surnom de « cité hippocratique ».

Selon la légende, l'École de Salerne a vu le jour grâce à quatre médecins qui s'expriment dans quatre langues différentes : l'hébreu, le grec, l'arabe et le latin. Proche du Mont-Cassin, fondée à l'origine sur un hôpital bénédictin, l'École est à partir du Xe siècle la première institution laïque de transmission des connaissances. Les enseignements théoriques sont fondés sur l'observation et l'examen des malades.

Plusieurs médecins ont marqué cette École de Salerne, notamment le chrétien Constantin l'Africain (vers 1015 – 1087) qui, grâce à ses traductions et adaptations de textes arabes, a contribué à l'élargissement du savoir médical, Warbod Gariopontus (995 – 1059) ou le chirurgien Ruggiero di Frugardo, dit Roger de Parme, né vers 1180. Des femmes ont également exercé à Salerne, dont Trotula, au XIe siècle, qui doit sa célébrité à ses travaux sur les femmes, la grossesse, l'accouchement.

Au sein de l'École de Salerne, un certain nombre d'ouvrages ont été rédigés de façon collective et, en particulier la *Médecine selon le régime sanitaire de l'école de Salerne (Flos medicinæ vel regimen sanitatis Salernitanum)*, manuel de médecine galénique rédigé en latin vers 1060, centré sur la préservation de la santé (alimentation, hygiène, sexualité), qui a donné lieu à plus de 200 éditions et traductions en plusieurs langues. L'encyclopédie de pratique médicale d'un rédacteur anonyme du XIIe siècle, le *Tractatus aegritudinum curatione,* qui jouit de l'influence de la médecine arabe, a également eu un énorme succès.

À partir du XIIe siècle, l'enseignement médical permet aux étudiants venant de l'Europe entière d'obtenir le premier diplôme d'exercice de la médecine, décerné par le collège médical de Salerne.

La naissance des universités

À partir du XIe siècle, on assiste à un formidable essor technique, rural, urbain et commercial en Europe. Parallèlement, la recherche du savoir devient de plus en plus importante. Au XIIe siècle, quelques grandes écoles commencent à devenir des corporations dotées d'une autonomie propre, pourvues de privilèges, ayant le monopole de l'enseignement supérieur dans des régions plus ou moins étendues. Elles instituent des grades revêtus d'un caractère officiel. Ces universités, du mot *universitas* qui signifie en bas latin « communauté », marquent un changement majeur dans la société médiévale et favorisent la diffusion plus large du savoir intellectuel.

Elles restent dépendantes de l'Église, mais ont assuré le relais des monastères dans le domaine médical, quand les ecclésiastiques ne furent plus autorisés à exercer la médecine. À partir du XIIe siècle, en effet, une série de Conciles (Clermont 1130, Reims 1131, Montpellier 1162, Tours 1163) en interdisent l'exercice aux moines. Ils ne doivent pas être tentés par le monde et se consacrer à des tâches contemplatives.

Un certain nombre d'universités sont fondées, comme celle de Bologne (seconde moitié du XIIᵉ siècle), de Paris en 1215, de Montpellier en 1220, de Padoue en 1228, de Salamanque en 1230, d'Oxford en 1214, de Cambridge en 1229 ou de Toulouse en 1229.

L'âge d'or de la faculté de Montpellier

Montpellier bénéficie au Moyen Âge de la renommée de son université qui lui confère le statut de cité savante.

Son école de médecine est la plus ancienne du monde médiéval européen. Elle fut créée à la suite de la décision de Guilhem VIII, seigneur de Montpellier, en 1181, qui souhaite, bien qu'elle fût sous tutelle de l'Église, l'ouvrir à tous dans la tradition hippocratique :

« Jadis Hippocrate était de Cos, maintenant il est de Montpellier ».

Le 17 août 1220, le cardinal d'Urach, donne à l'*Universitas medicorum* ses premiers statuts. L'université de Montpellier est constituée plus tard, en 1289 sous l'égide du pape Nicolas IV.

Les premiers praticiens de la faculté de médecine sont issus de l'école de Salerne. Ils délivrent un enseignement des textes gréco-latins enrichis par les connaissances accumulées par les médecins arabes. Les écrits des classiques grecs et arabes sont traduits en provençal et catalan.

Entre la fin du XIIIᵉ siècle et le début du XIVᵉ siècle, la faculté de médecine de Montpellier vit son âge d'or. Son rayonnement est dû à la qualité de l'enseignement qui y est délivré, par des médecins arabes, des religieux catholiques, des Espagnols, des Salernitains et des juifs. Ces derniers continuent de jouer un rôle important dans le transfert du savoir de la médecine arabe en Occident.

Il régnait au sein de la faculté de médecine de Montpellier une indépendance scientifique et un climat de tolérance remarquable. La renommée de la médecine à Montpellier est devenue très rapidement considérable grâce à la qualité de ses médecins parmi lesquels, au XIIIᵉ et au XIVᵉ siècle, Arnaud de Villeneuve, Henri de Mondeville et Guy de Chauliac.

Naissance de la faculté de médecine de Paris

L'université de Paris (*Universitas magistrorum et scolarium parisiensis*), qui rassemble diverses écoles existantes regroupées sur la montagne Sainte-Geneviève, est créée en 1200 sur ordre du roi Philippe Auguste (1165 – 1223), puis officialisée en 1215, sous tutelle de l'Église.

Au XIIIe siècle, l'université comprend quatre facultés : arts (la principale), théologie, droit et médecine. Elles préparent à trois grades : le baccalauréat (grammaire, dialectique, rhétorique), la licence (arithmétique, géométrie, astronomie, musique) et le doctorat (médecine, droit canonique, théologie).

La première faculté de médecine (*Saluberrima facultas medicinae parisiensis*) voit le jour en 1231. C'est une corporation d'ecclésiastiques dotée de privilèges et soumise à des règles et interdits édictés par le pape Grégoire IX, qui a pour mission d'enseigner et de délivrer les diplômes d'exercice de la médecine, mais également de surveiller chirurgiens et apothicaires. C'est le temps de l'Inquisition.

La responsabilité de l'enseignement de la médecine est confiée à six médecins, auxquels il est attribué le titre de maîtres-régents. Ils sont coiffés d'un bonnet carré.

L'enseignement, purement théorique et scolastique, est délivré aux étudiants qui doivent « écouter les leçons assis à terre, et non assis sur des bancs, par esprit d'abnégation et pour écarter de leur jeunesse toute tentation d'orgueil », comme l'a exigé le pape Urbain V en 1366.

L'enseignement à l'université de Paris est plus conservateur et plus attaché aux dogmes religieux et philosophiques que celui de l'université de Montpellier.

Disputes à l'université de Paris

La *disputatio* est un exercice clé de l'enseignement scolastique. Elle oppose les théologiens et les maîtres de la faculté des arts, notamment autour de la figure du grand philosophe arabe Averroès condamné par l'Église. Le grand théologien Thomas d'Aquin (1225 – 1274), qui cherche à concilier foi et raison, se trouve mêlé à ces vives controverses. Il ne sera réhabilité par l'Église qu'en 1323 et canonisé.

À la fin du Moyen Âge, l'université de Paris attire 20 000 étudiants. Elle tire sa renommée du prestige de ses maîtres et de l'importance de ses bibliothèques.

La faculté de médecine de Paris a abrité quelques médecins célèbres : comme Gilles de Corbeil (1140 – 1224), Pietro d'Abano (1257 – 1315), Roger Bacon (1214 – 1294), surnommé le « Docteur admirable », Albert le Grand (1200 – 1280) et Pierre Julien dit l'Espagnol (1220 – 1277), qui est devenu pape sous le nom de Jean XXI.

Chirurgiens du Moyen Âge

L'exercice de la chirurgie était limité et sa pratique condamnée par l'Église, qui avait proclamé au concile de Tours en 1163 :

« *Ecclesia abhorret a sanguine* » (« L'Église abhorre le sang »).

L'interdiction de dissection des cadavres limitait l'essor de la connaissance de l'anatomie. Les barbiers-chirurgiens réalisaient les actes chirurgicaux sous les ordres et le contrôle des médecins.

Trois personnalités ont marqué la chirurgie au Moyen Âge : Henri de Mondeville, Guido Lanfranchi et Guy de Chauliac.

Henri de Mondeville, le plus prestigieux des chirurgiens du Moyen Âge

D'origine normande, Henri de Mondeville (1260 – 1320) a suivi un enseignement de la médecine dans les universités de Bologne et Paris, puis s'est installé à Montpellier. Il est devenu ensuite chirurgien des rois de France (Philippe le Bel et Louis le Hutin), ce qui lui a permis d'améliorer son savoir sur les champs de bataille. Il meurt en 1320 d'une possible tuberculose pulmonaire.

Un traité de chirurgie, *Cyrurgia,* a eu une influence notable sur les générations de chirurgiens qui lui ont succédé. Il considérait qu'il était indispensable d'avoir une bonne connaissance de l'anatomie pour exercer la chirurgie. Contrairement à ses contemporains, il était opposé au dogme galénique de la « suppuration louable », préconisant la désinfection avec du « bon vin fort », l'élimination des souillures et des corps étrangers et la réunion immédiate des berges d'une plaie. Il est l'auteur du premier nœud de chirurgien. Dans son ouvrage, Henri de Mondeville a rappelé les qualités que devait avoir le chirurgien :

« Le chirurgien doit être modérément audacieux, ne pas disputer devant les laïcs, opérer avec prudence et sagesse, et ne pas entreprendre d'opération périlleuse avant d'avoir prévu ce qui est nécessaire pour éviter le danger. »

Guido Lanfranchi

Guido Lanfranchi ou Lanfranco da Milano (1250 – 1306) est un chirurgien originaire de Milan. Il a étudié à Bologne et s'est ensuite rendu à Lyon puis à Paris, en 1295.

Il a écrit un ouvrage intitulé la *Chirurgia Magna,* publié en 1296, dans lequel il a évoqué l'intubation, la suture des nerfs coupés. Mais, surtout, il a posé les indications de la trépanation crânienne.

Il a été admis parmi les membres de la Confrérie parisienne de Saint-Côme et Saint-Damien. Il a déclaré :

« Nul ne peut être médecin, s'il ignore les opérations chirurgicales, et nul ne peut faire d'opérations, s'il ne connaît la médecine. »

Maître Guy de Chauliac

Selon la légende, Guy de Chauliac (1300 – 1370), fils de pauvres paysans de la Lozère, aurait été garçon de ferme et il aurait embrassé la carrière médicale après avoir guéri une fracture chez la fille d'un noble. Il fait ensuite ses études à Toulouse puis à Montpellier, où il est devenu maître en médecine et en chirurgie, et clerc en 1325 : *magister Guydo de Caulacho Clericus*. Il a perfectionné ses connaissances à Bologne. Au cours de l'épidémie de peste de 1348, il s'illustre par son courage, son dévouement et surtout par son remarquable talent clinique, qui l'a conduit à différencier deux formes de manifestation de la peste, bubonique et pulmonaire, et son mode de contamination :

« Le mal était hautement contagieux, notamment du fait des crachements de sang. On l'attrapait non seulement par le toucher et la respiration, mais aussi par la vue. Il s'ensuivait que les gens mouraient sans assistance et étaient enterrés sans prêtre. »

Il devient célèbre en pratiquant sur le pape d'Avignon Clément VI, qui souffre de violentes migraines, une trépanation de l'os pariétal gauche. Il devient l'une des plus grandes figures de la faculté de Montpellier après cette courageuse intervention.

En 1363, Guy de Chauliac compile dans son ouvrage *Grande Chirurgie* l'ensemble des connaissances chirurgicales du XIVe siècle.

Il est partisan d'une revalorisation du statut des chirurgiens, qui devaient être « instruits en médecine ». Il souligne l'importance de l'anatomie pour exercer la chirurgie :

« Il est nécessaire aux chirurgiens de bien connaître l'anatomie, parce que sans l'anatomie, on ne peut rien faire en chirurgie ».

Ce chirurgien méticuleux dispose d'une trousse importante. Il a perfectionné quelques instruments comme l'aiguille à suture, triangulaire et creusée en gouttière pour loger le fil, une canule fenêtrée placée sur le point de la peau où doit sortir l'aiguille. Il a mis au point des machines compliquées de poids et de poulies afin de mettre en extension les membres en cas de fractures.

Guy de Chauliac est partisan de « couture sèche » en cas de plaies du visage, afin d'éviter la survenue de cicatrices inesthétiques :

« On prend des petites pièces de toile un peu forte, on les coupe en triangle d'une grandeur proportionnée à la figure de la partie, on charge un des côtés de la toile coupée d'un liniment visqueux et tenant à la peau et on applique autant de pièces de chaque costez de la plaie qu'il en faut, les posant dans une distance l'un de l'autre d'un pouce. Quand elles sont bien collées et adhérentes à la peau, qu'elles sont sèches, on les coud l'une à l'autre adroitement. »

Il est néanmoins à l'origine de pratiques pernicieuses comme celle de la réalisation de la castration au cours de la cure de hernie !

Les épidémies, signe maléfique de la colère divine

Au cours du Moyen Âge, un certain nombre d'épidémies redoutables se sont abattues sur l'Europe. L'extrême difficulté qu'il y eut à les juguler engendra un sentiment d'impuissance, à l'origine de nombreux fantasmes. La grande peste noire d'Occident (voir « Partie des Dix », chapitre 13), apparue en 1347, a décimé un tiers de la population médiévale occidentale. La lèpre occupait, quant à elle, une place particulière parce qu'elle inspirait autant la crainte que la pitié.

La peste noire et la mutation de l'Occident

Les premiers cas de peste en Europe ont été rapportés en 1347 à Gênes, qui était alors un port commercial très actif. Il pourrait s'agir de Génois revenant du comptoir de Caffa positionné sur les rivages de la mer Noire.

Cette escale bien connue sur la route des caravanes à destination de la Chine ou de l'Inde aurait été selon la légende la victime des troupes mongoles du Khan Djanibek (1342 – 1357). Les assaillants auraient catapulté par-dessus les murailles de cette cité des corps de guerriers morts de la peste. Le retour des Génois par 18 galères aurait entraîné une diffusion de la peste à Constantinople, en Sicile et en Italie, d'où elle a pris la direction du sud de la France et de l'Espagne, ainsi que celle du sud de l'Autriche puis de l'Allemagne. En 1349, elle toucha l'Angleterre. Trois ans plus tard, l'ensemble de la population du continent européen était victime du fléau.

Le rôle favorisant des facteurs météorologiques a été évoqué, trois étés particulièrement froids et humides étant responsables d'une famine importante ayant entraîné une sensibilité accrue aux infections.

On estime que la peste a entraîné en cinq ans la mort de 25 millions d'individus, ce qui correspondait à environ la moitié de la population de l'Europe ou le tiers de la population du monde connu.

Les mesures thérapeutiques étaient limitées, ce qui a eu pour conséquence un regain de religiosité. Des moyens propres à apaiser ce qui était considéré comme la manifestation d'une colère divine ont été recherchés, comme la pénitence ostentatoire des flagellants, les processions et le culte des saints guérisseurs.

La peste noire de 1348 a également eu des conséquences très importantes sur le plan économique en désorganisant totalement la société moyenâgeuse. Les absences de réponses aux questions d'ordre épidémiologique ont conduit certains à rechercher des boucs émissaires. Les Juifs, accusés d'être responsables de la dissémination du fléau en empoisonnant les puits et les fontaines avec des poudres maléfiques, ont été les victimes idéales de cette vindicte populaire. À la suite de cette accusation, il y a eu de nombreux massacres qui ont débuté en Languedoc et en Catalogne en mai 1348. Ils ont ensuite touché ceux qui vivaient en Suisse en octobre et en Allemagne en novembre. Malgré la bulle du pape Clément VI de juillet 1348 condamnant de tels actes, douze mille juifs de Mayence ont été condamnés au bûcher en août 1349. Sous la violence des brasiers, les vitraux et les cloches d'une des églises de la ville ont fondu.

Rétrospectivement, un certain nombre d'auteurs se sont interrogés sur l'origine exacte de cette épidémie de peste noire de 1347 et 1348. En effet, les descriptions réalisées par les auteurs contemporains de cette affection ont montré qu'elle s'est manifestée au début par des bubons ; en revanche au cours de l'hiver 1348, elle serait apparue sous sa forme pulmonaire avant de reprendre sa forme bubonique au printemps. Certains auteurs se sont interrogés devant la rapidité avec laquelle cette affection s'est répandue et ont remis en question le diagnostic de peste. Ils ont évoqué d'autres diagnostics comme celui de la maladie du charbon, du typhus, de la tuberculose ou de la fièvre hémorragique.

La lèpre, cause d'exclusion

La lèpre s'est développée en Europe au début du XIᵉ siècle, à l'occasion du retour des croisades des pèlerins chrétiens. L'endémie lépreuse du XIIIᵉ siècle en Europe a été favorisée par une hygiène défectueuse et un niveau socio-économique très bas des populations.

Les lépreux, qui étaient considérés comme des parias, ont été exclus de la société et placés dans des léproseries. La lèpre suscitait à la fois l'effroi et l'attirance, suscitant une attitude ambivalente de la société. La lèpre était à la fois considérée comme une punition et comme un don de Dieu, surtout quand la maladie apparaissait au cours d'un pèlerinage.

Sur la base du rituel du « *separatio leprosum* » préconisé par l'édit du Rothari en 643, les lépreux étaient exclus afin de prévenir la contagion de la maladie et d'assurer la rédemption des malades et de ceux qui l'aidaient et priaient pour eux. Au cours d'une cérémonie religieuse de mise « hors du monde », qui se déroulait en présence de sa famille, le lépreux allait au cimetière pour descendre symboliquement dans une fosse. Le prêtre prononçait la sentence : « Sois mort au monde et revis en Dieu. » Puis, ceux que l'on appelait *ladres* ou *cagots*, proscrits et dépouillés de leur humaine dignité, se voyaient contraints, sous peine de mort, de quitter les leurs pour aller vivre hors des villes, dans l'horreur des léproseries, au milieu d'autres maudits, jusqu'à ce que mort s'ensuive.

Les léproseries ou maladreries

Les léproseries ou maladreries étaient des structures isolées comme des cabanes de bois situées au bord d'une route. Elles devinrent progressivement plus nombreuses. Des moines y soignaient les malades à l'écart du monde. Lorsqu'ils sortaient de la léproserie, les lépreux devaient porter ce qu'on appelait les « deffenses ». Ils devaient être porteurs d'un costume spécial ou housse, avec capuche, de gants, de cliquettes de bois pour s'annoncer, d'une sébile pour l'aumône et d'un bâton pour ne rien toucher directement.

La lèpre a servi de prétexte à Philippe V le Long, en 1321, pour renflouer les caisses du royaume de France ! La rumeur selon laquelle les juifs s'étaient alliés aux lépreux pour exterminer les chrétiens de France provoqua le massacre de milliers d'entre eux après spoliation de leurs biens.

Troisième partie
La médecine à l'époque moderne

Dans cette partie...

Au Moyen Âge, marqué par un déclin du monde occidental de près d'un millénaire, succède aux XVᵉ et XVIᵉ siècles la « Renaissance » (*Renascentia*). Elle est inaugurée par un mouvement littéraire et artistique italien, qui va triompher en Europe, dans tous les domaines : philosophie, littérature, arts et sciences.

Cette période de bouleversement intellectuel et culturel est portée par un courant de pensée, l'humanisme. Il préconise un retour à l'Antiquité gréco-romaine, ce qui a pour effet un affranchissement du dogme religieux : l'homme prend une place centrale. L'harmonie du corps humain est minutieusement étudiée et reproduite : l'anatomie passionne artistes et savants. C'est le temps des grandes découvertes et de l'imprimerie, inventée en 1448 à Mayence par Gutenberg. Elle va jouer un rôle essentiel dans la circulation des connaissances. Dans le domaine de la médecine, elle permet la diffusion de la plupart des traités médicaux, rendant le savoir plus accessible. Les médecins confrontent leurs acquis et approfondissent leur niveau de connaissances.

Au XVIIᵉ siècle, une véritable révolution scientifique bouscule tous les domaines de la pensée. Galilée (1564 – 1642) réaffirme, après Copernic, que la Terre tourne autour du Soleil et non l'inverse ! La médecine s'appuie sur l'expérimentation et vérifie les théories héritées des Anciens, mettant à mal certaines d'entre elles. La théorie hippocratique des humeurs est remise en cause.

Le Siècle des Lumières est celui de *L'Encyclopédie,* qui consigne l'ensemble du savoir de l'humanité. Ses rédacteurs ambitionnent de le mettre à la portée de tous. La médecine s'appuie sur de nouvelles disciplines scientifiques ; la chirurgie se perfectionne. La conquête du Nouveau Monde fait entrer de nouvelles plantes dans la pharmacopée.

Chapitre 9

La médecine à la Renaissance

Dans ce chapitre :

▶ L'anatomie reine : de Vinci et Vésale

▶ La médecine : Fernel et Servet

▶ La chirurgie : Ambroise Paré

▶ Les maladies voyagent…

Au cours de la Renaissance, on assiste à l'émergence d'un courant humaniste. Les esprits changent, se libèrent des carcans intellectuels. Le retour à une esthétique réaliste fait évoluer de manière considérable la médecine. Le corps humain retrouve, comme dans l'Antiquité, une dimension privilégiée et devient l'objet d'études minutieuses des artistes italiens.

Portée par l'œuvre de l'anatomiste flamand André Vésale ou de l'artiste Léonard de Vinci, l'anatomie humaine connaît un formidable essor. Les connaissances anatomiques s'améliorent grâce à l'autorisation de pratiquer la dissection des cadavres. Les découvertes de l'école italienne d'anatomie, avec Bartolomeo Eustacchio, Realdo Colombo, Andrea Cesalpino et Jérôme Fabrice d'Acquapendente, remettent en cause les conceptions antiques jusqu'alors en vigueur.

La chirurgie, bénéficiant des apports de l'anatomie, connaît un nouvel essor, notamment sous l'impulsion d'Ambroise Paré.

Des grandes épidémies accompagnent, par ailleurs, la découverte de l'Amérique par Christophe Colomb (1792) : la syphilis en aurait été rapportée tandis que la variole a décimé les Mexicains…

Place à l'anatomie !

Au cours de la Renaissance, des autorisations de procéder à des dissections anatomiques sont accordées. On abandonne le schématisme médiéval pour redécouvrir les structures qui assurent le mouvement du corps, en particulier les os et les muscles. L'anatomie est enseignée dans les écoles d'art, notamment à Florence.

Des nombreux artistes de la Renaissance, Léonard de Vinci est considéré comme le plus prestigieux. Grand peintre florentin, c'est aussi un génie universel qui va ouvrir la voie au premier grand anatomiste, André Vésale.

En Italie, de nombreux anatomistes étudient le fonctionnement des organes et améliorent la compréhension du corps humain. Ils publient des ouvrages qui diffusent ce savoir.

Le tabou de la dissection

La première dissection publique a lieu à Paris, vers 1478, organisée par le Collège des Chirurgiens auquel il est accordé la dissection de quatre cadavres par an. Les conditions de ces opérations sont bien réglementées. Un cérémonial, auquel participent trois personnes (un enseignant, un démonstrateur et un préparateur), est établi. De leur côté, certains médecins se rendent la nuit aux gibets et au charnier des Innocents, afin de se procurer clandestinement des corps de suppliciés.

Au XVIe siècle, Mondino de Liuzzi (1270 – 1326), professeur de l'université de Bologne s'illustre en soulignant l'intérêt de la réalisation de dissections, malgré l'interdiction de l'Église. Il publie ses recherches dans un ouvrage *Anathomia*, paru en 1315.

Un ouvrage d'anatomie à succès

La Pratique en l'art chirurgical (*Practica in arte chirurgica copiosa*), rédigée en 1514 par Giovanni de Vigo ou Jean de Vigo (1460 – 1525) est destinée aux barbiers-chirurgiens qui ignorent l'anatomie. Il a fait l'objet de 40 éditions.

En dehors des Italiens, un certain nombre de médecins contribuent à améliorer la connaissance de l'anatomie, comme les Français Jacques Dubois, dit Sylvius (1478 - 1555), qui a étudié le cerveau, et Charles Étienne (1504 - 1564) qui a décrit les veines du foie, les Allemands Salomon Alberti, qui a découvert les valvules veineuses et voies urinaires, et Jean Gonthier d'Andernach (1505 - 1574) qui a visualisé le pancréas.

Léonard de Vinci, fondateur de l'anatomie

Léonard de Vinci (1452 - 1519), fils d'un notaire de Florence et d'une paysanne, n'a pas reçu de formation universitaire. Il développe une manière très originale de s'instruire. Influencé par un ami issu d'une famille de médecins, Marco Antonio della Torre, il étudie l'anatomie en examinant minutieusement les organes prélevés au cours des dissections de cadavres à l'hôpital. Il s'agit alors d'une pratique commune pour les médecins, mais pas pour les artistes. La fidélité de la reproduction anatomique constitue le trait principal de son travail pour lequel, par ailleurs, il utilise les techniques anatomiques nouvelles d'une grande précision, telles que les injections intra-vasculaires et intracavitaires de cire liquide. Il dessine les différentes parties de l'anatomie du corps, se concentrant sur le fonctionnement du cœur humain et le développement du fœtus humain *in utero*.

Léonard de Vinci est le premier à donner une description exacte du fœtus dans l'utérus. Jusqu'à lui, en effet, la matrice était décrite comme formée de parois rigides. Il démontre que sa structure est musculaire, extensible et élastique et que sa forme est uniloculaire et non bicorne, comme celle des animaux.

Léonard de Vinci réalise également la première représentation des artères coronaires, des branches de l'aorte et des sinus aortiques que nommera plus tard Antonio Maria Vasalva (1666 – 1723). Mais, surtout, il s'oppose à Galien qui faisait du foie l'origine de toutes les veines, en affirmant que : « Tous les vaisseaux naissent du cœur comme les racines et le corps des plantes du noyau ». Léonard de Vinci est ainsi l'un des premiers à avoir évoqué la présence des « vaisseaux capillaires ». Il démontre que la taille des vaisseaux sanguins va sans cesse en diminuant, de telle sorte que leurs dernières ramifications n'ont que l'épaisseur d'un cheveu.

Il réalise aussi une étude précise du cristallin, auquel il attribue une forme sphérique et dont il a précisé qu'il s'agissait d'un organe optique capable de redresser l'image inversée par la cornée. Léonard de Vinci est le premier à réaliser une représentation anatomique fidèle de la rétine, du chiasma optique, des voies lacrymales et du canal lacrymo-nasal.

Cependant, ses découvertes ne seront jamais rendues publiques de son vivant et ses manuscrits, qui auraient dû intéresser le corps médical, n'ont été connus que par un cercle restreint d'amis, non médecins. À sa mort, en 1519, il lègue l'ensemble de ses notes techniques à Francesco Melzi, son élève et compagnon fidèle, afin qu'elles fussent publiées et rendues utiles au plus grand nombre. Hélas, ce n'est que quatre siècles plus tard qu'elles le seront et l'héritage intellectuel de Léonard de Vinci est ainsi resté dans l'ombre des siècles durant.

André Vésale, le plus prestigieux des anatomistes

André Vésale a osé contredire, à l'âge de 25 ans, les travaux de Galien. Il a contribué à assurer le prestige de l'école d'anatomie de Padoue, qui comptera une succession de brillants anatomistes.

Fils d'un apothicaire de Marguerite, tante de Charles Quint, André Vésale, né en 1514, étudie à Louvain puis à Paris. Il commence à réaliser des dissections sur des cadavres du cimetière des Saints-Innocents et du gibet de Montfaucon, ce qui lui permet de perfectionner ses connaissances anatomiques. Après avoir complété ses études de médecine à Montpellier, où il a suivi l'enseignement de Michel Servet, il est nommé professeur à Padoue en 1537. Il s'illustre par son esprit d'analyse : il estime qu'il faut juger par ses yeux et sa raison. En 1540, il est nommé titulaire de la chaire d'anatomie de Padoue. Son esprit critique et la gloire dont il jouit lui valent des inimitiés dans les milieux universitaires. Lassé par tous ces conflits, qu'il jugeait stériles, Vésale quitte Padoue en 1544 et devient médecin de Charles Quint, puis médecin personnel de son successeur, Philippe II. Il est condamné à mort, en 1561, à Madrid par l'Inquisition pour avoir réalisé l'autopsie d'une femme qui venait de mourir et dont le frère a cru voir le cœur se contracter. Sa peine est commuée en pèlerinage à Jérusalem par Philippe II. Il meurt du typhus le 2 octobre 1564 sur l'île ionienne de Zante à la suite d'un naufrage.

André Vésale a publié à Bologne, en 1543, son ouvrage le plus prestigieux, *De humani corporis febrica, libri septem,* compte-rendu des dissections qu'il a réalisées. Ce livre comporte sept parties, consacrées successivement aux os, aux muscles, à l'appareil vasculaire, au système nerveux, aux organes de l'abdomen et du thorax, et à l'anatomie du cerveau. Il s'agit d'un ouvrage de 600 pages avec 300 planches anatomiques dessinées par des artistes de l'école de Titien, en particulier l'artiste flamand Jan van Calcar (1499 – 1545). Il y relève plus de 200 erreurs de l'œuvre de Galien qu'il consigne avec précision et rigueur.

André Vésale a contesté les travaux de Galien en expliquant que ses erreurs provenaient de la réalisation de dissections anatomiques sur des singes ou des porcs. C'est ainsi qu'il a montré que le sternum était formé de trois pièces et non de sept, que la mâchoire inférieure était formée d'un os et non de deux, et que l'utérus n'était pas bicorne (comme celui de la vache).

On pensait alors que la corne de droite produisait les garçons et celle de gauche les filles !

Mais, surtout, Vésale a montré qu'il n'y avait aucune communication entre les deux ventricules du cœur. Il a écrit à ce propos :

« La surface de chacun des ventricules est très irrégulière et se trouve parsemée de fossettes (*foveae*) qui sont en grande quantité et qui pénètrent profondément dans la masse charnue. Aucune de ces fossettes ne pénètre du ventricule droit dans le ventricule gauche, ce qui amène à penser que le sang suinte du ventricule droit dans le gauche par des canaux invisibles. »

Toutefois, Vésale avait un tel respect pour Galien que, malgré ses propres découvertes, au lieu de conclure que le sang ne passe pas et ne peut pas passer d'un ventricule à l'autre, il supposa que ce passage s'effectuait grâce à un processus analogue à celui de la sudation.

Contributions de l'école italienne d'anatomie

En Italie, un certain nombre d'anatomistes ont contribué à améliorer les connaissances médicales, notamment dans le domaine du cœur et du système vasculaire : Bérenger de Carpi, Gabriel Fallope, Fabrice d'Acquapendente, Leonardo Botal, André Césalpin ou encore Bartolomeo Eustachio.

Bérenger de Carpi

Jacopo Berengario da Carpi (vers 1470 – 1530), professeur à Pavie et à Bologne, a réalisé de parfaites descriptions de nombreux organes à partir de ses dissections. Il a décrit l'appendice intestinal, la valve mitrale, la veine cave ascendante et les valvules sigmoïdes des veines pulmonaires. Il a fait l'erreur de penser que ces valvules ne fermaient pas complètement les vaisseaux. Il a également redécouvert, la valvule tricuspide (qui crée une séparation entre le ventricule droit et l'oreillette droite) déjà rapportée par Érasistrate, mais, surtout, il a démontré l'absence de percement de la cloison interventriculaire, contrairement à l'opinion professée par Galien. Berengario da Carpi a découvert également les vésicules séminales auxquelles il donna la dénomination de « ramasseurs de sperme ».

Gabriel Fallope

Gabriel Fallope (1523 – 1562) a remarquablement décrit le clitoris, le col utérin et, surtout, les trompes utérines. Il a donné le nom de trompes de Fallope aux conduits qui (comme l'écrivit Fallope lui-même) ont l'apparence de « trompettes ». Il a mis également en évidence, au niveau de l'oreille interne, une structure canalaire qui a été nommé par la suite l'aqueduc de Fallope. Il a consigné ses découvertes dans son ouvrage publié à Venise en 1562, *Observationes Anatomicae*.

Jérôme Fabrice d'Acquapendente

Girolamo Fabrici di Acquapendente (1537 – 1619) a été un anatomiste remarquable. Il a décrit l'anatomie de l'utérus, les connexions vasculaires utérofœtales, le liquide amniotique et le fœtus *in utero* dans son ouvrage *De formato fetus* publié en 1600. Il est surtout connu pour la renommée de son amphithéâtre d'anatomie qu'il a fondé à Padoue en 1594. L'amphithéâtre accueillit de nombreux élèves parmi lesquels William Harvey, qui a découvert la circulation du sang (voir page 00).

D'Acquapendente a mis en évidence les valvules veineuses des membres, mais il n'a pas compris leur rôle, comme en témoigne son ouvrage *De Venarum ostiolis*. Publié en 1603, le traité donne une idée assez vague de la circulation sanguine :

« J'ai appelé petites portes (ostioles), valvules des veines, certaines membranes très ténues, situées dans la cavité interne des veines et particulièrement dans la cavité de celles qui distribuent aux membres. Elles sont disposées par intervalle, tantôt isolées, tantôt jumelées. Leur orifice est tourné vers la racine des veines. Elles se manifestent au-dehors sous l'aspect des nœuds que l'on voit aux rameaux et à la tige des plantes. C'est pourquoi, je pense que la nature les a créées pour retarder jusqu'à un certain point, le cours du sang, pour l'empêcher de couler à flot ou en totalité, à l'instar d'un fleuve soit vers les mains, soit vers les pieds, soit vers les doigts et ainsi pour en resserrer le cours. »

Leonardo Botal

Leonardo Botallo (1530 – 1571) a rapporté l'existence d'une communication chez le fœtus entre l'aorte et l'artère pulmonaire, qui se bouche à la naissance ; elle fut nommée par la suite canal de Botal. Il a également découvert l'existence d'une communication entre l'oreillette droite et l'oreillette gauche qui s'obstrue à la naissance, appelée par la suite trou de Botal.

André Césalpin

Andrea Cesalpino (1519 – 1603) a publié en 1569 un ouvrage intitulé *Questionum medicarum* dans lequel il soutenait que le cœur était l'organe central, siège de ce qu'il appelait l'âme, qui était distribuée dans tout le corps par l'intermédiaire du sang par les artères et les veines. Il a mis en évidence le sens du courant veineux en réalisant des ligatures, ce qui avait entraîné un gonflement des veines au-dessous et non au-dessus de la ligature.

Eustache

Bartolomeo Eustachi (1520 – 1574), professeur à Rome, a étudié de manière rigoureuse l'utérus, mais aussi les glandes surrénales et, surtout, une structure de l'oreille moyenne à laquelle on a attribué le nom de trompe d'Eustache.

La renaissance médicale et chirurgicale

La science anatomique va fortement influer sur les progrès médicaux, notamment dans le domaine de la chirurgie.

Le monde médical reste néanmoins scindé en deux groupes : les médecins et les chirurgiens dont les querelles étaient incessantes. Le statut des chirurgiens restait précaire, renforcé par l'ostracisme des médecins qui leur reprochaient entre autres, de ne pas parler le latin.

Quels chirurgiens à la Renaissance ?

En France, jusqu'en 1711, on distinguait trois catégories de chirurgiens :

✔ les « chirurgiens » à robe longue péroraient en s'appuyant sur leurs connaissances parcellaires des textes anciens. Ils n'opéraient pratiquement plus, car ils redoutaient l'acte opératoire de peur de compromettre leur réputation par un échec. Ils subissaient les attaques de la faculté de médecine qui voulait leur retirer le privilège d'attribuer les grades de maîtrises en chirurgie. La faculté de médecine s'est engagée dans une succession de débats absurdes et de procès avec les chirurgiens à robe longue ;

✔ les « barbiers-chirurgiens » à robe courte étaient en général méprisés par les « chirurgiens » à robe longue, chargés de les contrôler. Ils étaient considérés comme ignorants, car ils ne comprenaient pas très bien l'enseignement qui leur avait été délivré en latin à la faculté. Ils étaient chargés de la pratique des interventions chirurgicales courantes comme les traitements des accidentés, les cautérisations et les saignées ;

✔ les opérateurs ambulants étaient des barbiers (*tonsores chirurgi*), personnages souvent pittoresques, parfois peu scrupuleux mais hardis. Ils étaient spécialisés dans un ou deux types d'opérations qu'ils réalisaient parfaitement, grâce à leur expérience et à leur dextérité. Ils se transmettaient traditionnellement, de père en fils, les secrets de cette intervention dont ils offraient les services de bourg en bourg. Ils pratiquaient leur art d'une façon illégale et officieuse, mais tolérée. Pierre Franco, vers 1560, avait par exemple mis au point une technique consistant en l'évacuation du calcul après avoir réalisé un abord par voie sus-pubienne.

Au cours de la Renaissance, on assiste également à un bouleversement de la politique hospitalière par les autorités chrétiennes. Il aboutit à la création de deux types d'établissements hospitaliers :

✔ les « santés » ou « sanistats » accueillent les malades en période d'épidémie et dépendent administrativement de la Ville ;

✔ les hôpitaux, ou hospices, sont des léproseries reconverties à la suite de la disparition progressive de la lèpre. Elles accueillent les indigents et les infirmes.

La balnéothérapie, venue de Padoue, prend son essor ; on crée de grands établissements de soins.

Médecins célèbres de la Renaissance

Voici les portraits de deux grands médecins de la Renaissance, Jean Fernel et Michel Servet.

Jean Fernel

Jean Fernel (1497 – 1558), fils d'un aubergiste de Montdidier dans le nord de la France, se consacre à l'étude des mathématiques, de l'astronomie et de la philosophie. Il se lance *in fine* dans les études de médecine pour subvenir aux besoins de son ménage, sur les conseils de son beau-père, médecin du Dauphin. Fernel est bientôt appelé à la Cour, où il guérit d'une maladie grave Diane de Poitiers, maîtresse du futur roi Henri II. Il soigne aussi Henri II, qui l'emmène en campagne militaire, ce qu'il exècre, notamment au siège et à la prise de la ville de Calais, tenue par les Anglais depuis plus de deux siècles.

Jean Fernel est le premier à citer le terme de physiologie, dans la préface de son livre, *De naturali parte medicinae libri septem* (1542), qui a ensuite été repris dans son traité, *Universa medicina* (1554), où il souligne l'importance de l'observation des phénomènes.

Jean Fernel élabore une classification des maladies en deux groupes : celles qui affectent l'ensemble de l'organisme, comme la fièvre, et celles qui touchent un organe. Il réalise une description précise de la cirrhose et il différencie les ictères par obstruction des voies biliaires des ictères par atteinte hépatique.

Le mérite de Jean Fernel a été de privilégier l'étude des phénomènes qui régissent le fonctionnement du corps. Il a exprimé des idées originales sur le mécanisme de transmission de la syphilis, qu'il n'a cependant pas pu prouver :

« Le principe venimeux siège dans l'humeur qui lui sert de substratum et de véhicule. Le malade infecte un autre homme par liquide issu de son corps, déposé sur un point souillé de son épiderme. Par conséquent, le mal vénérien est une maladie qui se contracte par un vice caché du corps, seulement par contact [...]. Celui-là même qui en est atteint dès sa naissance l'a reçu de ses parents par contagion. »

Fernel est resté pendant longtemps la référence du savoir médical. Montaigne l'a cité dans *Les Essais* :

« L'art de la médecine n'est pas si résolu, que nous soyons sans auctorité, quoi que nous facions : elle change selon les climats, et selon les lunes ; selon Fernel. »

Michel Servet, brûlé sur un bûcher

Également connu sous le nom de Miguel de Villanueva, Michel Servet y Reves est né en Espagne en 1511, dans la province de Huesca, en Aragon. Il a étudié la médecine à Paris, en 1537, où il a bénéficié de l'enseignement de Fernel, d'Andernach et de Silvius. Néanmoins, il n'obtint aucun diplôme. Il s'est ensuite installé à Vienne dans le Dauphiné, en 1540, où il est devenu le médecin de l'archevêque Pierre Paulmier. Puis, il s'est rendu à Padoue, où il est officiellement médecin. En 1553, il publie un ouvrage de théologie *Christianismi Restitutio* (*Restitution du christianisme*) qui le met en danger tant du côté catholique que protestant. Il s'oppose en effet à Jean Calvin, lequel joue un rôle décisif dans sa condamnation à mort à Genève, où il subit le supplice du feu en octobre 1553.

Le cinquième livre de *Christianismi Restitutio* a marqué l'histoire de la médecine, car Michel Servet y dévoile l'existence anatomique de la circulation pulmonaire.

Histoire de la circulation sanguine : la suite...

Michel Servet a repris sans le savoir le concept d'Ibn al-Nafis (voir chapitre 7), en affirmant qu'il y avait un passage du sang du ventricule droit au ventricule gauche par les vaisseaux pulmonaires :

« C'est par un processus compliqué que le sang sort du ventricule droit pour effectuer un long circuit à travers les poumons. Élaboré dans les poumons, il en sort rouge vif, et de la veine artérieuse (artère pulmonaire), il est transporté dans l'artère veineuse (veine pulmonaire). Ensuite, dans cette artère veineuse, il est mélangé à l'air inspiré et purgé de sa souillure par l'expiration. Enfin, il est entraîné pendant la diastole dans le ventricule gauche du cœur, pour que, par ce mélange d'air et de sang, naisse l'esprit vital. »

Célèbres, mais pas comme médecins

Certains noms sont restés célèbres dans l'Histoire (et pas forcément celle de la médecine) !

Nostradamus et ses prophéties

Celui que l'on nomme Nostradamus est né Michel de Nostredame, le 14 décembre 1503 à Saint-Rémy-de-Provence. Après avoir étudié l'astronomie, la grammaire, la rhétorique et la philosophie, il s'est inscrit à la faculté de médecine de Montpellier. Il s'est illustré en soignant les malades victimes de la peste à Marseille et Aix. Il a expérimenté de nouveaux traitements et a mis au point des mesures novatrices d'hygiène. Il est devenu célèbre en 1555, au moment de la parution à Lyon de ses *Prophéties*, quatrains par lesquels il annonce les événements futurs, qui ont conduit la reine Catherine de Médicis à l'appeler à la Cour. La reine l'a nommé médecin et conseiller du roi. Il est mort dans la nuit du 2 juillet 1566 dans les circonstances exactes décrites dans un de ses présages.

François Rabelais, géant de la littérature

Rares sont ceux qui savent que François Rabelais (1494 – 1553) était également médecin. D'abord moine, il devient prêtre en 1530 et s'inscrit à la faculté de médecine de Montpellier. Il obtient le titre de bachelier en médecine après un an d'études et traduit en latin les textes de Galien et d'Hippocrate. En 1532, il est nommé médecin de l'Hôtel-Dieu de Lyon et publie son premier « roman gigantesque », *Pantagruel,* chronique truculente de la vie d'un géant aux appétits joyeux, qu'il signe Alcofribas Nasier (anagramme de son nom et de son prénom). *Pantagruel* lui a valu d'être condamné par la Sorbonne en 1533. Il obtient la protection de l'évêque de Paris Jean du Bellay, dont il est devenu le médecin particulier. En 1534, il accompagne du Bellay à Rome et publie *Gargantua*. En 1535, il obtient du pape Paul III la permission de réinté- grer l'ordre des Bénédictins, avec l'autorisation de poursuivre la médecine, à l'exception de la chirurgie. En 1536, la faculté de Montpellier lui accorde les titres de licencié et de docteur en médecine. Il est condamné à nouveau par la Sorbonne pour *Pantagruel* et *Gargantua* en 1543, puis le *Tiers Livre* en 1546. Protégé par le roi Henri II et le cardinal du Bellay, il publie en 1552 le *Quart Livre* et meurt en 1553.

Ambroise Paré, « père de la chirurgie »

Ambroise Paré, lui, n'était pas « médecin » mais barbier-chirurgien, et il ne connaissait pas le latin ! Il est considéré comme le premier chirur- gien moderne.

À la Renaissance, Ambroise Paré a commencé comme marmiton avant de devenir apprenti barbier. Ayant appris à lire et à écrire chez un chapelain, ce fils d'un humble coffretier, né à Bourg-Hersent en 1509, dans la région de Laval, a bouleversé l'histoire de la chirurgie. En 1529, il se rend à Paris où il apprend l'anatomie et la dissection. En 1533, il est nommé barbier-infirmier à l'Hôtel-Dieu. Il y observe « tout ce qui peut être d'altération et maladies au corps humain ». Doté d'une solide expérience professionnelle, il quitte l'Hôtel-Dieu en 1536 et est attaché comme chirurgien au duc de Montejan, colonel général de l'infanterie française qu'il suit au cours de la campagne d'Italie. En 1537, il reçoit le baptême du feu à la bataille du Pas de Suse. Il y réalise la première désarticulation du coude et découvre que la poudre des arquebuses n'empoisonne pas les blessures comme on le croyait. Au cours de cette période, il perfectionne ses connaissances dans le domaine du traitement des blessures par armes à feu. En 1542, il s'est placé sous les ordres du vicomte de Rohan qu'il suit au camp de Perpignan. En 1545, il publie, en français, la célèbre *Méthode de traiter les plaies faites par les hacquebuses et aultres batons à feu*. Ce livre a été accueilli avec une hostilité particulièrement violente par les docteurs en médecine, scandalisés qu'un chirurgien-barbier se permette de publier un ouvrage médical comme s'il était l'égal d'un médecin. En 1557, la Confrérie de Saint-Côme de Paris (voir chapitre 8) lui a néanmoins accordé le droit de porter le bonnet de maître. Il ne pouvait cependant exercer officiellement la médecine n'ayant pas le titre de médecin et de surcroît, il était alors interdit de pratiquer simultanément les deux branches de l'art de guérir. En 1562, il suit l'armée royale au siège de Blois. Sa notoriété le conduit à son retour à devenir chirurgien du roi de France. La renommée de celui qui proclame « je le pansai, Dieu le guérit » est immense, non seulement dans le royaume de France, mais aussi dans toute l'Europe. Ambroise Paré, qui est protestant, échappe au massacre de la Saint-Barthélemy grâce à la protection du roi Charles IX. Ce dernier lui aurait dit alors qu'il le soignait : « Tu me soigneras mieux que tes malades de l'Hôtel-Dieu ». Il aurait répondu : « Non, Sire, c'est impossible, car je les soigne comme des rois... » Celui qui était surnommé « Père de la chirurgie française » meurt à Paris le 20 décembre 1590, quelques mois après l'entrée d'Henri IV à Paris, respecté de tous. Il laisse un certain nombre d'innovations dans le domaine de la chirurgie qui continueront à être adoptées jusqu'au XIXe siècle.

Le mérite d'Ambroise Paré, praticien rigoureux, est d'avoir été un excellent vulgarisateur. Il a compris très rapidement l'importance de la diffusion du savoir médical, ce qui l'a amené à publier des ouvrages en français afin qu'ils soient diffusés auprès d'un vaste public. Ses différents ouvrages furent publiés dans ses *Œuvres* en 1575. Elles provoquèrent la haine de la faculté, mais furent régulièrement réédités.

Chirurgien des armées au service de plusieurs rois de France, Ambroise Paré a eu la possibilité de pratiquer des dissections sur les champs de bataille (à une époque où ce n'était pas si simple…) et d'étudier les blessures par armes à feu. Il s'opposa à la cautérisation des plaies au fer rouge ou à l'huile bouillante et préconisa un emplâtre de sa composition. Il avait en effet observé que, suite à ces traitements, les plaies de guerre évoluaient immanquablement vers la mort du blessé dans d'atroces souffrances. Il améliora ainsi nombre de techniques chirurgicales, dont la ligature artérielle en cas d'amputation, l'utilisation du bistouri à la place du cautère, l'invention d'une pince tire-balles pour extraire les projectiles et la mise au point de bandages herniaires.

Il décrit cinq méthodes de prise en charge des sutures. L'une d'entre elles, appelée « suture sèche », consiste à appliquer les bandes de charpie collante sur la peau, autour des berges de la plaie avant de les suturer. Il recommandait volontiers cette méthode en cas de plaie de la joue, dans un souci esthétique :

« S'il est nécessaire de suturer, il faut appliquer la méthode de la suture sèche, afin que les cicatrices ne soient pas horribles, comme ils sont nombreux à le craindre, en particulier les belles demoiselles. »

Il a également mis au point de nombreuses prothèses pour les amputations de nez et des membres.

Les prothèses d'Ambroise Paré

Ambroise Paré s'est intéressé aux prothèses, qu'il expose dans le dix-septième Livre de ses *Œuvres complètes*, sous l'appellation « des moyens et des artifices d'adjouster ce qui fait défaut naturellement ou par accident », qui comprend une multitude de prothèses, avec des illustrations élaborées.

Pour chacune des prothèses, il a donné un nom tel que « le moyen d'avoir un œil artificiel », « le moyen de contrefaire un nez par artifice », « la façon d'accommoder les dents artificielles » ou encore « le moyen d'adapter un instrument au palais pour rendre la parole mieux formée ».

Ambroise Paré, s'appuyant sur ses lectures, s'est également intéressé au caractère exceptionnel du vivant (animaux ou hommes hors norme). Il a livré le fruit de ses recherches dans un ouvrage illustré : le *Traité des monstres et des prodiges* (1573 et 1585).

Humaniste, Ambroise Paré se mettait au service de tous :

« Je ne vous demande pas si vous êtes catholique ou protestant, riche ou pauvre, mais : quel est votre mal ? »

La découverte de l'Amérique et ses fléaux

La syphilis aurait été rapportée d'Amérique centrale au retour des expéditions de Christophe Colomb. Ce « nouveau mal » se serait ainsi manifesté en Europe à la fin du XVe siècle. La variole, elle, serait venue d'Europe exportée par les Conquistadors jusque dans le Nouveau Monde...

Ce nouveau mal, qui vient de Naples

Le roi de France Charles VIII, voulant faire valoir les prétentions de la maison d'Anjou dont il était l'héritier, organisa une expédition contre Naples où régnait Ferdinand II. Il leva une puissante armée, s'assura le concours des navires génois et se mit en route, en août 1494. Son expédition rencontra, durant la traversée de l'Italie, peu d'obstacles. Elle avança lentement et fit le siège de Naples, qu'elle conquit en mai 1495. Les Français fréquentèrent les prostituées napolitaines. Les soldats furent affectés d'une maladie se manifestant par une éruption importante associée à des ulcères très délabrants. Les malades mouraient dans d'affreuses souffrances. Terrifiant, ce « mal de Naples » (« mal français » pour les Italiens !) avait décimé la petite armée française et contaminé ceux qui rentraient chez eux.

Syphilis ou « grosse » vérole

Le nom de « syphilis » apparaît dans un poème (*Syphilus sive morbus gallicus*) publié en 1530 par un médecin italien, Jérôme Fracastor. L'histoire est la suivante : le berger Syphilus qui avait offensé le soleil reçut, comme punition, le mal vénérien, désigné sous le nom de « syphilis ». Cette dénomination ne se répand largement qu'au milieu du XVIIIe siècle, l'appellation la plus couramment employée étant celle de « grosse » vérole (la « petite » vérole désignant la variole).

 Des travaux suggèrent que la syphilis existait en Europe avant le XVe siècle, mais il est impossible dans l'état actuel des connaissances de savoir si Christophe Colomb a été responsable de son introduction en Europe.

L'origine de la syphilis

Un grand débat agite le monde médical depuis de nombreuses décennies au sujet de l'origine de la syphilis. Cette maladie existait-elle en dehors du continent américain avant 1492 ? Un certain nombre d'arguments plaidaient en effet en faveur d'une origine américaine de la syphilis dont on avait retrouvé des traces sur des ossements d'Amérique centrale. Des découvertes récentes ont cependant remis en question cette hypothèse diagnostique, car des stigmates de la syphilis ont été retrouvés sur des squelettes de l'ancienne colonie grecque de Métaponte située dans le golfe de Tarente, datant de 580 – 520 avant J.-C.

La variole, qui contamine les Amériques

La conquête espagnole est considérée par les Amérindiens comme une véritable malédiction des dieux. Les Aztèques ont baptisé la variole « *huy cavalt* », « lèpre universelle ». La première épidémie, qui a lieu en 1545, aurait fait 800 000 victimes, tandis que celle de 1576 a provoqué la mort de deux millions de personnes. Au cours des années suivantes, un certain nombre d'épidémies se sont succédé, entraînant la mort de 50 à 60 millions d'Amérindiens.

LE SAVIEZ-VOUS ?

?

Pourquoi les Indiens d'Amérique meurent-ils de la variole ?

Quand Christophe Colomb aborde l'Amérique en 1492, l'immense continent est peuplé de 100 millions de personnes : 30 millions vivent dans ce qui correspond à l'actuel Mexique et 20 millions dans la cordillère des Andes. L'Amérique, isolée des autres continents depuis près de 30 000 ans, a été peuplée à partir de populations venues d'Asie par le détroit de Behring. En conséquence, le système immunitaire des Amérindiens n'était pas préparé à affronter les multiples infections apportées par les Européens. 90 % des Amérindiens sont ainsi morts à la suite des épidémies de grippe, varicelle, rougeole, fièvre typhoïde, tuberculose, typhus, peste pulmonaire, oreillons et surtout de variole.

Chapitre 10

La médecine
aux XVIIe et XVIIIe siècles

Dans ce chapitre :

▷ Le règne de la science

▷ Docteur en chirurgie

▷ Une pharmacopée enrichie

Au XVIIe siècle, la médecine n'est pas encore tout à fait sortie du Moyen Âge… Les auteurs qui nous parlent des médecins, les décrivent en robe et bonnet pointu, à la science improbable… Molière ou Madame de Sévigné, par exemple, n'auront de cesse de s'en moquer ou de s'en plaindre.

En dépit de ces critiques, le « Grand Siècle », celui de la Raison, a vu éclore une révolution des sciences exactes, marquée par la naissance d'une physique expérimentale et quantitative, ainsi que la création d'une science nouvelle : la chimie.

De nombreux courants médicaux trouvent leur ancrage dans les sciences fondamentales… Le raisonnement médical est fondé sur ce qui peut être prouvé, l'expérimentation représentant le seul moyen de comprendre l'origine des phénomènes scientifiques. La voie est ouverte au XVIIIe siècle et aux Lumières, à la science de l'homme dans sa globalité.

Au cours des XVIIe et XVIIIe siècles, la physiologie a progressé. Harvey a décrit la circulation sanguine et mis fin à de longs débats ; le microscope a permis d'explorer de nouvelles voies et de faire de la médecine une science à part entière. La chirurgie a gagné ses lettres de noblesse. On assiste à des amorces de spécialisations, aussi bien en médecine qu'en chirurgie, avec le développement de l'obstétrique et de l'ophtalmologie. Edward Jenner effectue la première vaccination antivariolique. La fin du XVIIIe siècle réintroduit le souci de l'hygiène publique.

Portrait des médecins du Grand Siècle

La médecine du XVIIᵉ siècle était souvent, dans la pratique, une médecine galénique d'apparence moyenâgeuse. Les médecins apparaissaient comme des incapables, voire des imposteurs, et ne semblaient avoir que deux grands remèdes : les saignées et les purges.

Raillés par Molière, critiqués par Madame de Sévigné, les médecins se déchirent en de vaines querelles et laissent derrière eux une piètre image de suffisance et d'ignorance.

Le premier livre médical, imprimé en 1457, s'intitulait *Le Calendrier des saignées et purgations*.

Les médecins de Molière : saignées et purgations

La médecine constitue l'un des thèmes principaux de l'œuvre de Molière (1622 – 1673). De santé fragile, le dramaturge a vécu de mauvaises expériences avec les médecins. Il disposait cependant d'un bon niveau de connaissance médicale, tenu informé par ses amis médecins.

L'approche comique de la médecine repose donc sur une information riche. Ainsi, dans *Le Médecin volant* (1645), Sganarelle, faux médecin, goutte l'urine :

« Voilà de l'urine qui marque grande chaleur, grande inflammation dans les intestins : elle n'est pas tant mauvaise pourtant. »

Or, cette méthode est approuvée dans certains traités scientifiques. Molière s'est servi de cet exemple pour créer une situation comique.

Le dramaturge s'est moqué des médecins de son époque en insistant surtout sur leur impuissance à guérir, leur soif d'argent, leur orgueil méprisant et leurs habitudes grotesques ; l'emploi du latin était, lui, un écran de fumée idéal pour masquer leur incompétence. De 1665 à sa mort en 1673, Molière a écrit en plus de cette farce, trois pièces sur les médecins : *L'Amour médecin* (1665), *Le Médecin malgré lui* (1666) et *Le Malade imaginaire* (1673).

Dans *Le Médecin malgré lui*, Sganarelle s'exclame :

« Le bon de cette profession est qu'il y a parmi les morts une honnêteté, une discrétion la plus grande du monde, et jamais on n'en voit se plaindre du médecin qui l'a tué » (*Le Médecin malgré lui*, Acte III, Scène 2).

Mais c'est, évidemment, dans *Le Malade imaginaire* (1673) que la satire est la plus violente. Les Diafoirus, père et fils, sont des fantoches à longues robes noires et chapeaux pointus. Dans le prologue, Molière pense à la maladie qui le mine et va bientôt l'emporter (puisqu'il devait mourir sur scène lors de la quatrième représentation) :

« Votre plus haut savoir n'est que pure chimère

Vains et peu sages médecins

Vous ne pouvez guérir par vos grands mots latins

La douleur qui me désespère. »

Quant au latin de cuisine utilisé par le candidat bachelier devant les médecins de la faculté (lors du troisième intermède de la pièce), il est resté célèbre :

- *Clysterium donare,*
- *Postea seignare,*
- *Ensuitta purgare.*

Molière était un malade indocile. On raconte qu'alors qu'il se rendait à Versailles, en septembre 1665, pour assister à *L'Amour médecin* accompagné de son médecin, Louis XIV lui aurait dit, le voyant dans un piètre état :

« C'est donc là votre médecin ? Mais que vous fait-il ? »

Et Molière lui aurait répondu :

« Sire, il m'ordonne des remèdes, je ne les fais point, et je guéris… ».

« Ah ! que j'en veux aux médecins ! quelle forfaiture que leur art » : la médecine vue par Madame de Sévigné

La correspondance de Madame de Sévigné (1626 – 1696) dresse un portrait sans concession des médecins, qu'elle a pourtant beaucoup consultés et fréquentés (dans sa correspondance, on relève les noms d'une soixantaine de praticiens différents) :

« Il n'y a qu'à voir ces messieurs (les médecins), pour ne jamais les mettre en possession de son corps. »

En 1676, souffrant de rhumatismes, elle suit un traitement des plus simples : repos, diète, purge, saignées et cataplasmes. L'épisode aigu dure trois à quatre mois, bientôt suivi d'une rémission. Au printemps, la marquise se rend en cure à Vichy pendant trois semaines et écrit :

« J'ai vu les meilleurs ignorants d'ici, qui me conseillent des petits remèdes si différents pour mes mains, que pour les mettre d'accord, je n'en fais aucun ; et je me trouve encore heureuse que sur Vichy ou Bourbon, ils soient d'un même avis. »

Elle fait un usage immodéré de divers remèdes empiriques : l'eau de la reine de Hongrie (alcoolat de romarin), la poudre de « bonhomme » (composée d'antimoine et de calomel), l'huile de scorpions, le pain de roses, le baume des capucins. La marquise se rend également en cure à Bourbon-l'Archambault, la station thermale à la mode.

 La marquise de Sévigné s'était entichée de médecine, distribuant ici et là des avis diagnostiques et thérapeutiques. Prolixe sur toutes ses maladies, elle recommandait à sa fille de se méfier des saignées, mais de ne pas hésiter à se purger fréquemment. Elle déconseillait aussi les « nouveautés » comme le chocolat et le café.

L'âge de raison

Le nouvel esprit scientifique qui souffle sur le XVIIe siècle invite à douter, comme le prône Descartes, car pour atteindre la connaissance, il faut se défaire des acquis. On délaisse Aristote et Ptolémée, qui dominaient la pensée occidentale. Les savants s'appuient sur l'observation raisonnée – cartésienne – de la nature et de l'univers. Dans l'Europe entière, des savants se réunissent dans les Académies, échangent et débattent sur les mathématiques, la physique, la biologie, la mécanique et l'astronomie.

Dans le domaine médical, les attentes sont immenses, car la médecine apparaît comme peu efficace. En la refondant sur une nouvelle philosophie de la nature, peut-être parviendra-t-elle à guérir…

À partir du XVIIe siècle, les universités anglaises (Oxford et Londres), françaises (Paris et Montpellier) et hollandaises (Leyden) ont pris le relais des universités italiennes. De nombreuses découvertes anatomiques et physiologiques fondamentales sont réalisées, grâce au perfectionnement du microscope et aux progrès de l'histologie.

Les connaissances en médecine ont bénéficié des apports de la physique et de la chimie. On assiste à un abandon progressif de la théorie hippocratique des humeurs (voir chapitre 5) et au développement de plusieurs écoles de pensées médicales : iatrophysiciens, iatrochimistes et autres (*iatros* signifiant « médecin »).

 Le fonctionnement du corps humain soulève encore de nombreuses interrogations opposant deux écoles de pensée médicale : les iatrophysiciens, ou iatromécanistes, qui comparaient l'organisme à une machine, et les iatrochimistes, qui considéraient que les réactions chimiques avaient un rôle majeur.

Qui a inventé le microscope ?

La paternité du microscope a été attribuée au Hollandais Zacharias Jansen (1588 – 1631), qui l'aurait mis au point en 1604. De son côté, Galilée a fabriqué un microscope qui lui a permis d'observer des pucerons, des mites et des moustiques. Mais c'est un autodidacte hollandais, Antoine Van Leeuwenhoek, marchand de drap à Delft, qui a permis de comprendre l'intérêt de l'observation du monde invisible dans le domaine médical. Il a en effet commencé à s'intéresser aux lentilles dont on se servait alors en guise de « coupe-fil » afin de contrôler la qualité de la texture des tissus. Sa curiosité l'a conduit à perfectionner ce système optique et à fabriquer un microscope rudimentaire, constitué d'une lentille formée d'une minuscule bille de verre, sertie dans une lame métallique qui lui permettait d'obtenir des grossissements allant jusqu'à 300. Sa soif de comprendre l'a conduit à observer de multiples objets de son environnement grâce à son microscope.

Les iatrophysiciens ou iatromécanistes

L'essor de la physique, avec les découvertes de lois de la statique, de la dynamique et de l'optique, a conduit les iatromécanistes à comparer l'organisme humain à une étonnante machine et à assimiler les phénomènes organiques à des objets en mouvement soumis aux lois physiques.

Docteur René Descartes

René Descartes (1596 – 1650) considérait ainsi que le « corps (est) comme une machine » avec un assemblage de cordes et de poulies qui permettent les mouvements du corps.

On oublie souvent que Descartes, plus connu pour ses travaux philosophiques et mathématiques, s'est livré à l'étude de la médecine au cours de son séjour en Hollande. On retrouve, dans le *Discours de la Méthode* (1637), une référence à son intérêt pour la médecine :

« … l'esprit dépend si fort du tempérament et de la disposition des organes du corps, que, s'il est possible de trouver quelque moyen qui rende communément les hommes plus sages et plus habiles qu'ils n'ont été jusques ici, je crois que c'est dans la médecine qu'on doit le chercher. »

Dans la préface des *Principes de la philosophie* (1644), Descartes fait appel à une puissante métaphore :

« Ainsi toute la philosophie est comme un arbre, dont les racines sont la Métaphysique, le tronc est la Physique, et les branches qui sortent de ce tronc sont toutes les autres sciences, qui se réduisent à trois principales, à savoir la Médecine, la Mécanique et la Morale. »

Il précise, en 1645, dans une lettre, sur un ton plus personnel :

« La conservation de la santé a été de tout temps le principal but de mes études, et je ne doute point qu'il n'y ait moyen d'acquérir beaucoup de connaissances, touchant la Médecine, qui ont été ignorées jusqu'à présent. »

Descartes ne refusait pas la dissection d'animaux, y voyant le moyen de comprendre le fonctionnement du corps humain. Il préconisait la diététique et l'exercice. Surtout, il considérait que chacun devrait être son propre médecin, comme il l'a expliqué, en 1645, au marquis de Newcastle :

« Il me semble qu'il n'y a personne, qui ait un peu d'esprit, qui ne puisse mieux remarquer ce qui est utile à sa santé, pourvu qu'il y veuille un peu prendre garde, que les plus savants docteurs ne lui sauraient enseigner. »

Sur son lit de mort, Descartes a conservé ses réticences face à l'art médical et, jusqu'au bout, a considéré qu'il était lui-même son meilleur médecin. Il écarte ainsi les prescriptions des docteurs de la Cour suédoise et leur préfère ses propres préparations.

Autres iatromécanistes

Un certain nombre d'iatromécanistes ont marqué l'histoire de ce courant de pensée.

✔ Giovanni Alfonso Borelli (1608 – 1679), auteur de *De motu animalium* (publié à titre posthume, en 1680), a démontré, calculs à l'appui, que l'homme était incapable de voler tout en établissant que les mouvements étaient la conséquence de forces musculaires. Il a été le premier à affirmer que les battements cardiaques étaient dus à la contraction musculaire.

✔ Giorgio Baglivi (1669 – 1707), qui a écrit *Opera medico-practica* (1704), couplait chaque organe à une machine spécifique. Il considérait que le vieillissement était la conséquence d'une usure de la « machine vitale ».

✔ De son côté, Santorio Sanctorius (1561 – 1636) a été le premier à avoir recours aux mathématiques pour expliquer les mécanismes physiologiques. Il a proposé l'usage du thermomètre pour déterminer la température et du pulsomètre pour évaluer la fréquence du pouls. Il est surtout connu pour son étude sur les variations du poids corporel et sa célèbre balance. Santorio a mesuré pendant près de 30 ans les fluctuations de son poids, tout en évaluant celui de ses excrétions qu'il comparait à celui de la somme des aliments et boissons ingérés… Il mit ainsi en évidence que la plupart du poids de nourriture ingérée se dissipait de manière invisible, à travers la respiration.

Les iatrochimistes

Le fonctionnement du corps humain s'explique, pour les iatrochimistes, par une succession de réactions chimiques. Ils estimaient que le Dieu créateur avait engendré des êtres dont l'âme était unie au corps par des principes vitaux, les archées, qui réglaient toutes les fonctions, en particulier biologiques, au moyen d'agents spéciaux, les ferments. Lorsque l'accord est rompu entre les archées, il y a maladie – c'est la maladie de l'archée – et c'est sur lui que doit agir la thérapeutique.

Deux personnalités ont marqué ce courant de pensée :

✔ Jan Baptist Van Helmont (1577 – 1644), médecin à Bruxelles, est considéré comme le chef de file des iatrochimistes. Il a réalisé une expérience quantitative célèbre, qui a consisté à mesurer la pousse d'un saule, ce qui l'a conduit à affirmer que l'eau était responsable de la formation du bois. Mais, surtout, il a inventé le mot « gaz » en décrivant le « gaz sylvestre » qui correspond au gaz carbonique. Il a également découvert l'acide sulfurique. Il considérait que la maladie provenait de germes ou de grains ;

✔ le Hollandais François de Le Boë, ou Franciscus Sylvius (1614 – 1672), est un professeur de Leyde – ville natale de son contemporain Rembrandt – qui s'est intéressé à la chimie minérale. Il considérait que les phénomènes physiopathologiques étaient la conséquence d'un déséquilibre entre les acides et les bases.

Autres courants scientifiques

Au cours du XVIIIe siècle, on a assisté à l'avènement d'un grand nombre d'écoles de pensée, plus ou moins métaphysiques : vitalistes, animistes, brownistes et mécanistes.

Les vitalistes

Inspirés du courant encyclopédiste, les vitalistes considéraient que le fonctionnement du corps humain était dû à un « élan vital » impossible à matérialiser ; qui était complémentaire des échanges physico-chimiques, mais dont l'altération provoquait la maladie. Ils estimaient que la sensibilité était une propriété caractéristique de l'être vivant, mais ils estimaient qu'il s'agissait d'un phénomène autonome, irréductible à la physique ou à la chimie. Théophile de Bordeu fut un précurseur des vitalistes, dont la figure de proue est Paul-Joseph Barthez :

✔ Théophile de Bordeu (1722 – 1776) était l'ami des encyclopédistes Diderot et d'Alembert. Dans ses ouvrages *Recherches anatomiques sur la position des glandes* (1751) et *L'Analyse médicale du sang* (1775), il a envisagé, sans preuve expérimentale à l'appui, l'existence probable de sécrétions internes. Il est considéré comme le pionnier de l'endocrinologie. Il a souligné l'importance du rôle du cerveau dans la commande des organes ;

✔ Paul-Joseph Barthez (1734 – 1806) a codifié dans ses *Nouveaux Éléments de la Science de l'Homme,* parus en 1738, une position plus proche de la tradition hippocratique : il a soutenu qu'il existait un « principe vital » différent des forces physico-chimiques et de l'esprit.

Les animistes

Le chef de file des animistes est l'Allemand Georg Ernst Stahl (1660 – 1734), professeur de médecine à l'université de Halle, puis d'Iéna (deux villes de l'est de l'Allemagne), qui a estimé dans son ouvrage *Theorica Medica* (1707), que l'âme était un principe vital responsable du développement organique, ainsi que des dysfonctionnements du corps humain. Ce principe vital donnait forme et mouvement aux corps vivants ou aux corps organiques qu'il différenciait des corps inorganiques qui étaient stables. Il considérait que l'esprit de l'homme interagissait avec le corps, grâce au cerveau et au système nerveux.

Les brownistes

L'Écossais John Brown (1735 – 1788) ramenait toute la vie à l'irritabilité. Il considérait que ce n'était pas le « principe vital » qui animait l'organisme humain, mais plutôt la capacité de ce dernier à répondre aux stimuli extérieurs par l'intermédiaire des nerfs et des muscles. Lorsque les excitations propres à le satisfaire faisaient défaut, le sujet souffrait « d'asthénie directe ou indirecte ». Les traitements reposaient sur la fortification ou l'affaiblissement du système nerveux.

Les mécanistes

Frederich Hoffmann (1660 – 1742), professeur à l'université de Halle, était médecin de l'empereur de Prusse Frédéric Ier. Il comparait le fonctionnement du corps à une machine composée de différentes parties assemblées les unes aux autres afin de produire des mouvements déterminés. Il considérait que les maladies étaient la conséquence d'une lésion d'un organe, ce qui l'a conduit à envisager que la mélancolie était une affection cérébrale due à un spasme de la dure-mère (membrane qui protège le cerveau et la moelle épinière).

PORTRAIT

Mesmer et le magnétisme animal

Franz Anton Mesmer (1734 – 1815), considéré comme le précurseur de la médecine psychosomatique, est un médecin allemand qui a étudié à la fois la médecine, la philosophie, la théologie et le droit. Il a soutenu sa thèse de médecine en 1766, *De l'influence des planètes sur le corps humain,* dans laquelle il considérait qu'il existait « une influence mutuelle entre les corps célestes, la terre et les corps animés », qui se transmettait au moyen du fluide magnétique. En conséquence, il pensait qu'il était possible de guérir toutes les maladies à l'aide du « magnétisme animal » (qu'on appelle également « mesmérisme »).

Mesmer a ainsi ouvert un cabinet de magnétisme dans lequel il réunissait les patients autour d'un baquet en bois de chêne de deux mètres de diamètre, rempli d'eau qu'il avait « magnétisée » en y ajoutant différents objets (verre pilé, limaille). Il en sortait des tiges de fer que les patients, reliés entre eux par une corde, devaient appliquer sur le lieu où ils souffraient afin de recevoir le fluide magnétique. Il a vite obtenu un succès important en raison de guérisons considérées comme miraculeuses. À

la suite d'un scandale provoqué par la famille d'une jeune patiente claveciniste aveugle et sans doute hystérique, Mesmer, déjà en lutte avec le corps médical viennois et accusé de charlatanisme, est expulsé de la faculté de médecine de Vienne.

Il se réfugie à Paris où il a publié *Mémoire sur la découverte du magnétisme* (1779). Il fondera l'Institut magnétique, place Vendôme, dans lequel il avait installé trois baquets dans des salles individuelles. À partir de 1784, l'Académie des Sciences et la Société royale de Médecine mettent en cause sa thérapie. À la demande de Louis XVI, le gouvernement nomme deux commissions royales d'enquête, composées de médecins et de scientifiques, qui condamnent le mesmérisme. Ses agissements provoquent une polémique dans le monde scientifique et sont condamnés par Benjamin Franklin, Joseph Guillotin, Antoine-Laurent de Lavoisier. Désavoué, Mesmer doit quitter la France et se rend en Angleterre, puis à Vienne, à Frauenfeld en Suisse, où il poursuit ses recherches et enfin, à partir de 1813, sur les bords du lac de Constance où il meurt le 15 mars 1815.

Le rationalisme médical

Aux XVII⁰ et XVIII⁰ siècles, la physiologie est en constant progrès grâce aux cabinets d'expérience et la découverte majeure de William Harvey sur la circulation sanguine.

L'anatomie humaine, d'abord descriptive, étudie les parties du corps et les différents organes, se perfectionne grâce à l'utilisation du microscope et devient « générale », car elle s'attache désormais à relier les informations recueillies au fonctionnement de l'ensemble de l'organisme.

L'essor de la physiologie

Au cours du XVIIe siècle, la multiplication des découvertes anatomiques et physiologiques entraîne l'abandon progressif de la théorie hippocratique des humeurs. Le perfectionnement du microscope permet d'améliorer les connaissances histologiques. Mais cette période a surtout été marquée par la découverte de la grande circulation par William Harvey.

Les cabinets d'expériences

Au cours du XVIIe siècle, on assiste à un développement des « cabinets d'expériences » et, plus tard, des laboratoires dans lesquels des expériences menées par des savants contribueront à améliorer les connaissances médicales dans cinq domaines :

- la physiologie respiratoire a prouvé, grâce au physicien anglais Robert Hooke (1635 – 1703), que la circulation de l'air dans les poumons était nécessaire à la vie. John Mayow (1640 – 1679) a évoqué le rôle d'une composante de l'air dans la respiration, à laquelle il a donné le nom de *spiritus nitroaereus,* qui correspond à l'oxygène. Richard Lower (1631 – 1691) a mis en évidence, en 1669, que le sang rouge sombre qui circule dans les veines devient rouge vif lorsqu'il est agité avec l'air, comme celui que l'on trouve dans les artères ;

- la physiologie neurologique : grâce à Thomas Willis (1621 – 1675), qui a été le premier à établir que le cerveau était le siège de la pensée et a inventé le mot « neurologie ». Il a réalisé une description précise de la vascularisation cérébrale, à laquelle il a été attribué le nom de polygone de Willis. Il a décrit les nerfs crâniens, les noyaux gris centraux et établi une distinction entre les substances blanche et grise dans son traité *Cerebri anatomi* de 1664 ;

- la physiologie de la reproduction s'est enrichie des travaux du savant hollandais Reinier de Graaf (1641 – 1674), membre de la *Royal Society,* qui a donné son nom aux follicules ovariens. Il a suggéré que les « testicules de la femme » portent le nom d'ovaires ;

- la physiologie de la digestion a établi que les papilles linguales étaient à l'origine du goût, grâce à Lorenzo Bellini (1643 – 1704) ;

- la physiologie oculaire s'est appuyée sur les travaux de Blaise Pascal (1623 – 1662) et de Pierre de Fermat (1601 – 1665), qui ont élucidé le concept de l'optique géométrique.

Au cours du XVIIIe siècle, on a assisté à l'essor de la physiologie dans d'autres domaines :

- la physiologie neuromusculaire a bénéficié des travaux d'Albrecht von Haller, Luigi Galvani et Alessandro Volta. Albrecht von Haller (1708 – 1777), médecin suisse, a posé les fondements de la neurologie moderne dans son magistral ouvrage comportant huit volumes, publiés entre 1757 et 1766 : *Elementa physiologiae corporis humani*. Il a également réalisé des expériences de stimulation mécanique, thermique et chimique sur des animaux, qui lui ont permis de démontrer que l'irritabilité et la contractibilité étaient des propriétés spécifiques du muscle. Il a remis en question les théories sur le fluide nerveux en établissant que la sensibilité était induite par les fibres nerveuses qui étaient régies par l'activité cérébrale. Luigi Antonio Galvani (1737 - 1798), médecin de Bologne, a mis en évidence, en 1791, une contraction de la cuisse d'une grenouille qui avait été touchée avec une pince à branches métalliques, suggérant ainsi que le muscle possédait une activité électrique qui expliquait sa contractilité. Cette expérience a donné à Alessandro Volta (1745 - 1827) l'idée d'inventer la pile électrique ;

✔ la physiologie respiratoire a été développée par Joseph Priestley (1733 - 1804), qui a établi le concept de photosynthèse, en montrant qu'une plante sous une cloche à eau était capable de dégager de l'air susceptible de provoquer la combustion d'une chandelle. Karl Wilhelm Scheele (1742 - 1804), chimiste suédois, a découvert l'oxygène et lui donna le nom de « air du feu » en 1773 (mais il n'a publié ses résultats que quatre ans plus tard). Un an plus tard le 1er août 1774, le chimiste anglais Joseph Priestley a découvert conjointement l'oxygène et a bénéficié de l'aura de celui qui a réalisé cette découverte. Antoine-Laurent de Lavoisier (1743 - 1804) s'est intéressé, à partir de 1774, à la composition de l'air, identifiant les principales propriétés de l'oxygène. Il a identifié la présence d'un gaz qui permettait la flamme des bougies, la vie des animaux et qui était responsable de l'oxydation des métaux. Il a donné à ce gaz le nom d'« oxygin », qu'on modifia par la suite en « oxygène », qui vient du grec *oxus*, « acide », et de *gennân*, « engendrer ». Lavoisier a également établi le mécanisme de la respiration ;

✔ la physiologie digestive a fait un bond en avant grâce à un certain nombre de scientifiques. René-Antoine Ferchault de Réaumur (1683 - 1757) a isolé le suc gastrique dont il a déterminé la composition chimique. Réaumur a réalisé des expériences de digestion *in vitro* qui lui ont permis d'établir son mode d'action. Le médecin Jean Astruc (1684 - 1766) a établi le rôle de la salive, de la bile et du suc pancréatique. Lazzaro Spallanzani (1729 - 1799) a étudié l'action du suc gastrique et découvert son rôle dans le mécanisme chimique de la digestion, après avoir étudié les modifications des éponges attachées à un fil qu'il faisait avaler à des dindons ;

✔ la physiologie de la reproduction a connu la première expérience de fécondation artificielle grâce au même Lazzaro Spallanzani, lequel mélangea des œufs de crapaud extraits de l'abdomen d'une femelle avec du sperme d'un mâle de cette même espèce. Spallanzani a également réfuté la théorie de la génération spontanée en 1777 ;

✔ la physiologie cardiovasculaire a progressé, grâce à Stephen Hales (1677 - 1761), qui a réalisé la première mesure des pressions sanguines artérielle et veineuse chez la jument.

La découverte de la circulation sanguine par Harvey

Harvey résout enfin l'énigme de la circulation sanguine et réussit à établir la fonction du cœur, auquel il a donné le rôle de « pompe », qui propulse continuellement le sang le long de son circuit.

Après ses études de médecine, d'abord à Canterbury, puis à l'université de Cambridge où il est devenu bachelier, William Harvey (1578 – 1657) s'est rendu à Padoue en Italie, en 1599, où il a bénéficié de l'enseignement de Fabricius d'Aquapendente, qui était alors connu pour avoir décrit les valvules des veines. En 1602, il a rejoint Londres où il a acquis une excellente réputation de praticien. Cette notoriété lui vaut d'être nommé en 1609, médecin-chef de l'hôpital Saint-Barthélemy, puis professeur de chirurgie et d'anatomie, et enfin médecin personnel du roi Jacques Ier, puis du roi Charles Ier. Dès 1613, William Harvey a commencé à expliquer à ses étudiants ses découvertes, mais c'est seulement en 1628 qu'il a publié à Francfort les résultats de ses travaux, intitulés *Exercitatio anatomica de motu cordis et sanguinis in animalibus (Exercice anatomique sur le mouvement du cœur et du sang chez les animaux),* où il expose de manière précise, claire et concise le rôle du cœur dans la circulation sanguine. Au chapitre IV, il a décrit la chronologie des contractions en expliquant que celles qui animaient les oreillettes survenaient avant celles des ventricules. Harvey a ainsi montré que la diastole des artères était consécutive à la systole du cœur. Il affirmait par ailleurs qu'à la mort, les ventricules s'arrêtaient de battre avant les oreillettes. Il a établi que les valvules étaient des membranes minces, placées à l'intérieur des veines, deux à deux, qui adhéraient par leur bord libre au milieu de la veine lorsqu'elles se relevaient. Cette position leur laissait une voie assez large pour permettre au sang de passer facilement des petites veines aux plus grosses. Harvey a aussi montré que le sang veineux circulait des extrémités vers le cœur en réalisant l'expérience des ligatures.

Le mérite d'Harvey a donc été de mettre en évidence le rôle des valvules veineuses dont la fonction était, d'une part, d'empêcher le sang veineux de refluer vers la périphérie et, d'autre part, de l'acheminer vers le cœur. Après avoir participé à de multiples séances de dissections, non seulement sur l'homme, mais également sur les animaux, Harvey a établi sa théorie de la circulation du sang en complète rupture avec la théorie du *pneuma* de Galien. Il explique :

« Raisonnement et démonstration expérimentale ont établi que le sang traverse les poumons et le cœur, chassé par la contraction des ventricules ; qu'il est propulsé et envoyé à tout l'organisme ; qu'il passe par les pores des tissus dans les veines, qu'il revient par celles-ci en s'écoulant des extrémités vers le centre, des veines de petit calibre vers les plus grosses de ces dernières dans la veine cave pour aboutir finalement à l'oreillette du cœur... Devant ces faits et ces preuves, la conclusion s'impose que le sang est animé chez les animaux d'un mouvement circulaire et qu'il est dans une agitation et un mouvement perpétuels. À ces phénomènes, préside l'action ou plutôt la fonction du cœur : il la remplit par sa pulsation ; en un mot, leur cause unique est le mouvement, la contraction du cœur. »

Grâce à la justesse de ses travaux, l'explication de la circulation sanguine est enfin résolue. Mais, surtout, il a établi que les artères ne contenaient pas de l'air et qu'il n'y avait pas de communication entre les deux ventricules :

« Il s'agit d'une erreur fondamentale incompréhensible que l'examen le plus superficiel aurait fait éviter. Cette perforation n'existe pas ! »

Harvey a fait un certain nombre d'erreurs, qui sont minimes par rapport à l'ensemble de son œuvre. Il pensait, par exemple, que les vaisseaux lymphatiques transportaient du lait. Et il n'a pas fait figurer, dans ses études, les capillaires qui étaient invisibles à l'œil nu.

Harvey était d'une grande honnêteté intellectuelle et il a reconnu que Fabrice d'Acquapendente, décrivant la disposition des valvules des veines, l'avait mis sur la voie de cette découverte.

En exprimant l'idée selon laquelle « le mouvement du cœur est en somme une contraction cardiaque », Harvey a prêté le flanc pendant de nombreuses années à des querelles et des calomnies à travers toute l'Europe.

En 1672, Louis XIV, contre l'avis de la faculté de médecine de Paris, impose la théorie d'Harvey sur la circulation sanguine, en faisant ouvrir un cours d'anatomie au Jardin des Plantes.

Circulation du sang : Boileau s'en mêle…

Parmi les adversaires d'Harvey, il y avait notamment Jean Riolan, le fils (1577 – 1657), qui a livré dans son ouvrage *Opuscula anatomica nova*, publié en 1649, sa conception personnelle de la circulation sanguine et s'est opposé aux conceptions physiologiques d'Harvey. Il soutenait que le sang contenu dans la veine porte n'était mobilisé qu'en cas d'hypodébit dans la grande circulation, ou en cas « d'engorgement » comme c'est le cas dans l'hypertension portale. René Descartes s'est également opposé à Harvey et il a soutenu avec véhémence que l'évacuation du cœur se faisait au cours de la diastole. Gui Patin, doyen de la faculté de médecine de Paris (1600 – 1672), est probablement le plus célèbre adversaire de

William Harvey. Il affirmait : « La circulation est paradoxale, inutile à la médecine, fausse, impossible, inintelligible, absurde, nuisible à la vie de l'homme ».

L'affaire a été résolue par Boileau, qui a ridiculisé les médecins officiels en faisant paraître l'*Arrêt burlesque* (1671) : « Attendu… la Cour… ordonne au chyle (suc formé dans l'intestin des substances assimilées dans la digestion) d'aller droit au foie sans passer par le cœur et du foie de le recevoir. Fait défense au sang d'être plus vagabond, d'errer et de circuler dans le corps, sous peine d'être entièrement livré et abandonné à la faculté de médecine ».

On doit la confirmation de la théorie d'Harvey aux découvertes ultérieures :

✔ les capillaires, découverts par Marcello Malpighi, grâce à l'examen des poumons d'une grenouille au microscope ;

✔ les vaisseaux chylifères, « veines lactées » identifiées par Gaspard Aselli (1581 – 1626), professeur à Padoue en 1622, suite à la dissection de l'intestin d'un chien qui venait de manger.

Qu'est-ce que les vaisseaux chylifères ?

On nomme ainsi les vaisseaux lymphatiques de l'intestin grêle transportant un liquide laiteux, le « chyle ».

✔ La découverte de l'aboutissement des vaisseaux chylifères par Jean Pecquet (1622 – 1674) dans le conduit thoracique (réservoir de Pecquet).

✔ La distinction entre les vaisseaux chylifères et les vaisseaux lymphatiques par Thomas Bartholin (1616 – 1681). En 1652, en disséquant un chien sept heures après la pâtée, il a fait la constatation suivante : « Au niveau du foie, prennent naissance, en même temps que la veine porte, des vaisseaux turgescents qui laissent apparaître à travers leurs parois, non pas du chyle, mais un liquide aqueux ». Il a donné alors le nom de *lympha* (lymphe) à ce liquide inconnu jusqu'ici, et le nom de *vasa lymphatica* (vaisseaux lymphatiques) à ces vaisseaux qui transportent la lymphe. En 1653, après plusieurs dissections de cadavres, il a fini par découvrir les vaisseaux lymphatiques chez l'homme, à la surface du foie, sous les aisselles et aux aines, déclarant que les vaisseaux hépatiques d'Aselli appartenaient à ce système.

L'engouement pour l'anatomie générale

Dans le domaine médical, l'utilisation du microscope favorise le développement de l'anatomie générale, conduit les savants à observer le rôle des composants qu'ils étudient. La médecine devient une science au même titre que la physique et la chimie.

L'apport de la microscopie

Le microscope a constitué une véritable révolution. Il est enfin possible d'observer ce qui n'est pas visible à l'œil nu.

L'impulsion a été donnée par un naturaliste autodidacte, Antoine Van Leeuwenhoek (1632 – 1723). En 1677, il a décrit les spermatozoïdes comme des « animaux semblables à des têtards » et auxquels il a donné le nom de « vers spermatiques », sans se douter de leurs fonctions. Il a réalisé des découvertes anatomiques, tout en subissant les railleries des médecins qui se moquaient de ce commerçant sans aucune formation scientifique ne connaissant ni le latin, ni l'anglais ni le français.

Des médecins et savants se sont lancés dans des recherches à l'aide du microscope au cours de la même période et ont laissé leur nom dans nos atlas d'anatomie humaine :

✔ Thomas Wharton (1614 – 1673) a réalisé une étude comparative des glandes. Il a donné aux masses glanduleuses qui occupent la partie supérieure de la trachée le nom de thyréoïde, qui deviendra thyroïde, dérivé du nom grec *thyreos*, signifiant « bouclier long ». Il a également décrit le canal d'écoulement de la glande sous-maxillaire auquel il a donné son nom en 1656 : le canal de Wharton ;

✔ Francis Glisson (1597 – 1677) a décrit l'enveloppe fibreuse du foie, qui sera appelée capsule de Glisson ;

✔ les travaux de Kaspar Friedrich Wolff (1735 – 1794) ont permis de faire progresser la compréhension de l'embryologie du rein et de l'appareil génital masculin. Il a donné son nom au canal et au corps de Wolff, ou mésonéphros, qui est à l'origine du rein et de l'appareil génital masculin ;

✔ Marcello Malpighi (1628 – 1694), précurseur de l'histologie (voir chapitre 11), a décrit la structure des capillaires pulmonaires et des globules rouges du sang. En 1689, il nomme pour la première fois les ganglions lymphatiques ;

✔ Nicolas Sténon (1638 – 1686) a découvert le canal d'évacuation de la salive produite par la glande parotide, dit canal de Sténon en 1660. Il a observé au microscope que la contraction musculaire était le résultat du raccourcissement combiné de milliers de petites fibres fines constituant le muscle dans son ensemble.

Le développement de l'embryologie

Dans le domaine de l'embryologie, la théorie en vogue pour expliquer le développement embryonnaire était celle du préformationnisme selon laquelle les embryons étaient déjà des bébés miniatures. L'existence des spermatozoïdes (« animalcules ») a été découverte en 1678 et leur rôle dans la fécondation a été immédiatement soupçonné.

Les préformationistes se sont alors divisés en deux écoles :

✔ les ovistes considéraient que l'embryon était préformé dans l'œuf et que le spermatozoïde était simplement un parasite du sperme. En 1651, William Harvey affirmait ainsi que « tout être vivant provient d'un œuf » ;

✔ les animalculistes considéraient que l'embryon était préformé dans le spermatozoïde et que l'œuf ne servait qu'à le nourrir. Ils considéraient qu'il y avait des minuscules individus dans le sperme. Le développement embryonnaire se manifestait par une augmentation de matière du fœtus. Cette théorie était soutenue par un médecin hollandais, Niklaas Hartsoeker (1656 – 1725), à qui l'on doit des gravures de petits hommes préformés (*homunculi*) censément observés au microscope dans le sperme.

La naissance de l'histologie, science des « tissus »

Cette branche de l'anatomie étudie les « tissus » et non plus chaque organe isolément. Elle se développe grâce à l'utilisation du microtome, appareil utilisé pour découper de fines sections de tissus animaux ou végétaux, et la mise au point de techniques de coloration. C'est François-Xavier Bichat (que l'on rattache davantage, par souci de cohérence, au XIXᵉ siècle, voir chapitre 11) qui a ouvert le champ à l'histologie.

Bichat considérait que le corps humain était composé de « tissus simples qui, par leurs combinaisons, forment les organes ». Il a identifié trois types de tissus : les tissus nerveux, musculaires et conjonctifs. Il estimait qu'il fallait étudier les différents tissus, non seulement sur le plan anatomique, mais aussi sur le plan physiologique. Grâce à Bichat, les médecins ont compris qu'il fallait tenir compte de l'étude des tissus dans l'enseignement de l'anatomie et non plus seulement des organes. Les idées de Bichat ont constitué une véritable révolution de la pensée médicale en rupture avec les anciennes conceptions qui confondaient le siège et la cause des maladies. Ils ont remis en cause le concept de la maladie, qui avait désormais un support lésionnel organique que l'examen clinique permettait de découvrir.

L'histologie a ainsi ouvert la voie à l'étude des dysfonctionnements du corps, ou anatomopathologie.

Jean-Baptiste Morgagni, précurseur de l'anatomie pathologique

Anatomiste et clinicien, titulaire de la chaire d'anatomie de la célèbre faculté de Padoue pendant 60 ans, Jean-Baptiste Morgagni (1682 – 1771) a développé l'étude des tissus lésés recueillis sur les cadavres au cours des séances de dissection et tenté d'établir une corrélation entre la symptomatologie clinique et l'anatomopathologie. Sa grande œuvre a été l'ouvrage intitulé *Du siège et des causes des maladies étudiées à l'aide de l'anatomie*, publié en 1761, dans lequel il a décrit la structure et les rapports dans l'espace des différents organes et tissus à partir des résultats de 640 dissections.

La chirurgie devient une véritable spécialité !

Jusqu'au début du XVIIIe siècle, l'exercice de la médecine est l'affaire de divers corps de métier. Il persiste encore une séparation très nette entre les médecins et les chirurgiens, animés par la haine de leur adversaire.

Théophraste Renaudot, chirurgien-barbier et inventeur... du journalisme

Il n'était pas « médecin », mais « chirurgien-barbier ». Il a pratiqué une médecine « humanitaire » avant la lettre. Il est surtout connu aujourd'hui pour un prix littéraire, le prix Théophraste-Renaudot, fondé en 1925 par des journalistes afin de perpétuer le souvenir de leur illustre ancêtre.

Théophraste Renaudot (1586 – 1653), né dans une riche famille protestante de Loudun dans la Vienne, a commencé par faire un stage chez un chirurgien-barbier. Il a poursuivi ses études à la faculté de médecine de Paris, puis à Montpellier. Il a été nommé docteur en médecine à l'âge de 20 ans, le 12 juillet 1606, à la suite d'une dispense particulière accordée en raison de sa vivacité d'esprit. Il s'est rendu par la suite en Hollande, en Italie, en Allemagne,

puis est revenu à Paris où il a approfondi ses connaissances chirurgicales au collège de Saint-Côme. En 1612, il est devenu médecin du roi Louis XIII, chargé du « règlement général des pauvres du royaume et de la création des bureaux d'adresses ». En 1637, il a eu l'idée de créer un dispensaire de soins gratuits avec l'appui de pharmaciens, de chirurgiens et de docteurs en médecine. Ses travaux lui ont valu des ennemis à Paris, en particulier à l'École de médecine, en raison de ses créations charitables et de ses enseignements originaux contraires à l'enseignement scolastique. Il a fondé le 30 mai 1631 sa célèbre *Gazette*, que l'on peut considérer comme le premier hebdomadaire, et à laquelle il s'est consacré jusqu'à sa mort en 1653.

À l'occasion d'un procès opposant les médecins aux chirurgiens, le Parlement de Paris a promulgué un arrêt, le 7 février 1660, déboutant les chirurgiens de la Confrérie de Saint-Côme (voir chapitre 8) qui avaient porté plainte contre les médecins. Il était stipulé qu'ils ne pourraient plus porter le titre de maîtres ès arts. Il y a eu alors une union des vrais chirurgiens avec les barbiers, perruquiers... À partir de 1686, le corps chirurgical est réhabilité, après l'intervention couronnée de succès de Charles-François Félix (1635 – 1703) sur le roi Louis XIV – il le guérit d'une fistule anale. À cette époque, les interventions chirurgicales étaient limitées en raison des risques d'infection purulente et de septicémie. Aucun chirurgien ne se lançait dans des interventions au niveau du thorax et de l'abdomen...

Le 3 février 1701, le Collège de Chirurgie a alors promulgué ses nouveaux statuts. Georges Mareschal (1658 – 1736) a été nommé en 1703 premier chirurgien du roi Louis XIV.

La « Grande Opération » de Louis XIV

Le roi de France Louis XIV a commencé à présenter, en janvier 1686, un abcès à l'anus, qui était une affection relativement fréquente à cette époque chez les courtisans en raison du nombre d'heures passées à cheval. Les médecins du roi qui l'ont examiné se sont opposés à toute intervention chirurgicale, jugée dangereuse. Les deux médecins du roi ont alors proposé un traitement local avec des cataplasmes de farine, des emplâtres de ciguë, du sparadrap de gomme et de térébenthine et même du baume du Pérou. Il a été appliqué d'autres traitements empiriques, tels que des compresses trempées dans des décoctions de feuilles et de roses de Provins bouillies dans du vin rouge. Aucune de ces thérapeutiques n'a permis d'améliorer l'abcès qui a continué à s'aggraver, handicapant fortement le Roi-Soleil contraint à changer d'habit deux à trois fois par jour en raison de l'écoulement de matière. Ce handicap a joué un rôle non négligeable dans sa politique vis-à-vis à des huguenots. Félix, chirurgien du roi, a décidé de réaliser « la Grande Opération » afin de guérir la fistule anale du roi. Après s'être fait la main sur un certain nombre de patients souffrant de fistule, il a mis au point une technique opératoire novatrice avec un bistouri qu'il a spécialement confectionné à cet usage. L'intervention a eu lieu le 18 novembre 1686 dans la chambre du roi, l'actuel salon de l'Œil-de-bœuf à Versailles. Le roi a déclaré à haute voix avant l'intervention : « Mon Dieu ! Je me remets entre Vos mains. » Il n'a pas hurlé au cours de l'intervention et a dit seulement : « Mon Dieu ! » Des incisions complémentaires ont été réalisées les 8 et 9 décembre. À la fin du mois de décembre, le roi était jugé définitivement guéri. Pour Félix, ce fut la gloire. Non seulement il a été anobli sous le nom Charles-François Félis de Tassy, mais il est devenu riche et célèbre.

La reconnaissance de la chirurgie

Le XVIIIe siècle marque la naissance de la chirurgie moderne. Dès 1724, François de Lapeyronie, premier chirurgien du roi, obtient de Louis XV la création d'un nouvel enseignement de chirurgie, indépendant de celui des médecins. Le 18 décembre 1731, Louis XV autorise la fondation de l'Académie royale de Chirurgie qui est alors devenue un lieu de formation et d'innovation. Il promulgue par ailleurs sous l'influence de La Peyronie, le 2 avril 1743, un décret rétablissant l'égalité hiérarchique entre médecins et chirurgiens et interdisant aux barbiers toute pratique chirurgicale à l'exception des interventions mineures.

Des grands chirurgiens marquent l'histoire de la chirurgie :

- ✔ Jean-Louis Petit (1674 – 1750) a appris l'anatomie auprès d'Émile Littré, le célèbre philosophe et linguiste, qui fut aussi médecin. Il est rapidement devenu un opérateur chirurgical reconnu, ce qui lui a valu d'être nommé directeur de l'Académie de Chirurgie. Il a décrit la formation du caillot sanguin au cours de l'hémostase (mécanisme amenant à l'arrêt du saignement). Il a insisté tout au long de sa vie sur l'importance de poser les bonnes indications opératoires et d'assurer un suivi des interventions. Il a réalisé un certain nombre d'innovations et techniques chirurgicales, comme l'invention du garrot en 1744 ;

- ✔ Pierre Desault (1744 – 1795) est le fondateur du *Journal de Chirurgie* en 1791. Il a mis en place un centre d'enseignement chirurgical à l'Hôtel-Dieu, à partir de 1785, qui a contribué à assurer le rayonnement de la chirurgie française ;

- ✔ Germain Pichault de La Martinière (1697 – 1783), chirurgien de Louis XV, a mis en place une réforme générale du service de santé des armées et du statut des chirurgiens militaires ;

- ✔ William Cheselden (1688 – 1752), chirurgien anglais, est passé à la postérité pour avoir le premier fait l'opération de la cataracte sur des aveugles-nés. Il a également mis au point une technique opératoire de taille latérale des calculs de la vessie ;

- ✔ Percival Pott (1714 – 1788) est bien connu pour son étude sur le cancer du scrotum, observé chez des Londoniens de 20 à 50 ans qui ont été ramoneurs dans leur jeunesse. Il a réalisé une description précise de la tuberculose vertébrale, à laquelle il a été donné le nom de mal de Pott, et de la fracture de la malléole. Il a contribué à améliorer la prise en charge des fractures et des luxations ;

- ✔ John Hunter (1728 – 1793), qui n'a jamais fait d'étude à la faculté de médecine, a commencé sa carrière en 1748, comme préparateur à la table de dissection des cours d'anatomie que délivrait son frère William. Après avoir étudié l'anatomie dans les salles de dissection de son frère, il a appris la chirurgie auprès de William Cheselden à l'hôpital de Chelsea. Très rapidement, il s'est fait connaître pour sa dextérité, son savoir chirurgical et surtout sa soif de le transmettre. En 1764, il a fondé sa propre école d'anatomie à Londres. En 1768, il est devenu membre du *Royal College of Surgeons* puis, en 1776, chirurgien du roi d'Angleterre George III et, en 1789, chirurgien général de l'armée britannique. Il serait mort en 1793, à la suite d'une expérimentation sur lui-même, visant à étudier la contagiosité de la syphilis ;

- ✔ Alexander Monro (1697 – 1767), professeur de l'université d'Édimbourg, a rapporté le risque de survenue d'un tableau d'ictère au cours d'une atteinte des voies biliaires.

Daviel et l'ophtalmologie

L'ophtalmologie, popularisée par le succès de Jacques Daviel, a trouvé ses marques.

Jacques Daviel (1696 – 1762) est né à La Barre-en-Ouche. La vocation de ce fils de notaire serait survenue après une rencontre avec un chirurgien-barbier. Ce dernier était venu soigner un fermier du voisinage qui s'était fracturé le fémur en tombant du toit de sa grange. À l'âge de 14 ans, son père l'a envoyé travailler à l'Hôtel-Dieu de Rouen sous le parrainage de son oncle, qui y exerçait comme médecin. En 1708, à l'âge de 15 ans, le jeune Daviel est arrivé à Paris où il a fréquenté l'Hôtel-Dieu pendant plusieurs années avant de s'engager dans l'armée royale. En 1738, Daviel est choisi par le fameux La Peyronie, premier chirurgien du roi, comme démonstrateur royal d'anatomie et de chirurgie. Jusqu'alors chirurgien généraliste, Daviel a choisi de s'intéresser en 1734 à l'âge de 41 ans à la chirurgie de l'œil. Cela l'a conduit à réaliser des dissections afin d'approfondir ses connaissances sur les yeux et les cataractes. Au terme d'un long travail, il a vulgarisé l'intervention d'extraction de la cataracte en 1745. Il a effectué un nombre considérable d'interventions de la cataracte, ce qui a contribué à assurer son succès. En 1749, il a été nommé chirurgien oculiste du roi Louis XV. Le succès de Daviel a dépassé les frontières. Diderot, qui a assisté à plusieurs interventions pratiquées par Daviel, relate dans son *Addition à la lettre sur les Aveugles* en 1779, l'émotion qu'il ressentit devant les premières réactions d'un opéré de Daviel revoyant sa mère : « Le malade ouvre les yeux, il voit, il s'écrie : "Ah ! C'est ma mère !" … Je n'ai jamais entendu un cri plus pathétique ; il me semble que je l'entends encore ». Il obtient la gloire et il est reconnu dans tout le royaume comme un grand chirurgien ophtalmologiste. Il passa plusieurs années encore à opérer. Grâce à Jacques Daviel, l'ophtalmologie est devenue une branche de la chirurgie.

Considérée comme une véritable spécialité chirurgicale, elle bénéficie des apports d'autres chirurgiens :

- ✔ Michel Brisseau (1676 – 1743) a différencié le glaucome de la cataracte ;
- ✔ François Foufour Petit (1664 – 1741) est le pionnier de la biométrie oculaire qui mesure les dimensions de l'œil ;
- ✔ Antoine Maître-Jan (1650 – 1730) a réalisé, en 1709, la première description du décollement de la rétine.

Baudelocque et l'obstétrique

L'obstétrique a beaucoup progressé au cours du XVIIIe siècle, notamment sous l'impulsion de Baudelocque.

Jean-Louis Baudelocque (1745 – 1810), professeur d'obstétrique à la faculté de médecine de Paris, est considéré comme le fondateur de l'obstétrique. Son ouvrage *L'Art des accouchements,* publié en 1781, a bénéficié de quatre éditions et a contribué à individualiser l'obstétrique comme une spécialité à part entière. Il a mis en place à la maternité de Port-Royal une structure d'enseignement aux sages-femmes. Considéré comme le plus célèbre des médecins obstétriciens de son époque, Baudelocque a été nommé médecin accoucheur des reines d'Espagne, de Hollande, de Naples et de toutes les dames de la Cour. Il a été choisi par Napoléon pour assister l'Impératrice Marie-Louise lors de la naissance du roi de Rome. Lorsque Baudelocque est mort le 15 mai 1810, ce privilège est revenu à Antoine Dubois.

Ce partisan de la réalisation de la césarienne a été attaqué en justice par un médecin accoucheur, Jean-François Sacombe, défenseur des pratiques traditionnelles des sages-femmes, qui a perdu son procès contre Baudelocque en 1804.

D'autres obstétriciens ont également perfectionné l'art des accouchements :

- ✔ Jan Palfijn (1650 – 1730), obstétricien flamand, est considéré comme l'inventeur du forceps. Son invention constitue un apport considérable, car auparavant en cas de blocage de l'enfant, il n'y avait que deux solutions : soit l'extraction du nouveau-né (mort ou en le tuant) par morcellement (découpage) au moyen d'instruments, soit l'utilisation de la manœuvre « podalique » qui consistait à saisir les pieds et à le sortir par les fesses. En 1721, il a envoyé à l'Académie des Sciences de Paris la description de ce forceps à courbure céphalique, auquel il a donné le nom de « mains de fer » ;

- ✔ William Smellie (1697 – 1763) est considéré comme le pionnier de l'obstétrique en Grande-Bretagne. Il a mis au point un forceps ayant une courbure afin d'éviter le périnée et permettant une préhension sur une tête encore haute dans l'excavation pelvienne maternelle, ainsi qu'un mannequin obstétrical permettant d'enseigner aux étudiants la prise en charge des accouchements en fonction du type de présentation.

Renouveau dans les traitements et l'hygiène

L'arsenal thérapeutique des médecins bénéficie des découvertes du Nouveau Monde qui ont permis l'introduction de drogues nouvelles. La variolisation constitue une première étape dans l'immunisation contre la variole. Jenner met au point la vaccination. Dans le domaine de la santé publique, les progrès sont lents. Il faut attendre la fin du XVIIIe siècle pour que l'hygiène s'améliore dans les villes.

L'enrichissement de la pharmacopée

Certaines plantes venues d'ailleurs ont soulevé des questions dans le milieu médical, partagé entre ceux qui les considéraient comme bénéfiques et ceux qui estimaient qu'elles étaient nuisibles :

- ✔ le thé, importé de Chine, introduit à Paris à partir de 1636, a été considéré comme nuisible par Guy Patin (1601 – 1672), doyen de la faculté de médecine de Paris, et comme bénéfique par d'autres. Les médecins de Louis XIV lui prescrivaient du thé pour faciliter sa digestion ;

- • le café, qui était un breuvage exotique et suscitait l'engouement des Parisiens, était administré par certains médecins comme lavement ;

- • le chocolat a été introduit en France grâce à la Reine Marie-Thérèse. Le cardinal de Richelieu en prenait pour « modérer les vapeurs de sa rate » ;

- • l'ipécacuanha était une plante utilisée pour traiter la dysenterie, mais aussi comme expectorant et comme vomitif.

Un certain nombre d'autres plantes ont enrichi l'arsenal thérapeutique comme la cardamome, le laurier-cerise, la gomme-gutte et le robinier.

Il est publié à Paris, en 1638, un registre officiel des médicaments, le *Codex medicamentarius seu pharmacopoea Parisiensis* – il en existait un autre à Lyon. Montpellier est la première ville de France à se doter d'un jardin botanique, construit en 1593 par Pierre Richer de Belleval à la demande d'Henri IV.

La découverte du quinquina en 1632

Le quinquina a été importé en Europe sous le nom d'écorce du Pérou.

Selon la légende, les Incas souffrant de fièvres guérissaient lorsqu'ils buvaient une eau de mare dans laquelle étaient tombés des arbres à quinquina détruits par la foudre. Juan Lopez, un missionnaire jésuite du Pérou, l'aurait découvert et communiqué à Francisco Lopez de Canizares, gouverneur de Loja (province de l'Équateur), qui l'utilisera pour soigner la femme du vice-roi du Pérou, la comtesse de Chinchon qui souffrait de paludisme. Cela a valu à ce médicament le nom de « Poudre de la Comtesse » ou de « Poudre des Jésuites », car les jésuites avaient l'exclusivité de son commerce et en tiraient un bénéfice important. L'usage du quinquina a été importé en Europe pour soigner ceux qui souffraient de paludisme. Louis XIV, qui était réceptif aux idées nouvelles, en a fait importer des quantités importantes ; Jean de La Fontaine a composé le poème du *Quinquina,* dans lequel il exalte ses vertus thérapeutiques.

Le tabac, remède universel au XVIIᵉ siècle

Les premières graines de tabac ont été rapportées en Europe en 1520. Au Portugal, quelques années plus tard, le tabac est cultivé et utilisé comme une plante médicinale. Jean Nicot, qui était ambassadeur de France au Portugal, a envoyé, en 1561, des feuilles de tabac à Catherine de Médicis, reine de France, pour la soigner de ses terribles migraines. Son efficacité, après administration sous forme de « prises », a valu au tabac le surnom d'« herbe à la Reine » ou « herbe catherinaire ». Elle a lancé la mode de la consommation de tabac à la Cour et donné l'ordre d'en cultiver en Bretagne, en Gascogne et en Alsace. Le tabac a suscité d'emblée de l'attrait en raison de son origine exotique et a connu un rapide engouement.

Des mots pour le dire...

Les autres noms que l'on donne au tabac à l'époque témoignent de la très haute réputation dont il jouissait : herbe à tous les maux, panacée antarctique, herbe sacrée... Au XVIIᵉ siècle, Molière a écrit dans une de ses pièces : « Qui vit sans tabac est indigne de vivre ! » Et les enfants chantaient la célèbre chanson « J'ai du bon tabac dans ma tabatière... ».

La sensation de bien-être que le tabac procure l'a fait considérer comme une substance aux propriétés médicinales et il a occupé une place de choix dans les herbiers et les ouvrages médicaux. Les nombreuses vertus thérapeutiques qu'on lui prêtait alors laissent l'impression qu'aucune maladie ne pouvait résister au tabac, que l'on utilise en fumigations, mais aussi en décoctions ou en cataplasmes. Mais on préférait l'utiliser en cas de coliques, de migraines, de douleurs dentaires ou d'affections respiratoires. Certains médecins ont même préconisé son emploi comme asséchant, échauffant et « désinfectant » au cours de l'épidémie de peste qui a sévi en 1665.

Le début de la vaccination avec Jenner

La variole a été importée d'Orient au XIIᵉ siècle par les croisés et par les Arabes. Le procédé de variolisation, découvert aux Indes et en Chine, a été rapporté en Europe grâce à l'ambassadrice d'Angleterre à Constantinople, Lady Mary Wortley Montagu (1689 – 1762), en 1718. Elle avait inoculé la variole à ses enfants pour les immuniser de la maladie.

L'innocuité de ce moyen de prévention a soulevé des questions au sein du milieu médical, d'autant que la variolisation était responsable d'une fièvre et d'une éruption. Cette méthode a été expérimentée en Grande-Bretagne d'abord sur six condamnés à mort, puis sur deux orphelins. Louis XVI et ses deux frères ont bénéficié de la variolisation par le docteur Théodore Tronchin (1709 – 1781).

Voltaire plaide pour la variolisation

À l'âge de 29 ans, Voltaire contracte la variole et il en guérit. Il se fait par la suite un ardent propagandiste de la variolisation.

Dans sa onzième *Lettre philosophique* écrite au cours de son exil en Angleterre en 1727, il explique les coutumes en usage au nord du Caucase (ou Circassie) :

« Les femmes de Circassie sont, de temps immémorial, dans l'usage de donner la petite vérole à leurs enfants, même à l'âge de six mois, en leur faisant une incision au bras, et en insérant dans cette incision une pustule qu'elles ont soigneusement enlevée du corps d'un autre enfant. Cette pustule, dans le bras où elle est insinuée, fait l'effet du levain dans un morceau de pâte ; elle y fermente et répand dans la masse du sang les qualités dont elle est empreinte. Les boutons de l'enfant à qui l'on a donné cette petite vérole artificiellement servent à porter la même maladie à d'autres… Les Circassiens s'aperçurent que sur mille personnes il s'en trouvait à peine une seule qui fut attaquée deux fois d'une petite vérole bien complète, qu'en un mot jamais on n'a véritablement cette maladie deux fois dans sa vie. Il restait donc, pour conserver la vie et la beauté de leurs enfants, de leur donner la petite vérole de bonne heure ».

En 1798, un médecin de campagne anglais, Edward Jenner (1749 – 1823), a révolutionné la lutte antivariolique en proposant la vaccination à la place de la variolisation, qui consistait à inoculer la vaccine (ou « picote » dans le sud de la France et *cowpox* en Grande-Bretagne), une maladie infectieuse de la vache, à l'homme, puis de la transmettre d'homme à homme. L'idée de cette technique d'inoculation lui était venue après avoir constaté que les fermières, dont les mains étaient en contact avec le pis des vaches lors de la traite, ne contractaient pas de forme grave de la variole. Pour confirmer son hypothèse, il a réalisé, le 14 mai 1796, l'inoculation d'un petit paysan de 8 ans, James Philipps, avec le contenu des vésicules de vaccine recueillies sur la main de Sarah Nelmes, une paysanne contaminée par une vache malade, nommée « *Blossom* » (« fleur »). Il a rapporté la survenue d'une pustule au point d'injection, dix jours après, qui a guéri sans incident.

Dans un deuxième temps, Jenner a tenté à plusieurs reprises d'inoculer la variole à l'enfant à partir du pus de pustules de personnes souffrant de variole sans que cette opération n'entraîne la survenue de la maladie. Il venait de mettre en évidence une nouvelle méthode de prévention à laquelle il a donné le nom de « vaccine », par référence au mot latin *vaca*, qui signifie « vache ».

Mise au point, la méthode a fait l'objet de critiques qui ont conduit Jenner à recommencer son expérience, toujours avec le même succès. Il a publié, en 1798, à ses frais *An Inquiry into the Causes and Effects of the Variolae Vaccinae*, où il jette les bases de l'immunologie appliquée à la variole, sa contribution ayant été refusée par la *Royal Society*.

Finalement la méthode de Jenner a été adoptée, à partir de 1803, en Asie, aux Antilles et en Amérique méridionale. Jenner a bénéficié de l'admiration de l'empereur Napoléon Ier, qui a ordonné, en 1805, de vacciner tous les soldats de la Grande Armée n'ayant pas eu la variole. Il a fait vacciner le roi de Rome le 11 mai 1811. En 1813, Jenner a reçu une grande consécration en devenant docteur *honoris causa* de l'université d'Oxford. En 1804, le gouvernement britannique interdit la variolisation et encouragea la vaccination gratuite.

L'hygiène

Au XVIIe siècle, on se lave peu, car on considère que la toilette rend plus vulnérable aux maladies. La nudité est proscrite (on garde sa chemise). L'Église interdit les bains, pour des questions morales. Les courtisans préfèrent utiliser des parfums pour masquer les odeurs et se farder, poudrant corps et visage. Néanmoins, Louis XIV fait construire des bains à Versailles, où l'hygiène ne faisait pas défaut, comme le montre l'utilisation de la « chaise percée ».

La selle royale de Louis XIV

Alors qu'il faisait visiter le château de Versailles à un ambassadeur du tsar Pierre le Grand, Louis XIV lui a confié qu'il n'y avait pas de toilettes. À la question : « Comment faites-vous pour avoir des jardins aussi beau », le roi de France a répondu le plus simplement du monde : « J'ai autorisé les gens à chier, mais leur ai interdit de pisser dans les couloirs et les salles du château. » C'est donc dans le cadre du château de Versailles que la chaise percée a eu ses lettres de noblesse. Elle était considérée comme un outil nécessaire, mais peu élégant. Au XVIIe siècle, on la désigne donc sous de nombreux euphémismes : *the french courtesy* pour les Anglais, *comoda* en Italie, ou encore « chaise d'affaires », « chayère de retrait », « commodité », « secret » ou « chaise nécessaire » en France. La garde-robe étant l'endroit où l'on plaçait généralement la chaise percée, « aller à la garde-robe » a fini par signifier « aller à la chaise percée », d'où l'expression de « chaise garde-robe », encore couramment employée de nos jours dans les catalogues de matériel médical, voire de « fauteuil garde-robe », qui laisse une impression plus confortable. La duchesse d'Orléans a rappelé, dans plusieurs de ses lettres, la nécessité, en l'absence de chaise percée, d'aller « chier dehors, mais sans être à son aise quand son cul ne reposait pas sur une chaise ! » Lorsqu'il devait faire ses besoins, le roi organisait une mise en scène. Y assister était un privilège. Au cours de la selle royale, le roi s'asseyait sur une chaise percée et participait à des discussions avec les courtisans, les visiteurs et les invités. Ni la vue ni l'odeur ne semblaient alors gêner... Un officier, le porte-chaise d'affaires, en habit de velours, le chapeau bas et l'épée au côté, était chargé de « dissimuler les dernières misères auxquelles la nature nous assujettit ». Il y avait également un valet qui était préposé à son royal séant et dont la charge était de le torcher avec des coussinets de ouate ou du linge de filasse brodé... que l'on renouvelait après chaque usage, bien sûr, selon la coutume à la Cour de France.

Dans les rues des grandes villes ruissellent les eaux usées, source de maladies et d'odeurs putrides.

À partir de 1750 commence l'embellissement des villes. Les soucis hygiénistes apportés par les « Lumières » transforment l'espace urbain. On déplace les cimetières à l'extérieur des enceintes. On construit des fontaines. C'est le début de l'urbanisme à Paris et dans les métropoles.

Quatrième partie
La médecine à l'époque contemporaine

Dans cette partie...

*L*e XIXᵉ siècle est celui des sciences (et non plus de la Raison) et d'une différenciation de celles-ci : on assiste à la naissance de la physique moderne, de la biologie (qui remplace l'histoire naturelle) et donne tout son éclat à la science médicale.

Après la Révolution française, une médecine scientifique commence à s'exercer dans les grands hôpitaux publics où les praticiens ont la possibilité de croiser données cliniques et scientifiques. La profession de médecin gagne du prestige. Les guerres napoléoniennes ont quant à elles fait accomplir – nécessité oblige – des progrès à la chirurgie. Dans nos mémoires, le XIXᵉ siècle reste, bien sûr, celui de la lutte contre les grandes épidémies et de la mise au point des premiers vaccins (Pasteur et le vaccin contre la rage).

Le XXᵉ siècle fait bouger les frontières des disciplines scientifiques fondamentales, qui vont s'enrichir les unes les autres, générant dans le domaine médical des avancées spectaculaires. Les progrès technologiques entraînent plusieurs révolutions dans les domaines de l'imagerie médicale, de la chirurgie et de la thérapeutique.

Si de nombreuses maladies infectieuses sont devenues moins fréquentes, voire ont été éradiquées, telles que la variole, de nouvelles sont apparues, comme l'infection au VIH, qui constitue aujourd'hui un problème majeur de santé publique. Et les modes de vie et de consommation modernes entraînent de nombreuses pathologies...

Les avancées scientifiques ne sont cependant pas sans poser de multiples questions éthiques, suscitant des interrogations face à des situations inédites (diagnostic préimplantatoire, clonage, thérapie génique, « acharnement thérapeutique », etc.).

Chapitre 11

La médecine au XIXe siècle

*L*a Révolution française a apporté de grands changements dans le domaine de la santé publique : hygiène, hôpitaux, enseignement de la médecine, diplôme de médecin... L'hôpital n'est plus un asile charitable, mais un lieu de soins et de recherche médicale.

La méthode scientifique – anatomoclinique – de Marie François Xavier Bichat a conduit les médecins à une expérimentation pratique qui croise l'observation directe du malade – améliorée par de nouvelles techniques – et l'analyse des lésions anatomiques. De nombreux médecins vont ainsi s'illustrer sous la Révolution et l'Empire : Pierre Bretonneau et ses travaux sur la diphtérie et la typhoïde, l'aliéniste Philippe Pinel, Jean-Nicolas Corvisart (médecin de Napoléon) et la percussion thoracique, Laennec et le stéthoscope... Cette médecine scientifique a aussi inauguré un début de spécialisation : les hôpitaux et hospices publics accueillent diverses populations de malades dans leurs sites pavillonnaires. D'illustres professeurs ont fait triompher la médecine au lit du malade.

C'est aussi le temps où la chirurgie a excellé (les chirurgiens Pierre-François Percy et Dominique Larrey interviennent sur les champs de bataille napoléoniens), bénéficiant de l'introduction de l'anesthésie, de l'antisepsie et de l'asepsie. Celles-ci ont en effet permis de gérer les trois facteurs majeurs qui limitaient le champ d'investigation de la chirurgie : l'infection, l'hémorragie et la douleur.

La grande affaire du XIXe siècle reste cependant celle de la lutte contre les microbes. Au cours de la seconde partie du siècle, deux hommes bouleversent la microbiologie (et la médecine) : Louis Pasteur et Robert Koch. Parallèlement, on assiste à l'essor des procédés thérapeutiques, grâce à l'amélioration des connaissances galéniques, à un bouleversement des procédés d'extraction chimique des principes actifs de plantes et la naissance des premiers grands laboratoires pharmaceutiques industriels.

Au cours de cette période, deux personnages ont été les précurseurs de la médecine humanitaire : Florence Nightingale, qui a fondé en 1860 un établissement considéré comme la première école d'infirmières, dans le cadre du St Thomas' Hospital de Londres, et Henri Dunant, qui a créé en 1864 le Comité international de secours aux militaires blessés, nommé Comité international de la Croix-Rouge (CICR) à partir de 1875.

La santé publique à la faveur de la Révolution et l'Empire

Contrairement aux sciences portées par des sociétés savantes et auréolées d'une Académie royale des sciences (fondée en 1666), la médecine d'avant la Révolution se refermait sur une faculté, conservatrice.

LE SAVIEZ-VOUS ?

Les médecins célèbres de la Révolution

Certains médecins de la Révolution sont restés célèbres, mais pas comme médecins. Nombreux sont ceux qui connaissent Jean-Paul Marat (1743 – 1793) à travers le tableau de David représentant son assassinat dans son bain par Charlotte Corday, le 13 juillet 1793.

On sait moins qu'il était médecin de formation et s'est consacré à l'étude des sciences, à la manière de tant de philosophes de son temps. Dans le domaine médical, il a fait des recherches en ophtalmologie. Toutefois, malgré sa réputation d'excellent médecin et ses mémoires scientifiques sur les sujets les plus divers, il n'a pas réussi à entrer à l'Académie des sciences comme il l'espérait. Cet échec explique son amertume et son aigreur à la veille de la Révolution. Le 12 septembre 1789, il a publié le premier numéro de son journal *L'Ami*

du Peuple, déchaînant les passions populaires et obtenant ce qu'il recherchait à tout prix, la gloire. Marat journaliste et pamphlétaire est devenu le dénonciateur des ennemis de la Révolution, mais plus jamais il n'a voulu entendre parler de médecine...

Joseph Ignace Guillotin (1738 – 1814) était lui aussi médecin. Il est surtout connu pour avoir proposé en 1789, à l'Assemblée constituante, l'utilisation d'une machine conçue pour couper la tête de tous les condamnés à mort et cela sans souffrance. D'abord baptisée « Louison » ou « Louisette », la machine est vite surnommée « guillotine ». En 1791, Robespierre échoue dans sa proposition de faire abolir la peine de mort. Pendant la Terreur (de septembre 1793 à juillet 1794), la « bécane », installée dans chaque département, a fonctionné à plein régime...

La Société de médecine a néanmoins réussi à voir le jour en 1776, en rassemblant les sociétés savantes. Grâce à elle, des recherches pour le gouvernement se sont organisées dans le domaine de la santé publique et de l'étude des épidémies. L'hygiène publique s'institutionnalise. À partir de la Révolution, la Société a fait également pression pour réformer le système de santé et faire voler en éclats une médecine restée largement théorique. Les hôpitaux, dont l'activité était d'abord caritative, ont soigné les blessés de la Révolution. Ils se sont transformés en structures publiques assurant les soins, la recherche et l'enseignement.

Après la Révolution naissent les Écoles de santé qui ont rénové les études médicales (la chirurgie va y trouver toute sa place). Celles-ci sont devenues théoriques et pratiques ; le cursus est couronné par un diplôme d'État.

Naissance de l'hygiène publique et sociale

Il y a eu, tout au long du XVIIIᵉ siècle, puis au XIXᵉ, un certain nombre d'innovations dans le domaine de la santé publique, grâce aux travaux de plusieurs scientifiques :

- James Lind (1716 – 1794), considéré comme le pionnier de l'hygiène navale, a établi les vertus du jus de citron ou d'orange dans la prévention du scorbut ;

- l'économiste allemand Gottfried Achenwall (1719 – 1772) a souligné l'importance qu'il y avait, dans chaque nation, à tenir à jour un registre des naissances, des décès, des maladies et des épidémies ;

- George Baker (1722 – 1809) a établi la relation entre la mortalité due aux « coliques de Devonshire » et les empoisonnements au plomb qui recouvrait les cuves à cidre ;

- André Tissot (1728 – 1797) a rapporté dans son *Avis au Peuple sur sa santé* (1761), destiné au grand public, l'importance d'une meilleure aération des logis, l'intérêt des exercices physiques et la nécessité d'une bonne hygiène alimentaire ;

- Johann Peter Frank (1745 – 1821) a réalisé une étude statistique comparative des naissances et des décès des différents pays européens ;

- Félix Vicq d'Azyr (1748 – 1794), secrétaire de la Société royale de médecine, a constitué un réseau national de correspondants afin de notifier les éventuelles épidémies, l'état de nutrition de la population, son habitat ou encore son hygiène de vie ;

- François-Emmanuel Fodéré (1764 – 1835), auteur d'un *Traité de médecine légale et d'hygiène publique* (1813), a contribué à la rénovation de la médecine légale. Il a aussi souligné l'importance du drainage des marais afin de lutter contre le paludisme.

Les médecins du XIXᵉ siècle considéraient qu'il était important d'améliorer l'hygiène tant privée que publique. Ils ont encouragé les pouvoirs publics à adopter un changement dans la réglementation :

> ✔ en 1802, un Conseil d'hygiène publique et de salubrité du département de la Seine, dépendant de la préfecture de police de Paris, a été créé. Il comportait à la fois des médecins, des chimistes, des pharmaciens, des ingénieurs et des personnels administratifs. L'objectif de cette structure uniquement consultative était d'établir des rapports sur l'état de salubrité des usines, des ateliers, des cimetières, des décharges, des abattoirs et des bains publics ;

L'invention du crachoir

L'histoire du crachoir a commencé, en 1548, quand un médecin attaché à la cour du roi de France a eu l'idée de concevoir une simple boîte munie ou non d'un couvercle posée sur la table de nuit afin que les gentilshommes puissent soulager leurs bronches avec retenue et discrétion, lorsqu'ils étaient en belle compagnie. En dehors de cet usage nocturne, il était habituel en France depuis le Moyen Âge de poser le crachoir sur la table afin d'y placer non seulement les crachats, mais aussi les ordures comme des pelures de fruits et de petits os.

Il a fallu attendre 1882 pour que Robert Koch découvre le bacille responsable de la tuberculose, mais, surtout, pour qu'il montre que les crachats des patients tuberculeux regorgeaient de bacilles tuberculeux. Et là, le monde médical a pris conscience du caractère contagieux des crachats et donc de l'importance d'utiliser des crachoirs. Il s'agissait à l'époque d'une amélioration de l'hygiène publique considérable, car auparavant il était fréquent de cracher par terre. On a vu se multiplier les crachoirs personnels ou publics dans les lieux publics, dans les lieux de transports et bien sûr dans les saloons du Far West.

Après l'épidémie de grippe espagnole de 1918 (voir la « Partie des Dix », chapitre 13), l'hygiène et le savoir-vivre ont condamné l'utilisation de crachoirs publics et leur usage a décliné rapidement. À partir de cette période, on a décidé que la politesse était de ravaler la salive et des affiches étaient là pour le rappeler, comme ces inscriptions « Défense de cracher par terre » dans le métropolitain parisien.

Pour éviter les crachats, on a trouvé des substitutifs, comme l'usage de la chique, qui consistait à mâcher un morceau de tabac pour en extraire le jus, tout en crachant régulièrement le surplus, d'où la nécessité du crachoir !

Aux États-Unis, un certain Thomas Adams a eu l'idée de proposer, en 1872, à ceux qui ne supportaient pas le goût du tabac à chiquer une gomme à mâcher avec du latex, de la résine et du sirop. Cette gomme à mâcher qui empêchait de cracher, c'est le fameux chewing-gum qui était apprécié par le corps médical de l'époque car mâcher un chewing-gum évitait de cracher. Aujourd'hui, le crachoir reste seulement employé en dentisterie, ou dans un but sanitaire et médical, en particulier dans les services de pneumologie. Par ailleurs, le crachoir est utilisé en œnologie !

✔ à partir de 1822, un Conseil d'hygiène publique et de salubrité a été créé dans d'autres villes (Marseille, Lille, Nantes, Rouen, Bordeaux, Toulouse). À la suite de l'épidémie de choléra qui a sévi en 1832, il y a eu une prise de conscience de l'insuffisance des mesures d'hygiène dans la lutte contre les fléaux infectieux, qui était limitée à la mise en quarantaine et à l'incinération des objets que les malades avaient pu toucher. Les autorités ont prôné la mise en place d'une politique d'hygiène collective, qui a entraîné le développement de réseaux d'égouts ;

✔ le 22 avril 1850, une loi destinée à lutter contre les logements insalubres a été promulguée ;

✔ en 1851, une loi a encouragé les communes à construire des lavoirs ou des bains gratuits ;

✔ à partir de 1899, le gouvernement a mis en place une politique de construction d'établissement de bains-douches à bon marché.

Le changement du système hospitalier français

À la veille de la Révolution, les hôpitaux étaient pour la plupart gérés par des congrégations religieuses et jouissaient d'une mauvaise réputation. Ils étaient considérés comme des mouroirs.

La Révolution a entraîné un bouleversement dans le système hospitalier français, avec les modifications suivantes :

✔ le financement des hôpitaux n'a plus été assuré par le Trésor public, à la suite du décret du 17 décembre 1790. Un an auparavant, le 2 novembre 1789, l'Assemblée constituante avait décidé la « mise à la disposition de la Nation » des biens du clergé ;

✔ en 1791, les octrois, péages et taxes locales, dont les hôpitaux étaient souvent les bénéficiaires, ont été abolis ;

✔ la nationalisation des biens des hôpitaux, à la suite du décret du 11 juillet 1794 (23 messidor an II), a entraîné la liquidation des terres et bâtiments de ceux-ci. Ces biens confisqués étaient destinés à être vendus à des particuliers. Sous la pression des élus locaux, cette décision a été abolie par la Convention en 1795. La restitution ou la compensation pour les biens déjà vendus a alors été décidée. L'État ne se reconnaissait plus de devoirs sociaux qu'envers les plus déshérités et encourageait la renaissance de la charité privée. L'« hospice civil » a remplacé l'« hôpital chrétien » et était réservé aux seuls indigents ;

✔ après la loi du 7 octobre 1796, des commissions de cinq membres, présidées par le maire, ont été mises en place pour assurer la direction des établissements hospitaliers publics communaux. Les médecins ont été de plus en plus impliqués dans le fonctionnement et l'organisation de l'hôpital, reléguant les personnels religieux au second plan ;

✔ la loi du 23 février 1802 a institué les concours de l'externat et de l'internat dans les grands hôpitaux, comme ceux de Paris et de Lyon ;

✔ avec l'arrêté du 4 décembre 1801, la modification des conditions d'admission dans les hôpitaux parisiens a abouti à la création d'un bureau central de réception pour optimiser la répartition des malades dans les établissements. Les hôpitaux de la ville ont été classés en deux groupes, selon qu'ils étaient communs (pour le traitement des maladies ordinaires) ou spéciaux (destinés à une catégorie particulière de patients). Ainsi, certains hôpitaux ont commencé à se spécialiser, comme Saint-Louis en dermatologie, l'hôpital du Midi en vénérologie, la Salpêtrière en médecine mentale.

Au cours du XIX⁰ siècle, on a ainsi assisté à une mutation de l'hôpital, qui est passé du statut d'institution charitable très peu médicalisée au service des pauvres et des malades à celui de centre de soins, d'enseignement et de recherche au service du progrès médical.

L'architecture des bâtiments évolue selon un modèle pavillonnaire : de nombreux petits bâtiments permettent de cloisonner les malades en fonction de leurs pathologies et d'éviter la propagation des maladies infectieuses.

LE SAVIEZ-VOUS ?

L'ancêtre de la Sécurité sociale ?

L'assistance médicale gratuite sera instaurée par la loi du 15 juillet 1893 qui précise que « tout Français malade, privé de ressources, toute femme en couches dans les mêmes conditions, reçoit gratuitement de la commune, du département ou de l'État, suivant son domicile de secours, l'assistance à domicile ou dans un établissement hospitalier ».

La création des écoles de santé

Les facultés de médecine, le Collège de chirurgie, l'Académie de chirurgie et la Société royale de médecine ont été supprimés au lendemain de la Révolution française. Cette décision fait suite à la loi du 18 août 1792, qui avait décidé de supprimer les congrégations laïques et ecclésiastiques, et au décret de la Convention nationale du 15 septembre 1793, qui a promulgué « la dissolution et la fermeture des facultés et organisations enseignantes ».

Antoine-François Fourcroy (1755 – 1809), qui faisait partie du Comité d'instruction publique, a élaboré un programme novateur de réforme de l'enseignement universitaire médical adopté le 4 décembre 1794 (14 frimaire an III). Celui-ci a abouti à la création des écoles de santé à Paris, Montpellier et Strasbourg, dont la mission était de dispenser un enseignement destiné à former des médecins et chirurgiens militaires. Le but du recrutement de ces futurs médecins était, comme le stipulait Fourcroy, de « soigner les soldats de la Patrie fatigués par leurs marches, souffrant des intempéries et d'épidémies meurtrières, et atteints d'honorables blessures ».

Une des particularités de l'enseignement mis en place par Fourcroy a été d'y associer à la fois des cours de chirurgie et de médecine :

> « La médecine et la chirurgie sont deux branches de la même science… Les étudier séparément, c'est abandonner la théorie au délire de l'imagination et la pratique à la routine toujours aveugle ; les réunir et les confondre, c'est les éclairer mutuellement et favoriser leurs progrès. Ainsi les médecins apprennent la chirurgie et vice versa ».

L'accent était mis sur une formation pratique obligatoire dans les services hospitaliers et dans les salles d'autopsie, ainsi que sur le remplacement du latin par le français comme langue d'enseignement de la médecine. Une place importante était ainsi faite à l'enseignement clinique au cours de trois années d'études gratuites. Chaque école possédait 12 chaires dirigées chacune par un professeur assisté d'un adjoint. L'école de santé de Paris a été mise en place dans les locaux de l'Académie de chirurgie et dans ceux de l'ex-couvent des Cordeliers.

Le 3 brumaire an IV (25 octobre 1795), les écoles de santé ont été transformées en écoles spéciales de médecine. Fourcroy insistait sur l'importance, pour les étudiants, d'avoir une « bonne conduite » et « l'amour de la République et la haine des tyrans ». Ils devaient prêter ce serment :

> « Je jure haine à la royauté et à l'anarchie ; je jure attachement et fidélité à la République et à la constitution de l'an III ».

Au cours du Consulat, certaines modifications ont été introduites dans l'enseignement de la médecine avec, en particulier, la création le 23 février 1802 de l'internat en médecine et chirurgie dans les hôpitaux et hospices civils de Paris.

Le diplôme de docteur en médecine

Au terme d'un cursus d'enseignement, il était délivré par l'État un diplôme assurant la qualification des personnels soignants.

Il existait deux types de soignants :

- ✔ les docteurs en médecine, qui suivaient un cursus dans les écoles de médecine, devenues facultés en 1808 ;

- ✔ les officiers de santé qui bénéficiaient d'un enseignement plus court et dont le mode d'exercice de la médecine était plus limité. Contrairement aux docteurs en médecine, ils n'étaient autorisés à exercer que dans les limites du département où ils avaient reçu leur diplôme.

 L'officier de santé resté le plus célèbre est sans doute Charles Bovary. Ce personnage du roman *Madame Bovary* (1857) exerce à Yonville, un bourg de Seine-Maritime. L'auteur, Gustave Flaubert, était fils et frère de chirurgiens.

La médecine scientifique

Les médecins vont devenir partisans de la méthode anatomoclinique qui consiste à comparer systématiquement les données de la clinique avec celles de l'anatomie pathologique. On a assisté aussi à l'introduction de nouveaux moyens d'investigation clinique.

Nouvelles techniques d'investigation clinique

Jusqu'au début du XIXᵉ siècle, l'examen clinique du malade était extrêmement limité. Il reposait sur l'interrogatoire, l'inspection et l'analyse des urines, des selles, des expectorations ou des écoulements.

Des nouveaux moyens d'investigation clinique ont considérablement bouleversé la pratique médicale quotidienne : la percussion de la paroi thoracique par Corvisart, l'auscultation pulmonaire et cardiaque par Laennec, mais aussi la mesure de la pression artérielle par Poiseuille et la compréhension des mouvements du cœur par Marey.

 La physiologie est devenue une véritable science expérimentale grâce à François Magendie (1783 – 1855) et, surtout, à son élève Claude Bernard (1813 – 1878). Ce dernier a contribué au progrès de la médecine dans divers domaines (neurologie, digestion, système endocrinien) et a souligné la nécessité de réaliser des travaux rigoureux et précis en employant des méthodes physiques et chimiques.

Corvisart et la percussion

Futur médecin de Napoléon, Corvisart s'est intéressé avant tout aux signes de la maladie et à l'établissement du diagnostic. À la suite de celui qui en est l'inventeur, le médecin autrichien Léopold Auenbrugger (1722 – 1809), il a souligné l'intérêt de la percussion de la paroi thoracique dans l'auscultation du malade.

Jean-Nicolas Corvisart des Marets, né en 1755, a embrassé la carrière médicale, malgré l'opposition de son père qui souhaitait qu'il embrasse, comme lui, la profession de magistrat. À l'hôpital de la Charité, il a travaillé avec Louis-René Desbois de Rochefort (1750 – 1786), qui l'a initié à la méthode anatomoclinique. En 1788, il lui succède en tant que médecin titulaire. Il a fondé en 1795 une école de clinique médicale puis, un an plus tard, la Société médicale d'émulation. En 1801, il a pris la direction du *Journal de médecine, chirurgie et pharmacie.* Son excellente réputation lui a valu d'être nommé médecin personnel de Napoléon Bonaparte et de Joséphine de Beauharnais. En 1801, il a guéri Napoléon de troubles digestifs en lui prescrivant un régime alimentaire strict. Il a également été nommé médecin du Gouvernement, chargé par les pouvoirs publics de mettre en place des mesures de prévention contre les épidémies et les maladies contagieuses, et a accompagné l'empereur au cours de ses campagnes militaires. En 1808, il est nommé baron d'Empire. Il est admis à l'Académie des sciences en 1811 et à l'Académie de médecine en 1820. Il est resté fidèle à Napoléon après son abdication et l'a rejoint au cours des Cent-Jours. Après la survenue d'une hémiplégie en 1816, il a interrompu toutes ses activités médicales jusqu'à sa mort, en 1821 à Courbevoie.

Corvisart est l'auteur d'un traité de cardiologie, *Essai sur les maladies et les lésions organiques du cœur et des gros vaisseaux* (1806) où il progresse dans la description des pathologies cardiaques.

Laennec, inventeur du stéthoscope

En 1816, Laennec a imaginé le stéthoscope après avoir observé un jeu d'enfants. Sous les décombres des guichets du Louvre, des enfants tapaient la pointe d'une épingle sur une longue poutre. Le son émis se propageait à l'autre extrémité où d'autres enfants se bousculaient pour l'entendre. Cette scène lui donna l'idée de mettre au point un instrument d'auscultation alors qu'il examinait une jeune femme souffrant d'une affection cardiaque. C'est parce qu'il n'osait pas poser son oreille sur sa poitrine qu'il a confectionné un rouleau de papier cylindrique à l'aide d'un cahier, ce qui lui a permis d'entendre distinctement les bruits de son cœur et sa respiration. Le stéthoscope est devenu depuis un outil indispensable à l'examen clinique.

Le mérite de Laennec a été d'étudier et de décrire remarquablement les différents bruits qu'il entendait grâce au stéthoscope. Il en a livré une analyse du point de vue physiopathologique dans *De l'auscultation médiate ou Traité de diagnostic des maladies des poumons et du cœur, fondé principalement sur ce nouveau moyen d'exploration* (1819), ouvrage à travers lequel il démontrait que le stéthoscope permettait de différencier les affections cardiaques des maladies pulmonaires et de poser des diagnostics précis.

René-Théophile-Hyacinthe Laennec, né en 1781, a fait ses études à Nantes puis à l'hôpital de la Charité à Paris. Après avoir exercé comme chirurgien de 3e classe dans l'armée de l'Ouest, il a obtenu un poste de médecin à l'hôpital Beaujon puis à l'hôpital de la Salpêtrière et, en 1816, à l'hôpital Necker. Il est mort en 1826, à 45 ans, victime d'une tuberculose pulmonaire dont il a décrit l'évolution à partir des troubles qu'il présentait.

Le modèle biauriculaire flexible de stéthoscope a été mis au point par Arthur Leared en 1852, puis amélioré par Constantin Paul en 1876.

Poiseuille : la mesure de la pression artérielle

En 1828, Poiseuille a mis au point un appareil à mercure permettant de mesurer le pouls et la pression artérielle, préfigurant le tensiomètre.

Jean-Louis-Marie Poiseuille (1799 – 1869), médecin et physicien, a étudié la pression du sang dans les artères grâce au manomètre à eau de Stephen Hales (1677 – 1761), qu'il améliore, en remplaçant le tube vertical par un tube en U contenant du mercure. Il a ainsi réalisé une série de mesures de la pression artérielle.

En 1856, le chirurgien lyonnais Jean Faivre (1824 – 1871) a réalisé, chez des personnes qui devaient être amputées, la première mesure de pression artérielle en reliant les artères de membres à un manomètre à mercure.

À Vienne, en 1881, Samuel Von Basch (1837 – 1905) a élaboré un sphygmomanomètre composé d'un ballonnet élastique relié à un manomètre. Appliqué d'une main à l'artère du poignet, jusqu'à l'arrêt des battements, l'appareil donnait des chiffres de pression artérielle.

En France, Pierre Potain (1825 – 1901) a souligné l'intérêt des travaux de Basch. Il a eu l'idée d'améliorer l'appareil de Basch en le rendant plus simple et plus maniable.

Le tracé des mouvements du cœur par Marey

Étienne-Jules Marey (1830 – 1904), médecin et physiologiste, a mis au point un appareil qui permettait d'obtenir un tracé des mouvements du cœur en fonction des pressions, par l'intermédiaire d'un tambour à levier. Son travail de recherche a permis d'améliorer considérablement les connaissances dans le domaine de la physiologie cardiaque.

L'essor de la médecine anatomoclinique

Le XIXᵉ siècle est marqué par l'essor de la médecine anatomoclinique, qui avait été exposée par Marie François Xavier Bichat dans ses deux célèbres ouvrages, *Traité des membranes* (1799) et *Recherches physiologiques sur la vie et la mort* (1800). À la suite des travaux de Bichat, la méthode anatomoclinique a permis d'améliorer la connaissance des signes évocateurs de pathologies et la prise en charge des malades, grâce aux données de l'examen clinique. En s'appuyant sur cette méthode anatomoclinique, des médecins ont décrit avec précision, un certain nombre de maladies :

✔ la tuberculose pulmonaire, décrite par Gaspard Laurent Bayle (1774 – 1816) qui a rapporté six types de lésions pulmonaires lui permettant d'établir une classification ;

✔ la fièvre typhoïde et l'angine diphtérique par Pierre Bretonneau (1778 – 1862) ;

✔ le rhumatisme articulaire aigu par Jean-Baptiste Bouillaud (1796 – 1881) ;

✔ le cancer gastrique par Armand Trousseau (1807 – 1867) ;

✔ l'ulcère simple de l'estomac par Jean Cruveilhier (1791 – 1874).

Cette méthode anatomoclinique a été adoptée par la suite dans les autres pays européens.

Bichat, le « Napoléon de la médecine »

La réalisation de plusieurs centaines de dissections a permis à Bichat de mettre en évidence le rôle des tissus comme unités anatomiques dotées de propriétés physiologiques qui pouvaient subir des modifications pathologiques. Il considérait que les maladies résultaient d'une modification fonctionnelle consécutive à une altération tissulaire.

Marie François Xavier Bichat (1771-1802) a fait ses études de médecine à l'Hôtel-Dieu de Lyon. Il a ensuite été nommé chirurgien surnuméraire à l'hôpital de Bourg-en-Bresse, puis il a poursuivi ses études à l'Hôtel-Dieu de Paris, où il est devenu l'élève puis l'assistant de Pierre-Joseph Desault (1738 – 1795). Ce dernier lui a fait rencontrer Philippe Pinel, Pierre Cabanis et Jean-Nicolas Corvisart. En 1801, il a été nommé médecin de l'Hôtel-Dieu, à Paris. Se sachant atteint d'une tuberculose pulmonaire, il a continué à mener une activité médicale ininterrompue. Il est mort à l'âge de 31 ans, malgré les soins de Corvisart. Ce dernier a prononcé son éloge funèbre : « Personne, en si peu de temps, n'a fait autant de choses et aussi bien ».

Bretonneau, l'initiateur de la bactériologie

Bretonneau a découvert l'existence des microbes, mais il ne disposait pas de microscope. Il était donc dans l'impossibilité de confirmer son hypothèse. Il était convaincu qu'une même maladie pouvait avoir une expression différente selon le malade : le diagnostic ne pouvait être posé qu'après une observation très attentive de celui-ci.

Pierre Bretonneau est né en 1778 en Touraine, dans une famille de maîtres chirurgiens. Il était l'exemple parfait de la persévérance. À la suite de son échec à trois reprises au doctorat de médecine, il a exercé comme simple officier de santé. Mais il a fait preuve d'opiniâtreté, ce qui lui a permis d'obtenir au quatrième essai son diplôme de docteur en médecine, à l'âge de 36 ans. Il a été nommé médecin à l'hôpital de Tours où il a fondé une école de médecine. Il a été l'enseignant de deux étudiants qui ont eu par la suite une carrière exceptionnelle : Armand Trousseau (1801 – 1867) et Alfred Velpeau (1795 – 1867). En 1824, il a été élu membre de l'Académie royale de médecine. Il est mort en 1862 à Paris et a été enterré au cimetière de Saint-Cyr-sur-Loire, près de Tours.

Bretonneau a identifié la diphtérie, qu'il a remarquablement décrite dans son ouvrage paru en 1826, *Des inflammations spéciales du tissu muqueux et, en particulier, de la diphtérite, ou inflammation pelliculaire*. Il a suggéré que l'agent pathogène se trouvait dans l'air, mais il n'a pas réussi à établir sa contagiosité. Il a également décrit la fièvre typhoïde.

Pinel : et si on enlevait les chaînes des fous ?

Philippe Pinel a affirmé la nécessité d'une démarche observation en médecine. Il est devenu célèbre pour la lutte implacable qu'il a menée dans le but d'humaniser les conditions de vie des aliénés dans les asiles. Il a permis la reconnaissance de l'autorité du médecin-psychiatre, qui a remplacé celle détenue jusqu'alors par le lieutenant de police. Il a apporté des éléments tout à fait novateurs sur le plan thérapeutique en rappelant le rôle de l'hygiène et de l'alimentation, ainsi que la nécessité de créer un climat de confiance entre les médecins et les patients souffrant de troubles mentaux. Réalisée en pleine Révolution française, en 1793, sa décision de ne plus attacher les malades mentaux constitue un des moments les plus importants de l'histoire de la psychiatrie. Ses travaux, ainsi que ceux de Jean-Dominique Esquirol (1772 – 1840), inaugurent une médecine « aliéniste » qui ne parle plus de « fous » mais de malades.

La camisole de force pour remplacer les chaînes

Philippe Pinel a proposé de remplacer les chaînes par un vêtement curieux mis au point, en 1790, par un tapissier nommé Guilleret. L'idée de la confection de ce vêtement de contention, auquel il a donné le nom de camisole de force, lui serait venu à l'esprit à partir de l'observation des femmes ayant des corsets si serrés qu'elles étaient dans l'impossibilité de se mouvoir. L'idée de Pinel partait d'un bon sentiment, car il considérait que les camisoles étaient censées donner aux pensionnaires des asiles psychiatriques une impression de liberté leur permettant de se promener. Pinel a d'ailleurs déclaré que « La camisole de force est le meilleur moyen de dompter et de réprimer les épileptiques, les maniaques et les suicidaires ».

D'emblée l'usage de la camisole a obtenu un grand succès, en particulier dans les établissements pénitentiaires, pour en vêtir les détenus dangereux. Jean Esquirol proposait de l'utiliser pour traiter ce qui est alors considéré comme un grave problème de société : l'onanisme. Il est important de rappeler que la camisole posait des problèmes respiratoires, car elle enserrait le thorax limitant la capacité respiratoire, en particulier chez ceux qui souffraient de broncho-pneumonie. Guy de Maupassant, enfermé en 1892 à la clinique du Docteur Blanche à Passy, serait mort dans ces conditions, le corps entravé par une camisole de force. La camisole de force a continué à être utilisée largement jusqu'à la découverte en 1952 de la chlorpromazine (voir chapitre 12), qui a constitué une révolution en psychiatrie appelée par ses détracteurs « camisole chimique »...

Fils de médecin, Pinel a fait ses études de médecine à Montpellier et à Toulouse. Après l'obtention de son diplôme en décembre 1773, il a eu un moment la vocation religieuse. Il s'est rendu ensuite à Paris en 1778. À partir de 1785, il a commencé à s'intéresser à la psychiatrie. En août 1793, par décret de la Convention, il a été nommé médecin-chef de Bicêtre, grâce à l'appui de Pierre Cabanis (1757 – 1808). Cet hôpital, qui avait très mauvaise réputation, accueillait non seulement les malades mentaux, mais aussi les prostituées et les forçats, dans des conditions d'hygiène insalubres. Avec son surveillant, Jean-Baptiste Pussin (1745 – 1811), Pinel a eu l'idée de libérer les aliénés de leurs chaînes. En abolissant leur usage, Pinel et Pussin se sont attiré l'animosité des autres gardiens, habitués à vivre tranquillement. Pinel a ensuite été nommé médecin-chef, le 24 floréal an III (13 mai 1795), à la Salpêtrière où il a adopté les mêmes méthodes qu'à Bicêtre.

Pinel est l'auteur de *Nosographie philosophique ou méthode de l'analyse appliquée à la médecine* (1798), ouvrage dans lequel il a établi un classement des malades mentaux, séparant les agités et les calmes. Différenciant les affections psychiatriques à partir des résultats de ses observations, il a publié un *Traité médico-philosophique sur l'aliénation mentale ou la manie* (1801).

L'enfant sauvage et le docteur Itard

En 1801, contre l'avis de Pinel, le docteur Jean-Marc-Gaspard Itard (1774 – 1838) a décidé de s'occuper d'un enfant découvert un an auparavant dans une forêt de l'Aveyron où il vivait nu, se nourrissant de glands et de racines, marchant à quatre pattes et ne sachant pas parler. Il avait été d'abord confié à un orphelinat de Saint-Affrique, puis transféré à Rodez et remis ensuite à l'Institution impériale des sourds-muets de Paris. Il a alors été pris en charge par Jean-Marc-Gaspard Itard qui y assurait les fonctions de médecin-chef. Alors que Philippe Pinel considérait qu'il était dans l'impossibilité d'acquérir les rudiments de l'éducation, Itard s'est obstiné à vouloir éduquer cet enfant, auquel il a donné le prénom de Victor. Il s'en est occupé pendant plusieurs années, manifestant à son égard de l'affection et de l'intérêt. En 1806, Itard a publié un *Rapport sur les nouveaux développements de Victor de l'Aveyron*, où il a fait part de son échec dans la mission qu'il s'était fixée. L'enfant sauvage est mort en 1828, sans avoir jamais réussi à prononcer un seul mot de sa vie, mis à part la lettre « O ».

Le film réalisé en 1970 par François Truffaut, *L'Enfant sauvage*, a permis à un grand public de connaître l'histoire de cet enfant.

 La psychiatrie est devenue une discipline à part entière avec la loi du 30 juin 1838, inspirée par le disciple de Pinel, Jean-Étienne Esquirol (1772 – 1840). Elle stipulait que chaque département était tenu d'avoir un établissement de soins (ou de traiter avec un asile d'un autre département) destiné à recevoir et traiter les aliénés. C'est le médecin « aliéniste » qui décidait de leur internement ou de leur guérison.

Monsieur le professeur !

Les grandes spécialités médicales sont nées dans les hôpitaux parisiens au XIXe siècle. La nosologie médicale (la classification des maladies) et la sémiologie médicale (étude des signes des maladies) bénéficient de l'apport de la médecine anatomoclinique. Les médecins vont poser des diagnostics de plus en plus précis, permettant de jeter les fondements de nouvelles spécialités médicales. À cela s'est ajoutée une organisation centralisatrice sous le Consulat. En 1802, un Conseil général des hospices et hôpitaux s'est ainsi mis en place assurant la gestion des hôpitaux parisiens (remplacé en 1849 par une Administration générale de l'Assistance publique). L'internat et l'externat des Hôpitaux de Paris sont créés. Logés sur place, les étudiants assurent une permanence des soins et constituent un vivier pour de futurs chefs de service hospitaliers.

À Paris, des hôpitaux se répartissent les malades « communs » : l'Hôtel-Dieu (où Bichat exerce la chirurgie), Saint-Antoine, la Charité (qui accueillera les malades du choléra), Cochin, Necker, Beaujon. D'autres s'organisent par spécialité : Saint-Louis (les maladies de peau), les Vénériens (pour les prostituées), les Enfants malades (le premier hôpital pédiatrique, créé en 1802). Deux immenses hospices, la Salpêtrière (pour les femmes) et Bicêtre (pour les hommes), regroupent indigents, infirmes, vieillards, prisonniers.

 Dans les grands amphithéâtres des hôpitaux parisiens, d'éminents cliniciens et professeurs (agrégés, à partir de 1823) développent des enseignements libres (qui ne dépendent pas de la faculté de Médecine) dans leur domaine d'excellence. Ils présentent les cas d'école sous l'œil admiratif de leurs étudiants et d'un large public (médecins étrangers, journalistes, peintres…) et acquièrent une renommée internationale. Des cours cliniques sont ainsi dispensés dans le cadre de l'Assistance publique des hôpitaux, qui recrute des spécialistes par voie de concours, créant ainsi de nouvelles spécialités : médecins aliénistes en 1879, accoucheurs des hôpitaux en 1881, stomatologistes en 1887, ophtalmologistes et oto-rhino-laryngologistes (ORL) en 1899, électro-radiologistes en 1908. Au sein de la faculté de médecine de nouvelles « chaires » de clinique se constituent aussi (il n'y en avait que 12 au début du XIXᵉ siècle) dirigées par des professeurs titulaires : pathologie mentale et affections de l'encéphale, dirigée à Sainte-Anne par le professeur Ball (1877), maladie des enfants aux Enfants-Assistés (1878), ophtalmologie à l'Hôtel-Dieu (1878), maladies cutanées et syphilitiques à Saint-Louis, sous l'égide du professeur Alfred Fournier (1879), système nerveux à la Salpêtrière (1882), obstétrique à Baudelocque (la deuxième à être consacrée à cette spécialité, 1889), maladies urinaires à Necker (1890).

Armand Trousseau et la clinique, à l'Hôtel-Dieu

Armand Trousseau fut un des plus grands cliniciens français du XIXᵉ siècle. Il a contribué au développement de la laryngologie (la naissance de l'ORL attendra la fin du siècle) : il a ainsi été le premier à pratiquer la trachéotomie. Il est l'auteur de *Clinique médicale de l'Hôtel-Dieu* (1861), en trois volumes, qui a contribué à sa renommée mondiale : il y fait, entre autres, une description de l'asthme (il était lui-même asthmatique), de la diphtérie, des fièvres éruptives, du goitre exophtalmique, de la tétanie (signe de Trousseau), de la maladie de Basedow et de l'aphasie.

 Armand Trousseau (1801 – 1867), orphelin très jeune et boursier, commence une carrière de professeur de rhétorique avant d'étudier la médecine avec Pierre-Fidèle Bretonneau (1778 – 1862) à Tours, puis à Paris. Sa carrière est exemplaire : agrégé de la faculté de médecine de Paris en 1827, puis médecin des hôpitaux en 1830. En 1852, il est nommé professeur de clinique médicale et médecin en chef de l'Hôtel-Dieu de Paris où il donnera ses leçons cliniques. On attribuera son nom à l'hôpital Sainte-Marguerite. Il est mort en 1867 d'un cancer de l'estomac qu'il avait parfaitement su diagnostiquer.

 Armand Trousseau a eu pour élève Guillaume Duchenne dit de Boulogne (1806 – 1875), autre grand clinicien (la myopathie) du XIXᵉ siècle, fondateur avec Charcot de la neurologie.

Le professeur Charcot et la neurologie, à la Salpêtrière

Jean-Martin Charcot, grand clinicien et fondateur de la neurologie moderne, a élaboré un concept novateur et original selon lequel le cerveau n'est pas homogène, mais plutôt une association de territoires divers ayant des fonctions distinctes. Cette conception a permis à la neurologie de faire un bond en avant. Il est aussi avec son maître, Guillaume Duchenne (1806 – 1875), un précurseur de la psychopathologie.

Fils de charron, Jean-Martin Charcot (1825 – 1893) a fait de brillantes études à la faculté de médecine de Paris. Après avoir été nommé interne des hôpitaux de Paris en 1848, il est devenu chef de clinique en 1853, puis médecin des hôpitaux en 1856. En 1862, il a été nommé chef de service à l'hôpital de la Salpêtrière (au sein de bâtiments situés à l'emplacement actuel de la Mosquée de Paris), dans le quartier des « Vieilles-Femmes ». Il est resté célèbre pour les leçons, théoriques et cliniques, qu'il y a données, de 1862 à 1870, sur les maladies chroniques, les maladies des vieillards et les maladies du système nerveux. Publiées, elles ont contribué à accroître considérablement sa notoriété. En 1882, la chaire de clinique des maladies du système nerveux est créée : chef de file de cette École de la Salpêtrière, il a placé l'hypnose et l'hystérie au centre de ses recherches, auxquelles contribueront ses élèves neurologues ou psychologues et psychiatres : Édouard Brissaud (1852 – 1909), Pierre Marie (1853 – 1940), Joseph Babinski (1857 – 1932), Alfred Binet (1857 – 1911), Georges Gilles de la Tourette (1854 – 1904), Pierre Janet (1859 – 1947). Entre octobre 1885 et février 1886, Charcot a accueilli dans son service un jeune étudiant viennois nommé Sigmund Freud, qui a étudié les manifestations de l'hystérie, les effets de l'hypnotisme et la suggestion. Ce dernier a écrit à propos de Jean-Martin Charcot dans une lettre à sa fiancée :

« Charcot, un des plus grands médecins et dont la raison confine au génie, est en train de démolir mes conceptions et mes desseins. La graine produira-t-elle son fruit, je l'ignore ; mais que personne n'a jamais eu autant d'influence sur moi, de cela je suis sûr. »

Pendant plus de 10 ans, à la Salpêtrière, Charcot va décrire les signes cliniques des malades et scruter les lésions du cerveau et de la moelle épinière à l'autopsie, en utilisant la méthode anatomoclinique. Il a apporté une contribution importante à la connaissance de la maladie de Parkinson, « paralysie agitante », à la sclérose en plaques, et donné son nom à la sclérose latérale amyotrophique, nommée « maladie de Charcot ». Mais il a échoué dans l'aboutissement de ses travaux sur l'hypnose et l'hystérie…

Hypnose et hystérie

Pour Charcot, les troubles hystériques ont pour cause un choc traumatique, devenu inconscient par dissociation de la pensée. Cet état d'hypnose (« grande névrose hypnotique » ou « grand hypnotisme ») est révélateur de l'hystérie, dont il décrit les trois étapes : léthargie, catalepsie et somnambulisme. Objet d'étude, l'hypnose est aussi une méthode utilisée pour étudier les manifestations de l'hystérie, puisqu'il est impossible de trouver des lésions organiques. Elle ne constitue pas alors un traitement, comme Sigmund Freud (1856-1939) aura l'idée de le faire avec la psychanalyse (voir chapitre 12).

Jean-Martin Charcot a été immortalisé dans un célèbre tableau de Gustave Courbet, qui le représente à la Salpêtrière au cours des leçons du mardi, auxquelles assistaient les plus grandes personnalités parisiennes de la science, des arts et de la politique.

Célèbres, mais pas comme médecins !

L'aperçu des médecins du XIXᵉ siècle ne serait pas complet si on ne s'autorisait cette parenthèse récréative. Deux exemples, parmi d'autres, sont emblématiques.

Anton Tchekhov

On oublie souvent que le célèbre écrivain russe Anton Pavlovitch Tchekhov (1860 – 1904) était médecin. Ce petit-fils de serf et fils d'un épicier de Taganrog (en Crimée) a fait ses études de médecine à Moscou. Il avait manifesté très tôt un talent pour l'écriture. Au cours de ses études de médecine, il a écrit dans la revue *La Cigale* des contes et de courts récits humoristiques sous le pseudonyme d'Antocha Tchekhonte. En 1884, il a obtenu son diplôme de docteur en médecine et a commencé à exercer dans un hôpital de Zvenigorod, tout en poursuivant son activité littéraire. Ses contes connaissant un succès grandissant, l'écrivain Dimitri Grigorovitch (1822 – 1899) lui écrivit une lettre de félicitations dans laquelle il lui conseillait de ne pas exercer la médecine et de se consacrer à l'écriture. Tchekhov lui a alors répondu :

> « La médecine est ma femme légale, la littérature, ma maîtresse ; fatigué de l'une, je passe la nuit avec l'autre. »

Tchekhov a alors publié une pièce de théâtre (*Ivanov,* 1887) et des nouvelles (*La Steppe,* 1888). En 1890, il est parti étudier pendant trois mois les conditions de détention des forçats sur l'île de Sakhaline. Il en tira un livre qui dénonçait le caractère abject de l'univers concentrationnaire, notamment les châtiments corporels infligés aux prisonniers, ce qui a suscité leur abrogation (*L'Île de Sakhaline,* 1893).

C'est la période à partir de laquelle Tchekhov a commencé à souffrir de tuberculose. Il s'est installé à Yalta, en Crimée, en raison de la qualité du climat. Tout en exerçant gratuitement la médecine, il a écrit de nombreux chefs-d'œuvre, dont *La Mouette* (1896), *Oncle Vania* (1897), *Les Trois Sœurs* (1900), *La Cerisaie* (1903). Il est mort en 1904, victime de sa maladie, en buvant une coupe de champagne prescrite par son médecin.

Arthur Conan Doyle

Peu de personnes savent que celui qui a inventé le célèbre détective flegmatique et ingénieux Sherlock Holmes était médecin. Au cours de ses études de médecine, Arthur Conan Doyle (1859 – 1930) a été impressionné par le prestigieux professeur écossais Joseph Bell (1837 – 1911). Grâce à la seule observation, en procédant par déductions successives, celui-ci était capable de déchiffrer avec exactitude le mal dont souffrait un patient. Il pouvait même retracer ses antécédents médicaux. Yeux gris perçants, nez aquilin : le portrait qu'a fait le romancier de son personnage ressemble étrangement à celui de Joseph Bell.

Arthur Conan Doyle n'était pas destiné à devenir écrivain. Il souhaitait devenir un médecin respectable et respecté quand il s'est établi en septembre 1882 à Southsea, un faubourg de Portsmouth. Pour faire face aux dettes qui s'accumulaient, car les patients ne se bousculaient pas dans sa salle d'attente, le médecin écossais a imaginé écrire des nouvelles ayant pour héros un détective dont les méthodes d'investigation seraient similaires à celles qu'employait le professeur Joseph Bell. Il a envoyé une première nouvelle, *Une étude en rouge*, qui a été publiée dans le *Beeton's Christmas Annual* en 1887.

Très rapidement, le personnage créé par Conan Doyle a rencontré le succès. Il a alors continué à écrire d'autres nouvelles pour le *Strand Magazine*. Lorsque sa clientèle a commencé à devenir importante, Conan Doyle a eu l'idée de décourager le journal en demandant 50 livres par nouvelle, ce qui était une somme exorbitante pour l'époque. Mais loin de la lui refuser, le journal a accepté.

Dès lors, Conan Doyle a été pris à son propre jeu et il a abandonné la médecine pour l'écriture. Mais il n'aimait pas vraiment le personnage de Sherlock Holmes, qu'il a volontiers peint sous les traits d'un personnage froid et cynique, quoique supérieurement intelligent. Le célèbre détective était souvent en proie à de terribles crises de neurasthénie : il tirait des coups de revolver dans sa cave et consommait de la cocaïne. Conan Doyle a rapporté qu'il se reconnaissait plus dans le personnage du docteur Watson, le partenaire d'enquête et narrateur, auquel il ressemblait physiquement.

Avec le temps, Conan Doyle a fini par détester son personnage. Il a pris la décision de tuer Sherlock Holmes en le faisant précipiter dans les chutes suisses de Reichenbach par son ennemi juré, le maléfique professeur Moriarty, dans la nouvelle intitulée *Le Dernier problème* (1893). Conan Doyle s'est alors senti soulagé, refusant de ressusciter Sherlock Holmes comme l'en suppliaient ses lecteurs, y compris sa propre mère.

Finalement, en 1902, contre toute attente, Conan Doyle a écrit une nouvelle aventure de son personnage fétiche, *Le Chien des Baskerville*. L'action est censée se dérouler avant le décès de Sherlock Holmes dans le gouffre de Reichenbach. Ce ne sera que trois ans plus tard qu'il procédera à la résurrection officielle de son personnage, dans *Le Retour de Sherlock Holmes* (1905), afin de financer la construction de sa nouvelle maison. Le succès a été immédiat, mais l'auteur s'est alors vengé en rendant son personnage de plus en plus noir. Conan Doyle est mort en 1930 d'une crise cardiaque.

Le bond en avant de la chirurgie

Grâce à la refonte des études de médecine pendant la période révolutionnaire (voir chapitre 11), la chirurgie est désormais enseignée conjointement à la médecine. Elle connaît un développement exceptionnel.

L'anesthésie et l'asepsie améliorent les conditions d'exercice de la chirurgie. De grands chirurgiens tentent de nouvelles techniques opératoires…

On assiste aussi à l'apparition de grands patrons, qui se rendent en redingote pour opérer dans les amphithéâtres, sous les yeux de spectateurs avides de sensations fortes. La chirurgie « spectacle » est à son apogée.

Deux figures de la chirurgie de guerre

Pendant les campagnes de Napoléon, les barons Pierre-François Percy et Dominique-Jean Larrey vont établir et codifier les règles de la chirurgie de guerre, avec la réalisation d'interventions rapides, de pansements d'urgence et d'actes chirurgicaux répétitifs.

Percy et son « Würst »

Pierre-François Percy, chirurgien des armées de Napoléon, a lutté pour soulager le sort des blessés.

Pierre-François Percy (1754 – 1825), dont le père était médecin, a fait des études de médecine à Besançon. En 1775, il est devenu docteur en médecine. Il est venu à Paris en 1776 pour faire son service militaire. Puis il est devenu chirurgien en chef des armées révolutionnaires. Il a mis en place un corps de chirurgiens militaires chargés de venir en aide aux soldats blessés. Nommé en 1803 inspecteur du Service de conseil de santé et chirurgien en chef de la Grande Armée, il a participé à toutes les campagnes militaires de l'Empire.

En 1813, Percy a créé avec Larrey un corps de brancardiers militaires chargés de ramener les blessés du champ de bataille. Après la bataille de Wagram, en 1809, son dévouement lui a valu le titre de baron de l'Empire. Pendant les dernières années de sa vie, Percy a rédigé ses mémoires, *Le Journal des campagnes du baron Percy, chirurgien en chef de la Grande Armée.*

Percy a inventé le « Würst », une sorte d'ambulance tirée par des chevaux, fabriquée à partir d'un train d'artillerie bavarois qui permettait de soigner les blessés au cœur de la mêlée.

Larrey, « l'ami et la Providence du Soldat »

Dominique-Jean Larrey a participé à pratiquement toutes les guerres révolutionnaires et toutes les campagnes napoléoniennes. Napoléon a dit de lui : « c'est l'homme le plus vertueux que j'aie connu ! » Chirurgien militaire, il a innové dans le secours et la pratique chirurgicale d'urgence.

 Dominique-Jean Larrey (1766 – 1842) a fait des études de médecine à Toulouse, puis à Paris où il a été l'élève de Pierre-Joseph Desault (1738 – 1795). Chirurgien militaire pendant les campagnes d'Italie et d'Égypte, il est remarqué par le général Bonaparte qu'il a suivi en devenant chirurgien en chef de la Grande Armée. En 1796, il est devenu chirurgien en chef de l'hôpital du Val-de-Grâce. En 1803, il soutient sa thèse de doctorat, *Dissertation sur les amputations des membres à la suite des coups de feu*, et il est le premier titulaire du titre de docteur en chirurgie. Il est nommé inspecteur général du Service de santé des armées et chirurgien en chef de la Garde impériale. Napoléon lui a décerné le titre de baron de l'Empire en 1809.

Larrey s'est illustré en participant comme chirurgien à pratiquement toutes les batailles de la Révolution et de l'Empire pendant 18 ans. Son exploit le plus fameux restera la réalisation après la bataille de la Moskova, en 1812, de près de 200 amputations en 24 heures. Il est le seul chirurgien de l'armée impériale capable de réaliser l'amputation d'un bras en 17 secondes. Larrey avait une admiration sans limites pour Napoléon. Ce dernier reconnaissait ses mérites, ce qui l'a conduit à déclarer : « Si l'armée érige un monument pour exprimer sa gratitude, c'est en l'honneur de Larrey qu'elle doit le faire. »

Larrey a apporté des innovations importantes dans le domaine de la prise en charge des blessés. Il a mis en place des « ambulances volantes » qui étaient composées d'un médecin, de deux assistants et d'un infirmier chargé de donner les premiers soins avant de procéder aux évacuations. Cette méthode, révolutionnaire à l'époque, a permis de sauver de nombreux soldats qui étaient condamnés à souffrir sur le champ de bataille sans recevoir le moindre soin. Il a souligné l'importance de changer fréquemment les pansements et de nettoyer soigneusement les plaies. Il a été le premier à insister sur la nécessité de procéder à la séparation des blessés d'avec les malades contagieux.

Dominique-Jean Larrey a relaté, dans ses mémoires, le cas d'un certain Louis Vauté, caporal d'infanterie, victime au siège d'Alexandrie en 1801 « d'un coup de boulet qui lui emporta la presque totalité de la mâchoire inférieure et les trois quarts de la supérieure ; de manière qu'il en était résulté une plaie épouvantable, avec perte de substance » (*Mémoires de chirurgie militaire et campagnes*, 1812 – 1817). L'ayant pris en charge à l'hôpital « où ses camarades l'avaient déposé, dans la persuasion qu'il était mort », Larrey va le soigner en couvrant « toute cette excavation d'un grand linge fenêtré, trempé dans le vin chaud ». Le malheureux grognard survécut, mais il a porté jusqu'à la fin de sa vie un masque en argent pour dissimuler son horrible blessure.

Techniques au service de la chirurgie

L'anesthésie, l'asepsie et l'antisepsie ont été les facteurs déterminants qui ont permis le développement de la chirurgie. Les chirurgiens ont pu réaliser des interventions plus audacieuses.

Alors que l'anesthésie a été adoptée d'emblée par la quasi-totalité des chirurgiens, les règles aseptiques se sont intégrées plus difficilement dans la pratique opératoire. Il a fallu attendre la fin du XIXe siècle – et même le début du XXe – pour que tous les chirurgiens soient persuadés de leur intérêt. Les masques opératoires et les gants chirurgicaux de caoutchouc stérilisés avaient été mis au point en 1885 aux États-Unis et préconisés par le chirurgien américain William Halsted, en 1889 lors de chaque intervention. On disposait en outre d'autoclaves (récipients hermétiques) pour réaliser la stérilisation des instruments opératoires, selon les recommandations d'Octave Terrillon (1844 – 1895), en 1883, et de Louis-Félix Terrier (1837 – 1908). En conséquence de ces innovations, on a assisté peu à peu à une amélioration de la conception des salles d'opération.

Des progrès sont effectués également dans l'instrumentation chirurgicale :

- Édouard Chassaignac (1804 – 1879) a élaboré, en 1859, le premier drainage chirurgical en utilisant des tubes en verre ou en plastique pour évacuer l'épanchement des liquides ;
- Eugène Koeberlé (1828 – 1915) et Emil Theodor Kocher (1841 – 1917) ont inventé chacun une pince chirurgicale ;
- Jules Péan (1830 – 1898) a conçu, en 1868, la pince hémostatique qui permet aux chirurgiens de ne plus opérer dans un bain de sang ;
- Jacques-Louis Reverdin (1842 – 1929) a mis au point l'aiguille courbe ;
- Louis-Hubert Farabeuf (1841 – 1910) a inventé des écarteurs.

La naissance de l'anesthésie

 L'acte inaugural de la naissance de l'anesthésie s'est déroulé à Hartford (Connecticut) le 10 décembre 1844, le jour où le dentiste Horace Wells (1815 – 1848) a assisté à un numéro de cirque loufoque employant du « gaz hilarant » de Gardner Quincy Colton.

Le protoxyde d'azote, gaz hilarant

Il s'agit d'un gaz nommé protoxyde d'azote qui a été découvert en 1772 par un prêtre et savant anglican, Joseph Priestley (1733 – 1804). Un chimiste anglais, Humphry Davy (1778 – 1829), l'avait expérimenté au début du XIXe siècle. Il avait rapporté que ce gaz entraînait un certain « endormissement » et surtout une euphorie importante. Son inhalation provoque en effet une perte du contrôle verbal et de la retenue. Pour cette raison, le protoxyde a été baptisé « gaz hilarant ». Il a longtemps été utilisé uniquement dans les cirques et les foires.

Sur scène, les acteurs réalisaient toutes sortes d'acrobaties et de pitreries après avoir inhalé un peu de ce gaz. Au cours du spectacle, Horace Wells a été surpris de voir qu'un des acteurs s'était blessé sérieusement à la jambe après une chute, sans esquisser la moindre manifestation de douleur. Le lendemain, alors qu'il devait se faire arracher une dent par un ancien élève, il eut l'idée d'expérimenter sur lui-même le protoxyde d'azote. L'absence de douleur a enthousiasmé Wells, qui a décidé de convaincre ses confrères chirurgiens. Il a organisé une démonstration devant un auditoire médical, le 20 janvier 1845 à Boston, qui a été un échec complet, car le gaz s'est éventé en raison d'un défaut matériel. Ridiculisé, Wells a été obligé d'abandonner sa profession d'origine. Il est devenu marchand de tableaux et a commencé à souffrir de dépression, ce qui l'a conduit à devenir toxicomane.

 Selon la légende, la fin de Wells aurait été tragique puisqu'il se serait suicidé plusieurs années plus tard, en se tranchant l'artère fémorale après avoir inhalé du protoxyde d'azote.

Le 16 octobre 1846, le chirurgien John Collins Warren (1773 – 1856) eut l'idée d'anesthésier un patient nommé Édouard Abott, au Massachusetts Hospital de Boston, avant de réaliser une ablation d'une tumeur cervicale en le faisant inhaler dans un ballon d'éther. Le point de départ de cette expérience a été l'idée d'un autre dentiste, Thomas Green Morton (1819 – 1868), qui avait assisté à l'essai de Wells et qui avait utilisé de l'éther sulfurique.

Le retentissement de cette « première » dans le monde entier a été considérable. En Europe, les premières interventions sous inhalation gazeuse ont eu lieu en 1846 à Londres, puis en 1847, en Allemagne et en France.

Cela a marqué le début de l'ère de l'anesthésie. Désormais, les chirurgiens sont enthousiasmés par cette découverte qui est adoptée à la quasi-unanimité. Un chirurgien a même proclamé « Notre métier est délivré pour toujours de l'horreur ! ».

Simpson et l'anesthésie « à la Reine »

James Young Simpson (1811 – 1870), professeur à Édimbourg, s'est rendu célèbre non seulement en améliorant et en simplifiant les forceps, mais, en inventant la première ventouse obstétricale. Mais il a véritablement obtenu la gloire en préconisant, en 1847, l'utilisation du chloroforme comme mode d'anesthésie en obstétrique. Il a assuré l'accouchement du huitième enfant de la Reine Victoria, le prince Leopold, en 1853, en administrant du chloroforme, d'où l'expression de l'anesthésie « à la Reine ». La renommée de Simpson est alors devenue considérable. L'un de ses amis, présent à une réception de Simpson dans le salon de Madame Victor Hugo, a raconté que « l'excitation était extraordinaire et que, pendant un moment, on pouvait entendre le son *ss ss ss* courant à travers la pièce alors que passait de bouche en bouche l'exclamation : "C'est Simpson ! C'est Simpson !" »

Désormais, le chirurgien pouvait se lancer dans des techniques chirurgicales de plus en plus élaborées. On assista toutefois à une opposition de certains chirurgiens qui reprochaient à l'anesthésie d'annihiler le tempérament chirurgical ! En France, deux camps se sont violemment affrontés pendant de nombreuses années sur le mode d'anesthésie à adopter.

L'adoption des antiseptiques

Dans le même temps, la conception des salles d'opération s'est améliorée considérablement, compte tenu de l'introduction des nouvelles méthodes d'asepsie.

Joseph Lister (1827 – 1912), un professeur britannique prestigieux, fils d'un riche négociant en alcool, s'est intéressé très tôt aux problèmes infectieux. Il a émis l'hypothèse que l'infection des plaies cutanées avait pour origine la présence de « poussières pathogènes » contenues dans l'atmosphère. Le génie de ce chirurgien a été de tenir compte des travaux de Pasteur et de les appliquer à l'infection chirurgicale. Il a eu l'idée de pulvériser de l'acide phénique sur les plaies ouvertes et de les fermer hermétiquement après l'intervention avec un pansement fait de gaze phéniquée (« pansement de Lister »).

Joseph Lister a exposé pour la première fois la notion d'antisepsie dans un article intitulé « On the antiseptic principle in the practice of surgery » paru en 1867 dans *The Lancet*. Les idées de Lister sont accueillies avec méfiance par ses collègues jusqu'en 1870, année où il publie les résultats de la mortalité après amputation : 45 % de mortalité avant l'antisepsie, 15 % seulement après.

La « méthode antiseptique de Lister » n'est acceptée qu'en 1875 par la communauté médicale, qui préconise alors l'usage de compresses imbibées de solution d'acide phénique. L'idée de cette méthode a été développée en France par Stéphane Tarnier (1828 – 1897) et Just Lucas-Championnière (1843 – 1913). Lister a alors bénéficié d'une immense renommée internationale dont le couronnement a lieu, en 1892, avec l'accolade de Pasteur dans le grand amphithéâtre de la Sorbonne.

A contrario, l'histoire d'Ignace Semmelweis (1818 – 1865) est emblématique des difficultés qu'ont pu avoir certains médecins pour faire admettre leurs idées dans le corps médical.

PORTRAIT

Ignace Semmelweis contre la fièvre puerpérale

Ce fils de commerçants hongrois aisés était assistant dans le service d'obstétrique de l'hôpital général de Vienne. Il avait comptabilisé, en 1844, un nombre important de décès de femmes en couches à la suite de ce qui était appelé la fièvre puerpérale. Les médecins considéraient que ces décès étaient dus au froid, à l'humidité, aux « miasmes » de l'air ou même à la rétention du lait dans l'abdomen. Ignace Semmelweis a constaté que la mortalité des femmes qui accouchaient à domicile était moins importante que dans le service où il travaillait. Il a envisagé l'hypothèse selon laquelle la fièvre puerpérale était due à des germes véhiculés par les médecins eux-mêmes, lorsqu'ils se rendaient directement des salles de dissection et d'autopsie aux salles d'accouchement, sans prendre le soin de se laver les mains et de changer de blouse.

Ignace Semmelweis a alors exigé des médecins qu'ils se lavent et qu'ils se brossent les mains avec du chlorure de chaux à chaque fois qu'ils se rendaient dans les salles d'accouchement après avoir réalisé des dissections. Il leur a également demandé de se laver les mains entre chaque examen de patiente et de nettoyer soigneusement les instruments utilisés.

La méthode mise en place par Ignace Semmelweis a eu des résultats intéressants puisqu'elle a permis de réduire considérablement la mortalité des accouchées, qui est passée de 27 % à 0,23 %.

Mais il a été l'objet de moqueries et de sarcasmes de la part de ses confrères et de la direction de l'hôpital, qui l'a révoqué. Il est revenu à Budapest où il a fait adopter les mêmes méthodes d'hygiène qu'à Vienne. Il a continué à faire l'objet de critiques. Interné dans un asile, il serait mort selon la légende, à la suite d'une septicémie consécutive à une plaie cutanée mal soignée.

Innovations chirurgicales

Grâce à l'anesthésie, des opérations plus audacieuses peuvent être réalisées :

- ✔ en 1848, le chirurgien britannique Henry Hancock (1809 – 1880) a réalisé la première appendicectomie sous anesthésie au chloroforme ;

- ✔ en 1853, le chirurgien américain Walter Burnham (1808 – 1883) a réalisé la première hystérectomie, qui consiste à enlever l'utérus, par voie abdominale ;

- ✔ en 1882, l'obstétricien Max Sänger (1953 – 1903) a décrit pour la première fois une méthode permettant de réaliser une césarienne.

 Une césarienne avait été réalisée pour la première fois en 1500 par Jakob Nufer, un châtreur de porc, sur sa propre femme.

- ✔ En 1883, le chirurgien écossais Robert Lawson Tait (1845 – 1899) a effectué la première salpingectomie (qui consiste à réaliser l'ablation de la trompe de Fallope).

À cette époque, les chirurgiens ont également commencé à transplanter certains organes, ouvrant la voie à l'aventure extraordinaire de la transplantation cardiaque ou rénale au XXe siècle (voir chapitre 12).

Histoire des greffes d'organes

En 1744, en Suisse, le naturaliste Abraham Trembley (1710 – 1784) a réalisé les premières expériences de transplantation d'organes sur des animaux ; elles se poursuivront sans obtenir le succès escompté. En 1869, le Suisse Jacques Reverdin (1842 – 1929) a effectué, à Genève, la première greffe de peau. Eduard Konrad Zirm (1863 – 1944) a été l'auteur, en 1905, de la première greffe de cornée qui, non vascularisée, échappe aux phénomènes du rejet.

La principale difficulté à laquelle les chirurgiens étaient confrontés était d'assurer une suture durable des vaisseaux sanguins des organes transplantés sur ceux des receveurs. Une technique chirurgicale efficace a été mise au point en 1912 par Alexis Carrel, qui avait appris auprès d'une brodeuse à réaliser des travaux de couture. Il restait à contrecarrer le phénomène de rejet, réaction naturelle du système immunitaire, qui combat la présence du greffon comme s'il luttait contre la présence au sein de l'organisme d'un agent microbien. Interné dans un asile psychiatrique, il serait mort, selon la légende, à la suite d'une septicémie consécutive à une plaie cutanée mal soignée.

Le triomphe de l'infectiologie

À partir de la seconde moitié du XIXᵉ siècle, on assiste à une véritable compétition entre les chercheurs dans le domaine de la bactériologie, initiée par Bretonneau, grâce aux nouvelles techniques microbiologiques mises au point par deux chercheurs de génie : Louis Pasteur et Robert Koch.

La prise en compte, à la fin du XIXᵉ siècle, des découvertes dans le domaine des maladies infectieuses, entraîne des changements architecturaux dans les hôpitaux, avec notamment la création de salles d'opération aseptiques et la construction de pavillons hospitaliers réservés à chaque maladie transmissible. L'hôpital va cesser d'être le lieu des pauvres et de l'assistance, pour devenir le fer de lance de la recherche, des soins et de la médecine de pointe.

Pasteur, le père de la microbiologie

Biologiste et chimiste, Pasteur est connu pour ses travaux sur le vaccin contre la rage. Fondateur de la microbiologie (branche de la biologie qui étudie les organismes microscopiques), Pasteur a isolé le rôle des germes dans la propagation des maladies infectieuses, inventé la pasteurisation et élaboré des vaccins contre plusieurs maladies.

Le fait que Pasteur ne soit pas médecin a suscité de nombreuses critiques dans le corps médical qui refusait d'admettre la véracité des résultats de ses études microbiologiques et, surtout, ses conceptions dans le domaine de l'antisepsie et de l'asepsie.

Ancien élève de l'École normale supérieure, Louis Pasteur (1822 – 1895) est devenu professeur à la faculté des sciences de Strasbourg en 1848. À la demande de Napoléon III, il a mené des recherches sur les vins qui ont abouti à l'élaboration du procédé de pasteurisation. Il a également établi que le choléra des poules était une maladie infectieuse provoquée par une bactérie et s'est intéressé à la maladie du ver à soie, dont il a mis en évidence qu'il s'agissait d'une maladie infectieuse pouvant être combattue par des mesures d'hygiène et de prévention. À partir de 1878, Pasteur a réalisé des études bactériologiques qui ont permis d'identifier le streptocoque, la bactérie du charbon, le bacille du choléra des poules et celui du rouget du porc, ainsi que le staphylocoque. À partir de 1880, il s'est intéressé à la mise au point de méthodes permettant d'immuniser l'homme et l'animal contre des microorganismes responsables de certaines maladies. Il a commencé à réaliser des vaccinations sur les animaux. C'est ainsi qu'il a mis au point une vaccination des poules contre le choléra des basses-cours en 1880, puis une autre contre la maladie du charbon chez les moutons en 1881. Pasteur a compris l'intérêt d'obtenir une virulence atténuée des souches de microbes par dessiccation.

Le vaccin contre la rage

En 1885, Pasteur a inoculé pour la première fois le vaccin contre la rage à Joseph Meister, un garçon de 9 ans originaire du Bas-Rhin qui venait d'être mordu par un chien enragé. Ce vaccin était à base de moelle de lapin mort de la rage.

Joseph Meister ne contracta pas la rage, mais nous n'avons pas de preuve que le chien qui l'avait mordu ait été enragé.

 L'Institut Pasteur, créé en 1887 à Paris grâce à des fonds internationaux, comprend un hôpital destiné à la vaccination et la sérothérapie antirabique, un centre de recherches où les scientifiques étudient les agents responsables de maladies. Ils trouvent là aussi des cours de microbiologie qui les forment à la recherche microbiologique pasteurienne.

Les grandes épidémies et la course aux agents infectieux

Certes, les épidémies ne sont pas nouvelles (la peste a fait à travers l'histoire 200 millions de morts, voir « Partie des Dix », chapitre 13). Mais la révolution industrielle et la surpopulation des villes vont favoriser, au XIXᵉ siècle, l'expansion des maladies.

La tuberculose ou « phtisie »

Très présente dans la littérature romantique, la tuberculose est cependant une maladie fort ancienne. C'est en 1834 qu'elle trouve son nom actuel. Également appelée « phtisie », elle constituait un véritable fléau qui touchait toutes les couches de la société, avec une nette prédilection pour les milieux défavorisés, en particulier la classe ouvrière. La promiscuité des travailleurs entassés dans les logements insalubres des quartiers populaires des grandes cités favorisait la propagation de la tuberculose. La provenance de la tuberculose faisait l'objet d'hypothèses controversées, d'autant que l'existence de nombreux cas familiaux faisait évoquer une prédisposition héréditaire. Toutefois, nombreux étaient les médecins qui envisageaient d'autres facteurs favorisants, tels que les carences alimentaires, l'hygiène défectueuse, ou d'autres maladies infectieuses comme la coqueluche et surtout la rougeole.

Plusieurs médecins ont apporté une contribution décisive à la compréhension de la tuberculose :

  ✔ René Laennec, qui souffrait de tuberculose, a été amené à réaliser en 1814 une description précise de la symptomatologie clinique de cette affection ;

✔ Jean-Antoine Villemin (1827 – 1892) a établi les preuves expérimentales de la spécificité de la tuberculose, de sa virulence et de sa contagiosité, qu'il a exposées au cours d'une séance à l'Académie de médecine en 1865.

La découverte de la bactérie spécifique de la tuberculose humaine (*Mycobacterium tuberculosis*) revient au médecin allemand Robert Koch. Il l'a identifiée en 1882 et lui a donné son nom : bacille de Koch, ou BK (un bacille est une bactérie en forme de bâtonnet).

Né en 1843, Robert Koch s'est d'abord installé à la campagne où il a commencé à s'intéresser aux maladies touchant le bétail, dont il suspectait le caractère contagieux. Selon la légende, il aurait commencé des études microbiologiques après avoir reçu un microscope offert par sa femme pour ses 29 ans. Il est devenu professeur d'hygiène à Berlin en 1876. Il s'est d'abord intéressé au bacille du charbon ovin qu'il a réussi à cultiver expérimentalement. Il a mis au point des techniques microbiologiques novatrices comme les colorations des germes, ce qui lui a permis d'identifier en particulier le bacille responsable de la tuberculose en 1882, en utilisant du bleu de méthylène. Il a poursuivi ses recherches en bactériologie, ce qui lui a permis de découvrir le vibrion du choléra en 1884, au cours d'une expédition en Égypte. Il a également établi le rôle fondamental de l'eau dans la transmission de la maladie. Il a fondé en 1885 l'Institut d'hygiène, sur le modèle de celui de son rival Louis Pasteur. En 1890, il a subi un échec en préconisant le traitement de la tuberculose par la « tuberculine », qui a trouvé sa place par la suite comme méthode de diagnostic. Il a reçu le prix Nobel de médecine en 1905.

La création des sanatoriums

Le premier sanatorium (du latin *sanatorius* qui signifie « propre à guérir ») a été créé en 1859 par Hermann Brehmer (1826 – 1889) à Götersdorf en Allemagne, pour accueillir des personnes souffrant de tuberculose issues des classes socio-économiquement favorisées. Après l'instauration des lois sociales par Bismarck en Allemagne, les sanatoriums populaires et gratuits se sont multipliés.

En France, le premier sanatorium a été l'Hôpital maritime de Berck, en 1861, créé pour les enfants souffrant de tuberculose, mais aussi d'affections chroniques. L'Assistance publique a fondé à Aingicourt, en 1900, le premier sanatorium public.

Au cours du premier congrès international sur la tuberculose, à Paris en 1893, ainsi que lors du second, à Berlin en 1899, les médecins ont souligné l'intérêt de la prise en charge des malades tuberculeux en sanatorium. Les moyens hygiéniques proposés reposaient sur le repos prolongé et une suralimentation. Le lieu du sanatorium choisi par les praticiens dépendait du mode d'expression de la tuberculose. Le climat marin était plutôt réservé aux tuberculoses osseuses, le climat de plaine aux formes évolutives et le climat d'altitude aux formes peu sévères des sujets jeunes.

La lèpre

Les recherches sur la lèpre ont débuté en Norvège sous l'impulsion de deux médecins de la léproserie de Bergen, Daniel Cornelius Danielssen (1815 – 1894) et Karl Wilhem Boeck (1808 – 1875). Ils considéraient, à tort, que la lèpre était une affection héréditaire.

Gerhard Armauer Hansen (1841 – 1912) était pour sa part convaincu que la lèpre était contagieuse. Il a décidé de réaliser une étude approfondie des tissus provenant des ganglions lymphoïdes prélevés sur des cadavres et des patients. Cette étude a mis en évidence, en 1873, le bacille de la lèpre. Mais encore fallait-il prouver que ce germe était bien responsable de la maladie. Entreprise difficile puisqu'il ne réussissait pas à infecter les animaux de laboratoire et qu'il n'arrivait pas à le cultiver artificiellement. Il a alors essayé d'inoculer le bacille de la lèpre dans la cornée d'une femme, sans autorisation, ce qui lui a valu l'exclusion de son poste de médecin à la léproserie de Bergen. Le bacille Hansen ne sera reconnu qu'en 1896 à Berlin, lors du premier congrès international sur la lèpre.

Le paludisme ou malaria

Des recherches sur le paludisme ont été réalisées tout au long du XIXᵉ siècle.

En 1848, Johann Friedrich Meckel, surnommé Meckel le Jeune (1781 – 1833), a découvert pour la première fois, dans le sang et la rate d'un patient qui venait de mourir, un grand nombre de granules noir-brun qui correspondaient à des agents pathogènes du paludisme. En 1879, le bactériologue berlinois Edwin Klebs (1834 – 1913) et le médecin italien Ettore Marchiafava (1847 – 1935) ont annoncé avoir trouvé le bacille responsable de la maladie.

Alphons Laveran (1845 – 1922), médecin militaire, a découvert en 1878 un même organisme microscopique dans le sang de personnes souffrant de paludisme. Précurseur de la parasitologie, il a obtenu le prix Nobel de médecine en 1907.

Le rôle du moustique dans la transmission du paludisme a été établi en 1898 par Ronald Ross (1857 – 1932). Il a isolé le parasite responsable du paludisme dans l'estomac de moustiques ayant été au contact d'un patient infecté. Il recevra en 1902 le prix Nobel de physiologie et de médecine.

Le choléra

Le médecin londonien John Snow (1813 – 1858) a révélé, entre 1849 et 1855, après avoir examiné les conditions d'une contamination dans le quartier de Soho que le choléra se transmettait par l'eau. La pompe commune de Broad Street en était le vecteur. Il a démontré que l'on pouvait arrêter la contagion, lorsque le manche de la pompe était enlevé. Mais c'est Robert Koch qui a découvert, au cours d'un voyage en Égypte et en Inde, en 1883, la bactérie responsable du choléra, le vibrion cholérique.

La diphtérie

Edwin Theodor Albrecht Klebs (1834 – 1913) a découvert, en 1881, l'agent responsable de la diphtérie. Le médecin bactériologiste allemand Friedrich Löffler (1852 – 1915), collaborateur de Koch à Berlin, est parvenu à isoler, à partir de sécrétions prélevées dans la gorge d'enfants atteints de diphtérie, des bacilles qu'il a mis en culture. En 1888, à l'Institut Pasteur de Paris, les docteurs Émile Roux (1853 – 1933) et Alexandre Yersin (1863 – 1943) ont apporté la preuve que le bacille de Klebs-Löeffler était bien la cause de la diphtérie et découvert la toxine diphtérique.

La peste

L'histoire d'Alexandre Yersin est la parfaite illustration de la course effrénée que se sont livrée les médecins dans la recherche des agents responsables de la peste. Il a ainsi découvert, en juin 1894, avant les chercheurs japonais, le germe responsable de sa forme bubonique.

Alexandre Émile John Yersin (1863 – 1943), médecin français d'origine suisse, est entré en 1886 à l'Institut Pasteur où il collabore avec Émile Roux. À partir de 1890, il a effectué plusieurs missions d'exploration en Indochine. Sollicité par le gouvernement français et l'Institut Pasteur, il s'est rendu en 1894 à Hong Kong afin d'étudier une épidémie de peste bubonique. Le port était paralysé par l'arrêt de tout trafic maritime et un vent de panique avait conduit près de 100 000 habitants, soit la moitié de la population, à fuir cette ville. Arrivé le 12 juin, peinant à obtenir des autorités anglaises les autorisations nécessaires à son travail de recherche, il s'est installé le 17 juin dans un laboratoire de fortune près de l'hôpital. Nuit et jour, il a examiné au microscope les échantillons de sang de malades pestiférés sans trouver aucun germe. Les autorités anglaises n'avaient pas autorisé Yersin à autopsier les cadavres disponibles, car ils étaient réservés aux bactériologues japonais de la mission dirigée par Shibasaburo Kitasato, venus spécialement du Japon pour identifier l'agent responsable de la peste. Il a engagé avec eux une véritable course contre la montre. Yersin a utilisé une voie détournée en soudoyant des matelots britanniques pour se procurer des cadavres. Le 20 juin, il a ouvert clandestinement les cercueils, puis il a gratté la chaux qui recouvrait les cadavres pour y prélever les liquides des bubons. Quelques minutes plus tard, Yersin découvrait en observant l'échantillon au microscope qu'il y avait une véritable « purée de microbes » tous semblables. Yersin venait de découvrir les agents responsables de la peste. Il a également mis en évidence le rôle du rat dans sa transmission. Il a réalisé les premières autopsies de rats à Hong Kong et pu constater que les « rats crevés que l'on trouve dans les maisons et les rues contiennent presque tous dans leurs organes le microbe en grande abondance ; beaucoup d'entre eux présentent de véritables bubons ».

Toutefois, le rôle de la puce comme vecteur de la maladie a été établi par Masanori Ogata, professeur à l'Institut d'hygiène de Tokyo, qui a écrit en 1897 que « les puces trouvées sur les rats morts de la peste contiennent des bacilles suffisamment virulents pour transmettre l'infection à l'homme après la mort des rats ». Le médecin français Paul-Louis Simond (1858 – 1947) a démontré, quant à lui, le rôle de la puce dans la transmission de la peste du rat au rat et du rat à l'homme.

La syphilis

À la fin du XIXᵉ siècle, trois grands fléaux menaçaient la santé publique : la tuberculose, l'alcoolisme et la syphilis. On estime que la syphilis a touché 4 millions de Français en 1902, soit 1 Français sur 10, et qu'elle était responsable de 15 à 17 % des décès. Cette affection communément appelée « vérole » suscitait une crainte importante à la fois dans le grand public et dans le corps médical.

C'est à cette époque que l'on a assisté à une amélioration des connaissances de la syphilis, ce qui a suscité la création d'une nouvelle spécialité médicale : la syphililogie, plus tard dénommée la syphiligraphie.

Trois hommes ont indiscutablement marqué le paysage syphiligraphique du XIXᵉ siècle : Philippe Ricord, Léon Bassereau et Alfred Fournier.

✔ Philippe Ricord (1800 – 1889) a distingué les trois stades de développement de la syphilis (syphilis primaire, secondaire et tertiaire), mais il a surtout établi que la syphilis était différente des condylomes génitaux et de la gonococcie, mettant ainsi fin à l'affrontement entre les partisans et adversaires de l'unicité de la syphilis : « Gonorrhée et chancres sont dus au même poison » affirmait le chirurgien anglais John Hunter (1728 – 1793), qui aurait vu éclore un chancre là où il se serait inoculé du pus blennorragique. Ricord a développé l'usage du spéculum dans le dépistage du chancre du col utérin (la petite histoire raconte qu'il possédait pour son usage professionnel un modèle en or et ivoire confectionné exclusivement pour l'impératrice Eugénie).

✔ Léon Bassereau (1810 – 1887) a différencié clairement, en 1852, les chancres mous des chancres indurés de la syphilis, grâce à des observations épidémiologiques.

✔ Alfred Fournier (1832 – 1914), premier titulaire de la chaire de clinique des maladies cutanées et syphilitiques, en 1879, a rapporté que le tabès (1875), puis la paralysie générale (1894) étaient consécutifs à la syphilis, n'hésitant pas à se heurter à une vive critique de la célèbre école de neurologie de l'hôpital de la Salpêtrière dirigée par Charcot, Duchenne et Brown-Sequard. Alfred Fournier a élaboré un concept erroné, mais largement diffusé, l'« hérédosyphilis », qui considérait que la syphilis avait des conséquences génétiques, qu'elle était transmise directement par le père à l'embryon, qui pouvait ensuite la transmettre à la mère et qu'elle pouvait aussi se transmettre en sautant des générations. La maladie aurait un impact sur la descendance entraînant un certain nombre de tares jusqu'à la septième génération !

LE SAVIEZ-VOUS ?

Le mythe de l'hérédosyphilis

Cette théorie a conduit la Société française de prophylaxie sanitaire et morale, fondée par Albert Fournier, à mettre au point des outils de propagande destinés à protéger les jeunes : livres illustrés d'images terrifiantes, films, pièces de théâtre… Ses messages insistaient sur le danger des promiscuités sexuelles, recommandaient d'avoir une bonne hygiène et vantaient les vertus de la chasteté prénuptiale, du mariage précoce et de la fidélité.

Sur le plan microbiologique, il a fallu attendre le début du XX\ :sup :`e` siècle pour assister à une cascade de découvertes importantes sur cette affection responsable de ravages depuis quatre siècles. Entre 1903 et 1905, Émile Roux et Élie Metchnikoff, à l'Institut Pasteur, ont réussi à transmettre la syphilis à des singes et à décrire sur ce modèle expérimental les différents stades de la maladie. Le 3 mars 1905 à Berlin, Fritz Schaudinn (1871 – 1906), directeur de l'unité de parasitologie du département de zoologie de l'université de Berlin, a parvenu à identifier, à partir d'une papule, une bactérie responsable de la syphilis. Par la suite, une étude cytologique, réalisée à partir d'échantillons prélevés sur des ganglions lymphatiques d'une personne atteinte, a constitué la preuve qu'il s'agissait bien de l'agent responsable de la syphilis, qu'il a baptisé *Treponema pallidum*. En 1906, une réaction sérologique de dépistage biologique des sujets infectés est mise au point et prend le nom de réaction de Bordet-Wassermann. En 1910, le tréponème a été isolé dans le cortex cérébral de certains malades souffrant de paralysie générale. Le problème majeur était l'absence de traitement efficace pour traiter la syphilis. Ce n'est qu'en 1910 que Paul Ehrlich (1854 – 1915) et Sahchiro Hata (1873 – 1938) ont découvert un dérivé arsenical, le Salvarsan, qui a été le premier traitement doté d'une efficacité dans le traitement de cette affection.

Autres agents infectieux

D'autres agents infectieux ont été détectés au cours de la fin du XIX\ :sup :`e` siècle :

✔ en 1880, Karl Joseph Eberth (1835 – 1926), de l'université de Zurich, a découvert le bacille responsable de la typhoïde auquel il a donné son nom. En 1896, Fernand Widal (1862 – 1929) a proposé la méthode du sérodiagnostic typhique qui permet de reconnaître qu'un malade est atteint de fièvre typhoïde ;

✔ Carlos Juan Finlay, médecin cubain de La Havane, a envisagé en 1881 le rôle d'un moustique comme vecteur de la fièvre jaune ;

- en 1881 également, Sir Alexander Ogston (1844 – 1929) a découvert le staphylocoque à partir de cultures *in vitro* de pus d'abcès et d'infections cutanées. Il a donné à ce germe le nom de staphylocoque, créé à partir des termes latins *staphylle*, qui signifie grappe, et *coccus*, qui veut dire grain ;

- le bacille du tétanos a été découvert en 1884 par le médecin allemand Arthur Nicolaier (1862 – 1942), de l'université de Göttinguen ;

- le colibacille (une bactérie intestinale) a été découvert en 1885 par Théodore Escherich (1857 – 1911) ;

- en 1887, Anton Weichselbaum (1845 – 1920) a décrit l'agent spécifique responsable de la méningite cérébrospinale.

LE SAVIEZ-VOUS ?

La quête de l'agent responsable de la fièvre jaune oppose Cubains et Américains

La course à la découverte d'agents infectieux a pris une dimension politique avec la querelle importante qui a opposé les Cubains aux Américains dans la découverte de l'agent responsable de la fièvre jaune. Tout a débuté en 1881, lorsque Carlos Juan Finlay (1833 – 1915), médecin cubain formé en partie en France puis aux États-Unis, a décidé de s'intéresser au rôle d'un moustique, le *Stegomyia fasciata* (appelé plus tard *Aedes aegypti*), dans la transmission de la fièvre jaune. Il n'a jamais réussi à isoler le virus responsable. En revanche, il a été le premier à suspecter le rôle du moustique dans la transmission de cette affection. Il a réalisé de nombreuses tentatives de transmission de la fièvre jaune à des sujets sains (des missionnaires jésuites) en les faisant piquer par des moustiques ayant été en contact avec des malades souffrant de la maladie. Aucun d'entre eux n'a contracté la fièvre jaune. Finlay n'a pas publié ses travaux parce qu'il n'était pas totalement convaincu de ses résultats.

Près de deux décennies plus tard, en 1900, l'administration des États-Unis a envoyé à Cuba une commission dirigée par Walter Reed (1851 – 1902). Les premières recherches n'ont pas permis, en 1901, de mettre en évidence le virus dans le sang des malades. Dès lors, Reed et son équipe ont repris les expériences déjà réalisées par Finlay et ont découvert que *Stegomyia fasciata* était bien responsable de la transmission du virus. Reed avait compris qu'après piqûre d'un malade, un moustique ne devenait infectant que 12 jours plus tard. Walter Reed a aussitôt connu la gloire, mais il a volontairement omis de rappeler le rôle capital de Finlay. Cette querelle de chercheurs a eu des répercussions tout au long du siècle, car les Cubains revendiquent encore aujourd'hui exclusivement le nom de Finlay comme découvreur de l'agent responsable de la fièvre jaune, tandis que les Américains continuent à oublier régulièrement de le citer...

La sérothérapie et les vaccins

À défaut de traitements curatifs des infections, on assiste à la fin du XIXᵉ siècle à l'essor des méthodes thérapeutiques d'immunisation. Avec d'une part la mise au point de la sérothérapie – immunisation passive –, qui consiste à injecter dans l'organisme des sérums sanguins d'animaux, notamment le cheval, ou d'humains ayant été en contact avec la maladie. Et d'autre part le développement de vaccins – immunisation active mettant l'organisme en contact avec une forme atténuée de la maladie et provoquant une réponse immunitaire –, voie ouverte par Pasteur en 1885 avec le vaccin contre la rage.

La sérothérapie

Émile Roux (1853 – 1933) a élaboré, avec Louis Martin (1864 – 1946) et Auguste Chaillou (1866 – 1915), la première sérothérapie antidiphtérique. Ils se sont inspirés, pour réaliser cette découverte, des travaux effectués en 1890 par l'Allemand Emil von Behring (1854 – 1917) et son disciple japonais Shibasaburo Kitasato (1852 – 1931), qui avaient établi la possibilité de neutraliser, sur des animaux, les toxines produites en cas de diphtérie, grâce à des antitoxines.

D'autres sérothérapies se sont ensuite développées, notamment contre le tétanos, la rage et le botulisme.

Le corollaire de la sérothérapie a été la survenue, chez certains patients, d'accidents de nature allergique, en raison de l'emploi du sérum de cheval. Ces réactions, parfois sévères, ont conduit les chercheurs à élaborer par la suite des immunoglobulines spécifiques provenant de donneurs humains. La sérothérapie est encore utilisée de nos jours, notamment dans la prévention du tétanos et de l'hépatite B chez les sujets non vaccinés ; les immunoglobulines servant, elles, de base aux antivenins.

La vaccination

En 1881, Louis Pasteur a défini le principe de la vaccination : « des virus affaiblis ayant le caractère de ne jamais tuer, de donner une maladie bénigne qui préserve de la maladie mortelle ». Après la réussite du vaccin contre la rage en 1885, les disciples pasteuriens se sont lancés dans de nombreuses recherches de vaccins pour l'homme. Un vaccin contre le choléra a été mis au point en 1885 par le médecin espagnol Jaime Ferran (1852 – 1929). Fernand Widal (1862 – 1929) a élaboré en 1888, avec André Chantemesse (1851 – 1919), le premier vaccin contre la typhoïde, et on lui doit surtout une procédure de diagnostic de cette maladie. Deux ans après la découverte du bacille de la peste par Alexandre Yersin, le Russe Waldemar Haffkine (1860 – 1930) a développé, en 1896, le vaccin contre la peste. Celui contre la diphtérie a vu le jour grâce à Emil von Bering (1854 – 1917) en 1913. Et ce n'était que le début d'une aventure riche en événements…

La pharmacie et l'essor de la thérapeutique

Les apothicaires, qui se formaient dans le cadre du compagnonnage auprès d'un maître apothicaire, se regroupaient dans des corporations. Elles sont supprimées par la Révolution française. La loi du 11 avril 1803 (21 germinal an XI) visait à la création d'écoles de pharmacie délivrant un enseignement national et à un contrôle de l'activité (« police de la pharmacie »). Le décret du 22 août 1854 distinguait deux catégories de pharmaciens, en fonction de leur cursus scolaire : ceux de 1ère classe (qui devait avoir le bac ès sciences) et ceux de 2e classe. Seuls les pharmaciens diplômés pouvaient ouvrir une pharmacie et vendre des médicaments, certains ne s'obtenant que sur prescription d'un praticien. La pharmacie moderne était née et les remèdes « secrets » interdits.

La loi de 1803 va encadrer l'activité de la pharmacie jusqu'en 1941. Les progrès de la chimie et l'apparition des laboratoires pharmaceutiques industriels ont rendu nécessaire une nouvelle législation.

Tout au long du XIXe siècle, l'arsenal thérapeutique s'est considérablement amélioré grâce à certaines innovations :

- les capsules ont été inventées en 1834 par le pharmacien Gérard Dublanc et par Achille Mothes, étudiant en pharmacie ;
- le pharmacien d'officine Stanislas Limousin a mis au point les premiers cachets médicamenteux en 1872. Concurrencés par les comprimés, les cachets finiront par disparaître un siècle après leur naissance ;
- les granules sont l'invention du pharmacien des hôpitaux Pierre-Joseph Béral ;
- les gélules ont été fabriquées par Jules-César Lehuby en 1846.

Naissance de l'homéopathie

Partant du principe de la loi de similitude, qu'avait déjà énoncée Hippocrate, Hahnemann a posé le principe de base de l'homéopathie. Il présuppose que les maladies sont guéries par les substances qui donnent les mêmes symptômes que la maladie elle-même, à doses infinitésimales. L'effet bénéfique vient en effet de la répétition de l'administration de la substance, plus que de sa quantité.

Christian Samuel Hahnemann (1755 – 1843), né à Meissen, a fait ses études de médecine à Leipzig. Il est devenu célèbre en 1788, grâce au « test de vin Hahnemann » qui permettait de mettre en évidence la dénaturation du vin par l'apport de sucre de plomb toxique. À l'occasion d'une auto-expérimentation sur l'action du quinquina, en 1790, il s'est rendu compte que l'homme en bonne santé qui prenait ce principe actif présentait des symptômes proches ceux de la « fièvre intermittente » et que ceux-ci disparaissaient une fois qu'il avait cessé d'en prendre. À partir de cette constatation, Hahnemann a envisagé l'hypothèse selon laquelle il était possible de guérir du similaire par le similaire. Il a publié en 1810 un exposé de la doctrine homéopathique : *Organon de l'art de guérir*.

L'amélioration des procédés d'extraction chimique des principes actifs des plantes a permis de découvrir un certain nombre de médicaments :

✔ la morphine a été découverte en 1804 par Bernard Courtois (1774 – 1838), Arnaud Seguin (1767 – 1835) et Charles Louis Derosne (1780 – 1846), à partir de l'opium ;

Le pharmacien Friedrich Wilhelm Sertürner (1783 – 1841) a mis en évidence en 1805 les propriétés thérapeutiques de la substance cristallisée à laquelle il a donné le nom « morphine », par référence au dieu grec des rêves, Morphée.

✔ l'émétine, utilisée comme vomitif, est un alcaloïde tiré de l'ipéca qui a été isolé en 1817 par Pierre Joseph Pelletier (1788 – 1842) et François Magendie (1783 – 1855) ;

✔ le chimiste allemand Felix Hoffmann (1868 – 1946), employé par l'industriel pharmaceutique Bayer à Elberfeld, a mis au point en 1899 l'acide acétylsalicylique à l'état pur. Ses travaux faisaient suite à la découverte en 1827 de la salicyline, issue de l'écorce du saule, par le pharmacien français Pierre-Joseph Leroux (1795 – 1870) et à la transformation du salicylate de sodium en acide acétylsalicylique (ou aspirine) par le chimiste français Charles Gerhardt (1816 – 1846) en 1853 ;

✔ la quinine a été découverte en 1820 par deux pharmaciens français, Pierre Joseph Pelletier (1788 – 1842) et Joseph Bienaimé Caventou (1795 – 1877), à partir d'écorces de quinquina rouge ;

✔ la digitaline pure a été découverte par le pharmacien français Claude-Adolphe Nativelle (1812 – 1889), qui a travaillé pendant près de 25 ans pour obtenir une digitaline pure et bien cristallisée.

La digitaline pure est encore utilisée pour son action tonicardiaque et diurétique.

L'humanisation des soins

À la fin du XIXe siècle s'affirme la laïcisation de la société, notamment sous la IIIe République, tandis que les avancées médicales nécessitent de nouvelles pratiques de soins. Florence Nightingale organise le premier corps d'infirmières en Angleterre. En 1870 est fondée la Croix-Rouge.

Florence Nightingale et la création du corps des infirmières

En 1860, Florence Nightingale a fondé un établissement considéré comme la première école d'infirmières, au sein du St Thomas' Hospital de Londres. Le système de formation est appelé « système Nightingale ». Il repose sur le principe que le seul moyen d'instruire une garde-malade est de la faire travailler dans une salle d'hôpital. Cette idée novatrice a été adoptée dans tous les hôpitaux anglo-saxons. Les réformatrices anglaises, puis américaines, vont garder les mots *nurses* et *nursing* pour caractériser le nouveau système de soins infirmiers.

Florence Nightingale est née en 1820 à Florence, dans une famille anglaise où elle a bénéficié d'une excellente éducation. Très précocement, elle s'est intéressée à la prise en charge des malades et, en particulier, à la réduction des douleurs physiques et des souffrances psychologiques des hospitalisés, qui n'étaient guère prises en compte. En 1854, elle a été sollicitée par un proche ami de Sir Sidney Herbert, ministre de la Guerre, pour partir en Crimée afin de participer a la prise en charge des soldats blessés au combat. Pour cela, elle a mis en place une équipe de « nurses » à Scutari, dans la banlieue de Constantinople. Affaiblie par une brucellose, maladie contractée sur les champs de bataille en Crimée, Florence Nightingale a poursuivi son œuvre jusqu'à sa mort le 13 août 1910.

Les infirmières n'étaient pas bien acceptées par les médecins militaires, qui les considéraient comme des intruses. Pourtant ces femmes ont joué un rôle admirable au cours de la guerre de Crimée, délivrant des soins adaptés et efficaces. On assista à une réduction importante de la mortalité des soldats en moins d'un an (de 40 à 2 %).

À partir de 1899 sont créées en France les écoles d'infirmières : les sœurs vont être peu à peu remplacées par des infirmières formées et diplômées. En 1902 paraissent les textes officiels précisant l'organisation de la formation (une année d'études et une année de stage rémunéré).

Henri Dunant et la naissance de la Croix-Rouge

La bataille de Solferino s'est terminée le 24 juin 1859 par la victoire des 133 000 soldats des armées de Napoléon III sur les 150 000 Autrichiens commandés par l'empereur François-Joseph. Le bilan sur le champ de bataille a été dramatique avec 17 000 morts du côté français et 22 000 du côté autrichien. Un citoyen suisse présent sur place, Henri Dunant (1828 - 1910), élevé dans une famille calviniste très pieuse, a été traumatisé par l'horrible agonie des soldats. Il a pris conscience de la férocité de la guerre et de la souffrance des blessés. À son retour à Genève, il a écrit un livre intitulé *Un souvenir de Solferino* (1862), afin de sensibiliser les décideurs européens au sort des blessés de guerre. Publié à ses frais, il l'a envoyé à toutes les cours d'Europe. Cet ouvrage a connu un succès phénoménal.

Grâce au soutien du juriste suisse Gustave Moynier (1826 – 1910), Henri Dunant a pu créer une organisation de soutien aux blessés. Le droit d'intervention humanitaire venait de naître. Fondé en 1863, le Comité international et permanent de secours aux blessés militaires, dont l'emblème sera une croix rouge sur fond blanc, a organisé le 22 août 1864 une conférence diplomatique qui a réuni des représentants de 16 États, lesquels ont alors signé la première Convention de Genève. C'est en 1875 que le mouvement a pris le nom de Comité International de la Croix-Rouge (CICR). Oublié pendant des années, Dunant a reçu en 1901 le premier prix Nobel de la paix, en reconnaissance de son action.

La Croix-Rouge compte aujourd'hui plus 100 millions de bénévoles dans 186 pays.

Chapitre 12

La médecine du XXᵉ siècle à nos jours

Au XXᵉ siècle, de nombreuses innovations scientifiques et technologiques ont permis une évolution rapide de la médecine qui a progressé de façon vertigineuse.

La vaccination, effectuée à grande échelle, et les médicaments anti-infectieux – la pénicilline est découverte par Flemming en 1928 – constituent la première étape d'une révolution thérapeutique (la mortalité infantile chute).

Dans la seconde moitié du XXᵉ siècle, de très nombreux médicaments sont mis sur le marché par une industrie pharmaceutique florissante : la pilule contraceptive change la vie des femmes ; les maux du quotidien sont soulagés ; les psychotropes deviennent d'usage courant (trop courant !) ; un certain nombre de cancers sont guéris ; la durée de vie s'allonge considérablement… La chirurgie gagne en efficacité : elle réussit des exploits comme les greffes d'organes (le rein en 1963, le cœur en 1968, le poumon en 1998, la main en 2000) et se fait moins invasive. La médecine, domaine où s'exprime fortement l'hypertechnicité et la compétition, se doit de rester humaine, comme le stipule l'article 16 du Code civil : « La loi assure la primauté de la personne, interdit toute atteinte à la dignité de celle-ci et garantit le respect de l'être humain dès le commencement de sa vie. » Elle est aussi tenue de faire face à des questions éthiques inédites (don d'organes, détection prénatale des maladies génétiques, clonage thérapeutique, médecine prédictive…), ainsi qu'aux priorités de santé publique.

La technologie du vivant, qui s'appuie sur le décryptage du génome humain, inaugure des avancées majeures pour la médecine du troisième millénaire… À travers ses applications se dessinent des enjeux sanitaires, économiques et éthiques d'une nouvelle dimension.

Avancées des sciences biologiques et médicales

Les sciences fondamentales se subdivisent en de nombreuses sous-disciplines et bénéficient de leurs progrès respectifs. Ainsi, la biologie moléculaire, à la croisée de la biochimie et de la génétique, a trouvé un support à l'information génétique, la molécule d'ADN, dont elle a élucidé la structure.

La virologie

Le XXe siècle a été marqué par l'essor de la virologie. Pendant longtemps, les scientifiques ont ignoré l'existence des virus, qu'ils étaient incapables de visualiser.

La première étape dans la découverte des virus a été possible grâce au travail d'un botaniste russe, Dimitri Ivanovski (1864 – 1920), qui a rapporté en 1892 que le liquide extrait de plants de tabac touchés par la maladie de la mosaïque conservait ses propriétés infectieuses après être passé au travers d'un filtre de porcelaine dont la fonction est de bloquer le passage des bactéries. Cela lui a permis d'établir pour la première fois qu'il existait des virus, invisibles au microscope, capables de passer au travers des pores d'un filtre. Ivanovski a envisagé que le filtrat était constitué de toxines ou de spores bactériennes.

En 1898, son collègue hollandais, Martinus Beijerinck (1851 – 1931), a établi qu'il s'agissait d'un agent infectieux qu'il a appelé *Contagium vivum fluidum*, dont il a montré qu'il était capable de se multiplier.

L'évolution des techniques de microbiologie a permis de différencier, au début du siècle, les virus des bactéries, ce qui a facilité les recherches en virologie. D'autres chercheurs ont isolé des virus :

✔ Giuseppe Sanarelli (1864 – 1940) a découvert le virus de la myxomatose du lapin en 1898 ;

✔ John M'Faydean (1853 – 1941) a identifié celui de la peste équine africaine en 1900 ;

✔ Paul Remlinger (1871 – 1964) a décrit celui de la rage en 1903 ;

✔ Francis Peyton Rous (1879 – 1970), qui travaillait à l'Institut Rockefeller de New York, a établi pour la première fois la théorie virale du cancer, en 1913, en mettant en évidence, chez le poulet, un sarcome susceptible d'être reproduit en série par inoculation de son filtrat ;

✔ en 1935, le biochimiste américain Wendell Meredith Stanley (1904 – 1971), de l'Institut Rockefeller, a rapporté que le virus responsable de la mosaïque du tabac se présentait sous forme cristalline et que les cristaux étaient infectieux.

L'invention du microscope électronique, en 1932, par Ernst Ruska (1906 – 1988), a permis d'améliorer de manière considérable les connaissances sur la morphologie des virus en précisant, en particulier, leur aspect et leur forme.

La mise au point de la technique de culture cellulaire, dans les années 1960, a permis l'étude de la croissance intracellulaire des virus et, surtout, elle a marqué le début de la mise au point de vaccins nouveaux.

La génétique

La génétique étudie l'hérédité et la transmission des caractères héréditaires.

En 1866 sont publiées les lois de Johann Mendel (1822 – 1884), qui a travaillé sur l'hybridation des plantes (des pois). Ses expériences de croisement ont éclairé les règles de transmission et apporté une contribution à la compréhension des lois de l'hérédité humaine.

En 1902, la théorie chromosomique de l'hérédité a été établie grâce à un médecin américain, Walter Stanborough Sutton (1877 – 1916), et un biologiste autrichien, Theodor Heinrich Boveri (1862 – 1915). Ils ont démontré que les chromosomes contenaient les gènes, lesquels comportent l'information génétique.

En 1905, le rôle des chromosomes X et Y dans la détermination du sexe a été identifié par Nettie Stevens (1861 – 1912) et par Edmond Wilson (1856 – 1939). Le mot « gène » a été créé par Wilhelm Ludwig Johannsen (1857 – 1927) en 1909. En 1933, Thomas Hunt Morgan (1866 – 1945) a reçu le prix Nobel de médecine pour ses travaux mettant en évidence la fonction des chromosomes dans l'hérédité.

L'essor de la génétique a réellement débuté en 1941, lorsque les biologistes américains George W. Beadle et Edward L. Tatum ont établi une relation directe entre les gènes et les enzymes (protéines) cellulaires. Trois ans plus tard, l'équipe d'Oswald Avery, Colin McLeod et McLyn McCarthy de l'Institut Rockefeller de New York a montré que les gènes, support de l'information génétique, étaient constitués d'ADN.

Le véritable bond en avant de la génétique a eu lieu en 1953, lorsque deux jeunes chercheurs de Cambridge, James Dewey Watson et Francis Harry Compton Crick, ont découvert la structure en double hélice de l'ADN. C'était la naissance de la génétique moléculaire, un moment véritablement révolutionnaire, car ce modèle a permis aux scientifiques de disposer des bases nécessaires à la compréhension, non seulement du mécanisme de réplication, de la mutation, de la réparation et de la transmission du matériel génétique, mais aussi de la diversité et de l'évolution des espèces.

La structure de l'ADN

La molécule d'ADN (acide désoxyribonucléique), formée de deux brins (ou chaînes) enroulés en double hélice, représente la molécule support de l'information génétique et contrôle l'activité des cellules. L'ADN renferme des milliers de gènes (il y en aurait entre 60 000 et 80 000 pour le génome humain), succession de substances chimiques, les nucléotides, lesquels sont assemblés de multiples manières, en longues chaînes ou séquences.

En 1959, Jérôme Lejeune et Marie Gautier ont rapporté la présence d'un troisième chromosome sur la 21e paire chromosomique au cours de l'étude des caryotypes d'enfants qui étaient appelés alors « mongoliens ». C'était la première aberration chromosomique autosomique reconnue dans les cellules de l'espèce humaine ; elle reçut, en 1960, le nom de trisomie 21 (dans les cas les plus fréquents, le sujet atteint possède donc 47 chromosomes au lieu de 46).

Les chromosomes sexuels

Un chromosome est une structure constituée d'ADN. Nous en avons 23 paires dans le noyau de chacune de nos cellules. 22 sont communes aux deux sexes. Les deux chromosomes restants sont les chromosomes sexuels. Chez la femme, ils forment une paire. On les appelle les chromosomes X. Chez l'homme, ils sont différents, l'un est un chromosome X et l'autre, beaucoup plus court, est appelé chromosome Y.

La découverte de la trisomie 21 a eu une importance capitale dans l'évolution de la génétique humaine puisqu'elle a marqué le début de l'ère de la génétique médicale.

Les maladies génétiques

L'excès ou l'insuffisance de matériel génétique est responsable de l'apparition d'un état pathologique (chromosome supplémentaire, dans la trisomie 21, ou chromosome manquant, par exemple dans le syndrome de Turner). L'origine de la maladie peut être héréditaire ou environnementale, ou bien encore l'interaction des deux. Les maladies génétiques ont ainsi été séparées en deux groupes : les affections génétiques caractérisées par une anomalie de la qualité de l'information génétique et les troubles chromosomiques induits par un excès ou un défaut de matériel génétique.

En 1966, Marshall Nirenberg, Heinrich Mathaei et Severo Ochoa ont déchiffré le code génétique, ensemble des mécanismes qui inscrivent l'information génétique dans la molécule d'ADN.

La lecture de l'ADN

Chaque codon (succession de trois nucléotides) de l'ADN code un acide aminé spécifique. L'ARN, réplique en négatif de l'ADN, permet de décrypter le code génétique. L'information génétique est ainsi lue comme une chaîne d'acides aminés formant une molécule de protéine, codée par un gène.

À la fin des années 1960, le fonctionnement intime de la cellule au niveau moléculaire a été largement décrypté et le code génétique considéré comme universel, à de très rares exceptions près.

Qu'est-ce que le génie génétique ?

Des scientifiques insèrent, en 1973, un gène supplémentaire sur une bactérie : le génie génétique vient de naître. Il permet de modifier le vivant. Le champ des applications (et des dangers !) est infini dans tous les domaines, de l'agriculture (plantes transgéniques) à la médecine (biomédicaments, thérapie génique).

La biologie moléculaire

Le point de départ de la biologie moléculaire a été la mise en évidence par le Suisse Werner Arber et l'Américain Hamilton Smith, en 1970, de protéines bactériennes capables de fragmenter la molécule d'ADN en des points précis ou « enzymes de restriction », leur permettant d'isoler un fragment de matériel génétique comprenant seulement un gène ou quelques gènes.

L'année suivante, Paul Berg et Janet Mertz ont eu l'idée de coupler l'action des enzymes de restriction avec celle des enzymes « ligases », ces derniers jouant le rôle de « colle ». Il était désormais possible d'effectuer des « couper-coller » dans l'ADN. Paul Berg et Janet Mertz ont ainsi réalisé, en 1971, à l'université de Stanford, la première recombinaison génétique *in vitro*, qui consistait à greffer un gène supplémentaire sur une bactérie.

Les années 1980 ont été marquées par de nouvelles technologies, liées aux acquis de l'informatique, comme la technique d'amplification moléculaire, la PCR (*Polymerase Chain Reaction*). Grâce à elle, il est possible de copier un brin d'ADN en quantité importante à partir d'un échantillon ne contenant que quelques cellules. Elle a permis de jeter les jalons d'une nouvelle discipline médicale : la génomique.

LE SAVIEZ-VOUS ?

Le projet Génome humain

La PCR a permis de réaliser le projet Génome humain, ambitieux programme international qui a débuté en 1990 sous la direction de James Watson et Francis Collins. Son but a été de déterminer le séquençage complet de l'ADN du génome humain. Le décryptage du génome humain constitue une des aventures les plus formidables du XXᵉ siècle.

L'allergologie

Longtemps les phénomènes immunologiques observés furent considérés comme faisant partie d'un mécanisme général de défense de l'organisme.

Mais en 1901, Paul Portier (1866 – 1962) et Charles Richet (1850 – 1935) ont posé les jalons d'une discipline médicale nouvelle, l'allergo-immunologie, en découvrant le phénomène qu'ils ont appelé « anaphylaxie » (réaction allergique grave, pouvant entraîner la mort).

Le point de départ de leur découverte a été un voyage d'études du navire-laboratoire *Princesse Alice II* du prince Albert Iᵉʳ de Monaco (1848 – 1922) aux Açores et autour des îles du Cap-Vert. Ils avaient pour sujet d'étude la physalie, une méduse dont les tentacules sidèrent les poissons venant à leur contact. Ils réalisèrent une série d'expériences sur les effets toxiques de l'injection intraveineuse d'un extrait glycériné de tentacules sur des animaux. Ils ont mis en évidence, selon la dose, soit une insensibilité immédiate avec torpeur suivie d'un coma létal par paralysie respiratoire, soit un intense prurit avec troubles neurologiques suivis de mort retardée ou de guérison. Dans une première note, ils ont donné les noms d'« hypnotoxine » et d'« actinocongestine » à cette substance. Un chien pour qui la première dose avait été inoffensive en reçut une seconde théoriquement non mortelle et mourut en une dizaine de minutes. Trois semaines plus tard, ils ont relaté cette expérience dans leur article intitulé « De l'action anaphylactique de certains venins », faisant part de leur incompréhension de ce phénomène « contraire à l'immunité », c'est-à-dire allant à l'encontre de la protection qu'ils avaient voulu obtenir chez l'animal.

En 1905, le pédiatre autrichien Clémens von Pirquet (1874 – 1929) et le pédiatre hongrois Bela Schick (1877 – 1967) ont mis en évidence le fait que les enfants immunisés contre la diphtérie présentaient une réaction plus rapide et plus sévère lorsqu'il leur était administré une deuxième injection de sérum. Ils lui ont donné le nom de « réaction d'hypersensibilité » et ont admis qu'elle était la conséquence de la présence d'anticorps antisérum dans le corps. Cette description de la maladie sérique (*Serumkrankheit*) est considérée comme la première observation d'anaphylaxie humaine. En étudiant des réactions analogues avec la tuberculine, von Pirquet a établi que l'épreuve d'une scarification cutanée pouvait être utilisée comme moyen de diagnostic. En 1906, il a proposé le terme d'allergie (formé à partir des mots grecs *allos*, « autre », et *ergon*, « réaction ») pour désigner une modification des réponses de l'organisme à l'introduction d'une substance étrangère.

La même année, Alfred Wolff-Eisner (1877 – 1948) a émis l'hypothèse que le rhume des foins était lié à un état d'hypersensibilité. En 1910, Samuel James Meltzer (1851 – 1920) établissait que l'asthme observé chez l'homme était de même nature que les phénomènes constatés chez l'animal, appelés anaphylactiques. En 1916, le médecin Robert A. Cooke (1880 – 1960) a évoqué le concept de « patrimoine héréditaire des maladies allergiques », ce qui l'a conduit à poser le postulat selon lequel il existait un caractère familial de l'allergie. C'est dans ce contexte qu'en 1923, il a cosigné avec Arthur Coça (1875 – 1959) un article dans le *Journal of Immunology* dans lequel le terme d'« atopie » est proposé pour la première fois, afin de décrire le cadre nosologique regroupant l'asthme, la rhinite allergique et l'eczéma de l'enfant.

Ils ont bénéficié de l'aide d'un linguiste, Edward D. Perry, de l'université de Columbia, pour créer le mot « atopie », qui dérive du grec : *a* (privatif) et *topos* (lieu).

Le test de Prausnitz-Küstner

Il a pour origine l'extraordinaire sensibilité aux poissons du gynécologue allemand Heinz Küstner (1897 – 1963). Celle-ci avait intrigué son ami, le bactériologiste Carl Willy Prausnitz (1876 – 1963), qui lui-même souffrait du rhume des foins. En 1921, les deux amis injectent sous la peau d'un témoin une solution de poissons (l'allergène). Une rougeur signe la réaction antigène-anticorps hébergée par l'obligeant témoin et confirme la sensibilisation au poisson : le test de Prausnitz-Kustner venait d'être mis au point.

Dans les années 1960, les chercheurs ont ainsi compris que le système immunitaire permettait d'assurer la défense du moi (*self*), qui constitue l'individu, contre le non-moi (*non-self*), qui lui est étranger, comme les microbes, les protéines, les tissus ou les cellules issues d'un autre individu, avec pour conséquence un phénomène de rejet.

En 1966 au Japon, Kimishige Ishizaka (né en 1925) a découvert une nouvelle immunoglobuline nommée IgE (E pour « érythème »), anticorps présent dans le corps humain à taux variable et réagissant aux allergènes.

Ainsi, la découverte des IgE et l'amélioration des méthodes d'isolation et de purification des différents allergènes ont permis de mieux appréhender les mécanismes de l'allergie.

 En 1980, le prix Nobel de médecine a été accordé à Baruj Benacerraf (né en 1920), Jean Dausset (né en 1916) et George Snell (né en 1903) pour leurs travaux sur l'histocompatibilité (compatibilité de tissus d'origine différente) dont dépend le succès des greffes.

L'immunologie est aujourd'hui une discipline en pleine évolution qui a de nombreuses applications médicales dans la lutte contre les infections, les maladies auto-immunes, les déficits immunitaires, les allergies et les cancers.

Hautes technologies médicales

En un siècle, les progrès technologiques ont été fabuleux, en particulier dans le domaine de l'imagerie médicale. La découverte des rayons X, en 1895 par Wilhelm Conrad Röntgen, fut suivie par la mise au point de l'échographie, en 1958, de la mammographie par Raul Leborgne. Le scanner a été conçu en 1967, par un neuroradiologiste britannique Ambrose et un physicien Godfrey Hounsfield. L'imagerie par résonance magnétique (IRM) est l'œuvre de Raymond Damadian, en 1976.

L'approche endoscopique a permis d'introduire des appareils minuscules à l'intérieur même du corps. L'hémodialyse permet à des patients atteints d'insuffisance rénale de vivre normalement. La transfusion sanguine sauve de multiples vies.

Le laser permet, quant à lui, des opérations d'une précision extraordinaire. La radiothérapie représente un des principaux traitements des cancers…

La thérapie génique s'attaque aux causes plutôt qu'aux symptômes. On comprend aisément que cette nouvelle solution thérapeutique offre de fantastiques espoirs aux millions de personnes dans le monde qui souffrent de maladies, notamment génétiques.

Nouveaux appareils de contrôle

À partir du début des années 1890, des appareils appelés « sphygmoscopes », puis « sphygmomanomètres », ont permis de déterminer le rythme et l'amplitude du pouls des malades, mais ils n'ont été adoptés que par une poignée de médecins hospitaliers. Le tensiomètre a ensuite été mis au point pour mesurer la pression artérielle (appelée communément tension artérielle).

Le tensiomètre

Deux médecins ont apporté des améliorations au tensiomètre :

- ✔ le médecin italien Scipione Riva Rocci (1863 – 1937) a inventé un brassard gonflable qui était placé autour du bras en 1896 ;
- ✔ le physiologiste russe Nicolas Sergheïevitch Korotkoff (1874 – 1920) a proposé en 1905 d'utiliser le tensiomètre en même temps que le stéthoscope ;
- ✔ le médecin français Victor Pachon (1867 – 1939) a mis au point en 1909 un oscillomètre permettant l'évaluation des valeurs des pressions maximale et minimale de la tension artérielle.

LE SAVIEZ-VOUS ?

La mesure de la tension

La prise en compte du caractère pathogène de l'hypertension artérielle est le fruit des travaux épidémiologiques des médecins des grandes compagnies d'assurance d'Amérique du Nord. Ceux-ci ont établi, au début du XXᵉ siècle, les limites physiologiques des pressions artérielles et, surtout, la relation étroite entre la mortalité et l'hypertension artérielle.

L'électrocardiogramme

L'électrocardiogramme permet de détecter l'activité électrique du cœur grâce à des électrodes placées sur la peau. En 1903, le Danois Willem Einthoven (1860 – 1927) a muni un galvanomètre (appareil servant à mesurer un bref courant électrique) d'une petite aiguille. Il a ainsi pu décrire les différentes ondes de l'électrocardiogramme, découverte qui lui a permis d'obtenir le prix Nobel de médecine en 1924.

Défibrillateur et pacemaker

Le cardiologue américain Paul Maurice Zoll (1911 – 1999) a mis au point en 1956 le défibrillateur, qui consiste, grâce à un choc électrique externe, à faire passer dans le cœur, en cas de troubles du rythme cardiaque, un bref courant électrique.

Le premier stimulateur cardiaque externe, sous forme d'un appareil de 30 centimètres muni d'une pile, a été inventé par le Canadien John Hopps (1919 – 1998) en 1951, afin de délivrer des impulsions électriques régulières au muscle du cœur. En 1958, un pacemaker interne, petit boîtier conçu par l'Américain Wilson Greatbatch (1919 – 2011), a été implanté directement dans la poitrine d'un malade. À partir des années 1970, le pacemaker a été amélioré grâce à l'utilisation de batteries au lithium et l'emploi de circuits de faible intensité. Les pacemakers cardiaques sont aujourd'hui les organes artificiels les plus répandus.

La radiologie

La découverte de la radiologie, qui a révolutionné l'histoire de la médecine, est le fruit du travail d'un physicien et non d'un médecin.

Le 8 novembre 1895, Wilhelm Conrad Röntgen (1845 – 1923) a découvert, dans son laboratoire de l'université de Würzburg en Bavière, l'existence de rayons invisibles capables de traverser des corps opaques et d'impressionner une pellicule sensible, qu'il a baptisés rayons X (*x* représentant l'inconnu, en mathématiques). Sa curiosité l'a conduit à réaliser une radiographie de la main de sa femme Bertha. Le 28 décembre 1895, il a adressé au président de la Société de Physique médicale de Würzberg une « communication préliminaire sur une nouvelle variété de rayons ». Il y décrivait les clichés, les « *Roentgenogram* », des mains de sa femme et de son assistant. Röntgen a obtenu, en 1901, le prix Nobel de physique. Il a fait don de l'intégralité de la somme qui lui a été attribuée à l'université de Würzburg.

Très rapidement, les médecins ont compris l'intérêt diagnostique de la radiologie en médecine.

Le docteur Antoine Béclère a créé, en janvier 1897, le premier laboratoire de radiologie français à l'hôpital Tenon, dans son service de médecine. Il a réalisé un dépistage radioscopique de la tuberculose pulmonaire et proposé la réalisation, chez tous les patients hospitalisés, d'une radio systématique du thorax, pour dépister les cas de tuberculose. Antoine Béclère a fondé, en 1909, la Société de radiologie médicale de Paris, qui deviendra par la suite la Société française de radiologie.

Les médecins ont eu rapidement recours à la radiologie pour élargir le champ d'investigation de l'organisme :

✔ le médecin autrichien Guido Holzknecht et l'Américain Walter Bradford Cannon ont eu l'idée d'utiliser la radiologie afin d'explorer les anomalies du tube digestif en faisant ingérer au malade des sels de baryum. À partir des années 1910, la gastroentérologie a tiré d'énormes avantages de l'exploitation de ces nouveaux moyens d'exploration ;

✔ les premières urographies intraveineuses ont été effectuées en 1910, en utilisant de l'iodure de sodium.

À partir des années 1910, les radiologues ont considérablement amélioré les techniques radiologiques.

Lorsque la Première Guerre mondiale éclate, il y a peu de spécialistes en radiologie. Il faut donc former des médecins et des manipulateurs au maniement des appareils et à l'interprétation des images. Le médecin major Antoine Béclère met en place un cours de perfectionnement des médecins à l'hôpital du Val-de-Grâce.

Marie Curie, prix Nobel de physique en 1903 (avec Pierre Curie, son mari, et Henri Becquerel), puis de chimie en 1911, demande dès le début du conflit au ministère de la Guerre de généraliser l'usage des appareils radiologiques en première ligne. Elle entreprend en août 1914 une collecte de voitures auprès de femmes fortunées, dans lesquelles elle installe des appareils à rayons X portatifs qui fonctionnent grâce à un câble relié à une dynamo. Elle constitue une « flotte » de 20 voitures surnommées les « petites curies », peintes en gris et marquées d'une croix rouge. Marie Curie est nommée directrice des services radiologiques de l'armée. Elle fait installer 200 postes fixes de radiologie derrière les lignes. Elle va aussi créer une école destinée à former des infirmières à la profession de manipulatrice radiographiques à l'hôpital Édith-Carvell.

Au cours de la guerre de 1914 – 1918, l'utilisation de la radiologie se développe dans le domaine de la traumatologie. On met au point des tables opératoires sous lesquelles sont placés des tubes à rayons X. Le radiologue est présent au côté de son collègue chirurgien tout au long de l'intervention, afin de l'aider à mieux visualiser l'importance de la fracture et la situation des corps étrangers dans le squelette ou les tissus. Grâce à l'amélioration des appareils, il est possible de procéder au repérage des balles et des éclats d'obus sous la peau à 3 ou 4 millimètres près. Une fois l'intervention terminée, le radiologue est chargé de vérifier le résultat de l'intervention. La guerre a permis de structurer et d'améliorer la radiologie, qui devient désormais un examen complémentaire primordial pour le praticien.

Par la suite, on a commencé à prendre en compte l'importance des méthodes de radioprotection. Il a fallu attendre 1926 pour que le biologiste américain Hermann Muller établisse que les rayons X pouvaient entraîner des mutations au niveau des cellules et mette en garde sur le danger d'une surexposition.

Techniques d'imagerie : en avant toutes !

Le terme de « radiologie », utilisé en référence aux débuts de la discipline dans l'exploration du corps humain, dont les applications médicales faisaient appel aux propriétés des radiations ionisantes et notamment des rayons X, a été remplacé progressivement par celui d'« imagerie médicale ».

Les techniques d'imagerie médicale se sont enrichies, à partir de la seconde moitié du XXe siècle.

La mammographie

Mise au point à partir des travaux du médecin uruguayen, Raul Leborgne (1907 – 1986), la mammographie est une radiographie effectuée en comprimant le sein entre deux plaques. Deux radiographies sont effectuées pour chaque sein (de face et de côté). La première machine de mammographie a été introduite en 1966. La mammographie reste l'examen de référence dans le dépistage du cancer du sein.

L'échographie

L'échographie consiste à visualiser l'intérieur du corps grâce à l'utilisation d'ondes sonores. En 1951, Douglass Howry, un radiologue américain, obtient l'image de la « coupe » d'un bras, montrant la peau, les os et des fantômes de muscles, obtenue à l'aide d'un appareil d'imagerie par ultrasons qu'il a baptisé « somascope » ; le patient prenait place dans sorte de baignoire remplie d'eau. En 1958, la première échographie obstétricale est réalisée à Glasgow par Ian Donald. À partir de 1963, des échographes à bras articulés permettent des examens sans immersion du patient. Depuis les années 1970, l'échographie constitue un apport très important, notamment dans le domaine de l'obstétrique où elle est utilisée dans la surveillance des grossesses.

Du Titanic à l'échographie

L'invention de l'échographie a fait suite aux travaux réalisés au lendemain de la catastrophe du *Titanic*. Des chercheurs s'étaient alors lancés dans la mise au point d'un appareil permettant de détecter les obstacles sous-marins. Au cours de la Première Guerre mondiale, un ingénieur russe, Constantin Chilowsky, avait proposé au gouvernement français un appareil vibrateur électromagnétique capable de transformer les courants de haute fréquence en ultrasons. Le célèbre professeur Paul Langevin (1872 – 1946) avait amélioré cet appareil, au début de 1917, et présenté à un éventail de militaires son prototype, qui permettait de détecter des objets immergés dans le volumineux réservoir qu'il avait installé dans son laboratoire. Il a donné le nom de « sonar » à ce système, qui a d'abord servi à la lutte sous-marine, puis aux recherches pétrolifères et, enfin, à la détection de bancs de poissons et à l'étude de fonds.

Le scanner

Conçu à partir de 1967 par l'ingénieur anglais en informatique Godfrey Hounsfield (1919 – 2004), qui travaillait dans les laboratoires de la firme EMI, le scanner permet de faire des coupes anatomiques reconstruites à partir du coefficient d'altération du faisceau de rayons X dans le volume irradié. En octobre 1971, Geoffrey Hounsfield et son collègue Jammie Ambrose, un neuroradiologue, ont présenté les images obtenues grâce à un nouveau système d'imagerie médicale, qu'ils ont baptisé tomographie axiale numérisée ou tomodensitométrie (TDM), ou encore « scanner ». Ils avaient réussi à visualiser pour la première fois certaines parties du cerveau qui n'avaient jamais été observées.

Le scanner et les têtes de vache casher

Godfrey Hounsfield et Jammie Ambrose étaient sur le point d'abandonner leurs recherches sur le scanner... Ils avaient essayé de scanner des têtes de vache que leur avait fournies le boucher du coin. Les résultats avaient été décevants. En effet, il n'avait pas été possible de visualiser les structures complexes du cerveau, pas même les ventricules. Sur le point de renoncer, Ambrose se souvint que ces animaux avaient été tués d'un coup sur la tête et que les hémorragies multiples qui s'étaient ensuivies pouvaient avoir occulté les détails les plus fins du cerveau. Il réussit à convaincre Hounsfield de la nécessité de scanner des têtes de vache égorgées plutôt qu'assommées, qu'ils pourraient se procurer auprès d'un boucher casher. Ambrose avait raison. Cette fois, lorsqu'ils examinèrent aux rayons X les têtes de ces vaches, les images de toutes les parties du cerveau – dont les ventricules – étaient parfaitement nettes.

À la suite de cette expérience concluante, Godfrey Hounsfield et ses collègues prirent rendez-vous avec les dirigeants de la firme EMI (enrichie par le succès des disques des Beatles), et purent mener à bien le développement de l'appareil. Godfrey Hounsfield a connu aussitôt la gloire : il a été anobli et a reçu, en 1979, le prix Nobel de physiologie et de médecine.

 Albert Cormack a partagé le prix Nobel avec Godfrey Hounsfield pour avoir publié, en 1963, un article décrivant l'instrument qu'il avait inventé (employant les tomogrammes, un algorithme et un ordinateur). Son appareil permettait d'obtenir des images au rayon X de très grande qualité. Mais Cormack n'avait jamais scanné que des maquettes « fantômes » et non des humains. Hounsfield, apparemment, ignorait tout des études de Cormack, qui avaient été publiées dans une obscure revue de physique.

L'imagerie nucléaire

Dans les années 1950, l'imagerie nucléaire s'est développée. Hal Anger (1920 – 2005) a mis au point la scintigraphie, qui a permis aux médecins de détecter des tumeurs et de porter des diagnostics médicaux. Au fur et à mesure, les caméras à scintillation d'Anger ont évolué en systèmes d'imagerie modernes comme le TEP (tomographie à émission de positrons), dont le principe repose sur la détection dans l'organisme d'un traceur, le glucose radioactif, suivie d'un traitement informatique permettant la reconstruction des images. Les tissus consommateurs d'une grande quantité de glucose, notamment les cancers, sont ainsi repérés.

L'imagerie par résonance magnétique

La technique d'imagerie par résonance magnétique (IRM) a été élaborée par un physicien belge, Raymond Damadian, en 1976, à partir d'études sur le champ magnétique. Cette technique permet d'obtenir des images en deux ou trois dimensions du corps humain, sans utilisation des rayons X.

 L'imagerie interventionnelle, qui consiste à réaliser le traitement ou le diagnostic de nombreuses affections, sous contrôle échographique ou scanner, s'est considérablement développée à partir des années 1980.

Nouveaux outils à l'intérieur du corps

Les instruments se miniaturisent et permettent d'aller explorer l'intérieur du corps. Le cathétérisme cardiaque est une méthode d'exploration relativement ancienne qui permet d'effectuer divers tests et interventions.

L'endoscopie a, d'une façon générale, bouleversé la médecine, car elle a permis de visualiser l'intérieur du corps : ses applications sont à la fois diagnostiques et chirurgicales.

Le cathétérisme cardiaque de Werner Forssmann

En septembre 1929, un interne en chirurgie allemand de l'hôpital d'Eberswalde près de Berlin, nommé Werner Forssmann (1904 – 1979), est tombé sur un ouvrage consacré à l'histoire de la médecine dans lequel se trouve une gravure montrant la réalisation en 1844 d'un cathétérisme cardiaque sur un cheval par Claude Bernard. Ce célèbre professeur de physiologie avait introduit dans la cavité cardiaque d'un cheval une sonde qui lui avait permis de réaliser des mesures du débit cardiaque. Or, depuis cette expérience, personne n'osait se risquer à faire entrer une sonde dans les ventricules du cœur humain, persuadé que cette exploration tuerait à coup sûr le patient. Et c'est là que Werner Forssmann, qui avait un grain de folie et surtout l'enthousiasme de la jeunesse, s'est demandé pourquoi lui ne réaliserait pas cet acte. Il a alors envisagé de faire pénétrer par une veine une sonde de faible diamètre jusque dans les cavités cardiaques et il a décidé de réaliser cette expérimentation sur lui-même. Après en avoir parlé à son chef de service, Werner Forssman a essuyé un refus absolu : « Cet établissement n'est pas un cirque ! Je ne veux pas que vous risquiez votre vie dans cette tentative. Je vous l'interdis formellement ! » Werner, qui n'était pas du genre à se décourager, a fait preuve d'obstination. Il a mis dans la confidence une jeune infirmière en lui demandant de l'assister dans cette expérimentation. Ils se sont enfermés à l'heure du déjeuner dans le bloc opératoire, au moment où tout le monde était au réfectoire. Werner Forssmann a ainsi introduit une sonde de 65 centimètres de long dans une veine de son bras et l'a poussée. Gerda l'a accompagné dans la salle de radio, où elle a réalisé une radiographie objectivant que la sonde était arrivée jusqu'au cœur. Ce médecin courageux venait de réaliser le premier acte de cathétérisme cardiaque humain de l'histoire de la médecine. Après avoir appris son exploit, son chef de service l'a traité d'acrobate. Découragé, Forssmann a abandonné l'exercice de la cardiologie (il est devenu urologue).

La performance du médecin d'Eberswalde sombra dans l'oubli jusqu'au moment où deux médecins, le Français André Cournand et l'Américain Dickinson W. Richards, mis au courant de cet exploit, s'y sont intéressés. Ils ont montré que, grâce au cathétérisme cardiaque, il était possible de connaître, entre autres, la pression du sang dans les différentes cavités du cœur et que c'était un moyen unique d'explorer les cardiopathies. Leurs travaux leur ont permis de recevoir, en 1956, le prix Nobel de médecine. Mais les deux hommes ont prévenu le jury de Stockholm : ils n'accepteraient la récompense que si Werner Forssmann la partageait avec eux. N'était-ce pas lui qui les avait inspirés et leur avait montré la voie ? Avec 27 ans de retard, le monde scientifique découvrait l'audacieux novateur qui avait ouvert la voie à la cardiologie interventionnelle…

Petite histoire des stents

La cardiologie interventionnelle, qui comprend les actes thérapeutiques par voie endovasculaire, est aujourd'hui largement pratiquée. L'histoire a commencé le 16 septembre 1977, lorsqu'un jeune cardiologue de l'hôpital cantonal de Zurich, Andreas Gruentzig (1939 – 1985), a reçu en urgence un patient souffrant d'infarctus du myocarde. Il a eu l'idée d'introduire un ballonnet replié à l'aide d'un tuyau souple très fin, appelé cathéter, de l'artère fémorale, située à l'aine, jusqu'à l'artère obstruée. Il a alors gonflé le ballonnet, ce qui a entraîné une désobstruction du vaisseau bouché. Cette manœuvre appelée angioplastie coronaire peut être effectuée en plusieurs endroits, en cas de rétrécissements multiples.

Mais après la réalisation de ce geste technique, il y a un risque que l'artère se rebouche dans les semaines ou les mois qui suivent. Cela a conduit, neuf ans plus tard, un cardiologue français originaire de Toulouse, le professeur Jacques Puel (1949 – 2008), à inventer le stent, un petit ressort en métal de quelques millimètres de diamètre et d'un ou plusieurs centimètres de long, qui est placé dans l'artère coronaire. Cette technique a considérablement amélioré la prise en charge des infarctus du myocarde.

Pour réduire ce risque de nouvelle sténose, des scientifiques ont en outre eu l'idée, à partir de 2001, de recouvrir les stents d'un médicament empêchant la formation du caillot. Des stents enrobés d'antiagrégants plaquettaires (tels que l'aspirine) ont donc été placés, dans les artères coronaires. Ils ont l'avantage de fluidifier le sang.

En France, environ 100 000 personnes bénéficient de cette technique chaque année, en cas d'infarctus du myocarde ou de sténoses (rétrécissements) coronaires, ce qui a amélioré le pronostic des affections coronariennes.

L'angioplastie de Bill Clinton

Le patient le plus célèbre est Bill Clinton. Il a bénéficié à l'âge de 63 ans de la pose de deux stents. Il faut dire qu'il avait accumulé les facteurs de risques : rythme de travail intensif, appétit immodéré pour la nourriture grasse, activité physique irrégulière ou absente, stress intense pendant sa présidence et tabagisme immodéré...

L'endoscopie

En 1806, le médecin allemand Philipp Bozzini (1773 – 1809) avait réalisé la première endoscopie vaginale avec un spéculum, appelé *Lichtleiter*, qui comprenait une lanterne et une série de tubes métalliques pourvus de miroirs à l'une de leurs extrémités. Les premiers endoscopes modernes ont été conçus à partir de cet appareillage primitif et imparfait.

En 1954, le physicien allemand Harold Hopkins (1918 – 1994) a mis au point des endoscopes constitués de fibres optiques, tandis que le médecin américain d'origine sud-africaine Basil Hirschowitz (1925 – 2013) a inventé un système d'illumination.

L'histoire de la cœlioscopie (ou laparoscopie), examen de l'intérieur de l'abdomen, a commencé en 1903, lorsqu'un médecin allemand, Georg Kelling, a effectué la première « cœlioscopie » avec un cystoscope à éclairage électrique sur un chien dont la cavité abdomino-pelvienne avait été distendue artificiellement. Un médecin de Stockholm, Hans Christian Jacobaeus (1879 – 1937), appliqua cette technique à l'homme. La cœlioscopie était alors limitée à l'exploration de la partie supérieure de l'abdomen, car l'accès aux organes génitaux internes, au niveau pelvien, était d'un abord trop difficile. La seule façon d'observer l'intérieur du corps humain était la laparotomie.

En 1951, un gynécologue, Raoul Palmer (1904 – 1985), a eu l'idée de mettre au point une technique révolutionnaire permettant de soulever et de déplacer l'utérus et de réaliser des biopsies des trompes et des ovaires.

La chirurgie non invasive

En 1974 à Clermont-Ferrand, Maurice-Antoine Bruhat et Hubert Manhes ont révolutionné la chirurgie gynécologique en créant une nouvelle discipline, la cœliochirurgie.

Cette technique, reprise par l'ensemble des spécialités, a radicalement transformé les modalités d'exercice de la chirurgie, toutes disciplines confondues. La chirurgie, qui en procède, utilisée couplée à une caméra optique qui filme l'intérieur de la cavité explorée et qui transmet les images sur un écran de télévision, a été appelée « non invasive » ou encore « mini-invasive », « endoscopique », « laparoscopique » ou « cœlioscopique ».

Les prothèses

Au cours du XXᵉ siècle, on a assisté à une amélioration des dispositifs artificiels destinés à remplacer un membre, un organe ou une articulation. Ces prothèses ont été réalisées avec de nouveaux matériaux, plus légers et plus résistants (plastiques, polymères, fibres de carbone), et elles ont bénéficié des progrès de l'électronique et de l'informatique. Il a ainsi été mis au point des prothèses contrôlables par la pensée, grâce à l'ajout d'électrodes et d'un ordinateur.

Les prothèses orthopédiques

En 1923, le chirurgien Marius Smith-Petersens (1886 – 1953) a utilisé de fins moules de verre pour traiter la fracture du fémur. Au même moment, Ernest Wiliam Hey Groves (1872 – 1944) a mis au point une prothèse de hanche en ivoire. En 1946, les frères Jean Judet (1905 – 1995) et Robert Judet (1909 – 1980) ont réussi une prothèse totale de la hanche contenant du plexiglas (PMMA). Austin Moore (1899 – 1963) a développé en 1950 un procédé de fixation des prothèses avec une tige métallique, tandis que John Charnley (1911 – 1982) a introduit en 1959 le plexiglas comme ciment pour fixer la prothèse. En 1980, Pierre Boutin a introduit l'alumine, une céramique de comblement osseux.

L'hémodialyse

L'histoire de l'hémodialyse a débuté en 1943, en Hollande occupée, avec la mise au point d'un appareil artisanal, un dispositif rotatif doté de cellophane permettant de filtrer le sang. Fabriqué par le docteur Willem Kolff (1911 – 2009), ce premier rein artificiel était destiné à assurer, chez les malades souffrant d'insuffisance rénale aiguë, l'épuration du sang. Après la fin de la guerre, Kolff a émigré aux États-Unis, avec trois de ses machines qu'il a considérablement améliorées. Il a alors élaboré des appareils d'hémodialyse qui ont été utilisés en Corée, pour sauver la vie des soldats souffrant d'insuffisance rénale aiguë à la suite de blessures de guerre. La principale difficulté, qui empêchait alors leur utilisation chez les insuffisants rénaux chroniques, était la non-disponibilité d'un accès vasculaire permanent. Le docteur Belding Schribner (1921 – 2003) a alors conçu un dispositif constitué d'un tuyau en forme de U fabriqué avec une nouvelle matière plastique, le téflon, qu'il branchait sur une veine et une artère de manière permanente, de façon à permettre le branchement direct sur le rein artificiel du malade.

Le premier centre d'hémodialyse a été ouvert en 1962 à Seattle, aux États-Unis.

La transfusion sanguine

Le développement de la transfusion sanguine a été possible grâce à un certain nombre de découvertes qui se sont succédé au cours de la première partie du XXe siècle.

Histoire de la transfusion sanguine

En 1667, Jean-Baptiste Denis (1643 – 1704) avait injecté trois pintes de sang de mouton à un homme. Après une première tentative qui avait été un succès, il avait décidé d'administrer du sang de veau à un adolescent turbulent, lequel décéda quelques jours plus tard. Cela a conduit, en 1668, la faculté de médecine de Paris à interdire la réalisation de transfusions sanguines. 10 ans plus tard, le Parlement britannique a adopté la même décision, contre l'avis de la Royal Society. Des essais de transfusions sanguines d'homme à homme ont été tentés au XIXe siècle par James Blundell (1791 – 1878).

L'essor de la transfusion a été rendu possible par la découverte des groupes sanguins. En 1901, le médecin viennois Karl Landsteiner (1868 – 1943) a été le premier à identifier les groupes sanguins et à leur attribuer les lettres A, B et O (système ABO). Il a compris qu'avant de réaliser une transfusion, il fallait qu'il y ait une compatibilité du groupe du donneur et de celui du receveur.

En octobre 1914, le professeur Émile Jeanbrau (1873 – 1950), affecté à l'hôpital de Biarritz, a réalisé la première transfusion sanguine de la Première Guerre mondiale sur un soldat, qui présentait un choc hémorragique. Deux innovations ont permis l'essor de cette technique au cours de ce conflit : le recueil du sang du donneur après une simple ponction veineuse et, surtout, l'adjonction dans le sang recueilli de citrate de soude, qui permet de rendre le sang incoagulable.

Dès la fin de la guerre, le médecin Arnault Tzanck (1886 - 1954), mobilisé dans l'ambulance chirurgicale du professeur Gosset (1872 - 1944), a encouragé la mise en place d'un système de la transfusion sanguine. Il a fondé, en 1923, le premier centre de transfusion sanguine à l'hôpital Saint-Antoine, à Paris, qui est devenu par la suite le « Centre national de transfusion sanguine ».

Karl Landsteiner et Alexander Wiener (1907 - 1976) ont identifié, en 1940, au *Rockefeller Institute* de New York, deux sous-groupes importants, dans le système sanguin, caractérisés par la présence ou l'absence du facteur rhésus. Cette découverte a permis de limiter le risque de survenue d'accidents transfusionnels.

Au cours de la Seconde Guerre mondiale, la prise en charge des blessés s'effectuait grâce à des transfusions de sang en réserve.

Le scandale du sang contaminé

En 1985, alors que les responsables de la transfusion sanguine venaient d'interdire la distribution en France des produits sanguins non chauffés, potentiellement contaminés par le virus du sida ou l'hépatite C, l'Institut Mérieux a continué à exporter ses lots dans les pays pauvres. Cette faute sanitaire a coûté la vie à de nombreux hémophiles, notamment, et a éclaboussé aussi bien le monde médical que celui de la politique.

Le laser

Le laser (acronyme de l'anglais *Light Amplification by Stimulated Emission of Radiation,* « amplification de la lumière par émission stimulée de rayonnement ») est un appareil qui produit un faisceau étroit de rayonnement lumineux. Il a commencé à être utilisé en chirurgie dans le traitement d'une tumeur de la rétine, en 1961. Réservée un temps à la chirurgie ophtalmologique, cette technique a aujourd'hui des applications très diverses, entre autres en dermatologie, en gynécologie et en ORL. Elle offre au chirurgien une précision chirurgicale extraordinaire qui lui permet de réaliser des incisions d'une extrême finesse, de l'ordre du millionième de millimètre.

La radiothérapie

Découverts par Röntgen en 1895, les rayons X ont rapidement été utilisés dans le traitement du cancer. Victor Despeignes (1866 - 1937) est le premier à l'avoir fait, en 1896.

La découverte de la radioactivité

En mars 1896, Henri Becquerel (1852 – 1908) s'est aperçu que le dépôt de cristaux de sel d'uranium et de potassium sur des plaques photographiques entraînait l'apparition d'une tache noire, à l'emplacement des cristaux, et ce, même si la préparation était restée dans le noir pendant plusieurs jours. Il a compris que cette image ne provenait pas de la phosphorescence du soleil sur les cristaux, mais de l'exposition de la plaque photographique aux radiations émises spontanément par les cristaux. La connaissance de cette nouvelle et inattendue propriété atomique de la matière prélude à la découverte de la radioactivité.

En 1898, Pierre Curie (1859 – 1906) et Marie Curie (1867 – 1934) ont découvert le polonium et le radium.

Le premier à avoir évoqué l'utilisation du radium dans le traitement des cancers a été Pierre Curie (mort accidentellement en 1906), lors d'un congrès de physique qui a eu lieu à Londres en juin 1903. Cette idée de bombarder les tumeurs cancéreuses à l'aide de particules d'origine atomique n'est donc pas nouvelle.

Le 26 juillet 1896, Victor Despeignes (1866 – 1937), ancien chef de travaux à la faculté de médecine de Lyon, partant du principe que les rayons X endommageaient les tissus, avait pensé qu'il y avait un grand intérêt à traiter un patient souffrant d'un cancer de l'estomac avec des rayons X. Après 8 jours d'irradiation aux rayons X, il avait noté une amélioration. Le malade finit par décéder, mais l'idée d'irradier les tumeurs cancéreuses était née.

En 1901, le docteur Danlos, à l'hôpital Saint-Louis, a eu l'idée d'utiliser le radium pour le traitement de la peau. C'est la naissance de la curiethérapie.

Qu'est-ce que la « curiethérapie » ?

Cette technique consiste à irradier à forte dose une tumeur sans léser les tissus avoisinants, en plaçant une substance radioactive (aujourd'hui du césium, de l'iridium ou de l'iode 125) à son contact, à l'intérieur de l'organisme.

D'abord limitées au traitement des cancers de la peau, des tentatives d'irradiation ont été faites sur des tumeurs localisées dans des organes plus profonds. Les médecins utilisaient dans un premier temps essentiellement des tubes délivrant des rayons X car les sources de radium étaient limitées.

Les premières expériences furent spectaculaires et suscitèrent un engouement si important que l'irradiation fut utilisée dans un grand nombre d'affections nerveuses, articulaires et même infectieuses.

Progressivement, les règles d'utilisation de la radiothérapie vont être codifiées.

En 1906, les Français Jean-Alban Bergonié et Louis Tribondeau ont démontré que plus les rayonnements étaient intenses, plus ils étaient nocifs. Ce n'est que très lentement qu'on est arrivé à déterminer les doses optimales tolérées. Les malades traités souffraient du « mal des rayons », qui se manifestait par des brûlures, des dermites, des troubles intestinaux, des infections… Puis on s'est rendu compte que les rayonnements eux-mêmes étaient capables à long terme d'induire… des cancers. De nombreuses revues scientifiques ont été créées afin de tenir les médecins informés des nouveautés de cette nouvelle spécialité.

En 1909, l'université de Paris et l'Institut Pasteur se sont réunis pour créer l'Institut du Radium, dirigé par Marie Curie et Claudius Regaud (1870 – 1940).

Dans les années 1920, on a assisté à une standardisation des techniques d'irradiation, avec l'introduction dans l'arsenal thérapeutique du radio-thérapeute d'un matériel de plus en plus perfectionné et de plus en plus efficace. Au début, la méthode employée reposait sur l'application d'aiguilles de radium dans la tumeur, puis on a utilisé de plus en plus des générateurs de rayons X à haute fréquence et de célèbres « bombes » au radium qui permettent d'irradier à distance. La radiothérapie est devenue une discipline du traitement anticancéreux avec la création de la Fondation Curie (actuel Institut Curie). Les premiers accélérateurs de particules ont offert la possibilité de traiter les cancers grâce à des faisceaux de protons (protonthérapie) dont la précision permet d'éviter au maximum de détruire les tissus sains avoisinant la tumeur.

Dans les années 1930, on a assisté à l'engouement du public, des médecins et des laboratoires pour les produits radioactifs. On les trouvait dans les aliments pour bétail, dans les crèmes et masques de beauté, dans l'eau du bain, dans les lames de rasoir au radium…

La radiothérapie fait naître de nouveaux espoirs

En 1913, la radiothérapie fut proposée dans le traitement de l'hypertension artérielle par Paul-Henri Cottenot. Son traitement consistait en l'irradiation des surrénales chez les malades hypertendus. Après avoir repéré la douzième côte et protégé la moelle épinière avec des lames de plomb, le médecin irradiait la région dorsale des malades et il surveillait la pression artérielle. Dans les années 1920 et 1930, on a aussi irradié des malades hypertendus au niveau d'autres zones (hypophyse, vaisseaux du cou, moelle épinière, sinus carotidiens…) supposées jouer un rôle dans la pathogénie de cette affection.

La médecine nucléaire, qui a vu le jour grâce à la découverte de la radioactivité artificielle par Irène et Frédéric Joliot-Curie en 1934 (prix Nobel 1935), a pris son essor grâce aux chercheurs du *Berkeley Lab* de Californie, qui ont mis au point des techniques permettant de traiter les maladies :

✔ Ernest Lawrence (1901 – 1958) et John H. Lawrence (1904 – 1991) ont eu l'idée, en 1936, de traiter un patient atteint de leucémie en lui administrant du phosphore radioactif ;

✔ en 1940, l'hyperthyroïdie a été diagnostiquée pour la première fois et traitée en utilisant l'iode radioactif (iode 131) ;

✔ à partir de 1950, des appareils de haute énergie ont été utilisés ;

✔ en 1952, Maurice Tubiana (1920 – 2013), chercheur radiobiologiste et médecin cancérologue, est entré à l'Institut Gustave-Roussy de Villejuif (qu'il a dirigé de 1982 à1988), dont il fait un pôle d'excellence dans le domaine de la thérapeutique des cancers. Mondialement reconnu, il a fondé la radiothérapie moderne (on lui doit l'utilisation des isotopes radioactifs à des fins médicales) ;

✔ dans les années 1970 – 1990, la radiobiologie, qui étudie l'action des rayonnements ionisants sur les tissus, a permis de limiter les effets secondaires. La radiothérapie a profité des progrès technologiques issus de la physique, de l'informatique et de l'imagerie.

La thérapie génique

Issue de la biologie cellulaire et de l'immunologie, la thérapie génique, nouvelle discipline développée à partir du décryptage du génome humain, consiste à traiter une maladie en réalisant l'insertion, l'altération ou le remplacement des gènes dans les cellules humaines et représente une voie d'avenir prometteuse.

Dans le domaine de la santé, les biotechnologies permettent de transférer un gène d'un organisme à un autre, par « génie génétique ». De nombreuses applications sont possibles pour améliorer les médicaments (l'insuline est le premier gène synthétique apparu sur le marché ; plus d'une centaine sont en cours de développement) ou les vaccins, en éliminant leurs agents pathogènes et les risques d'infection.

Conceptualisée en 1972 par Theodore Friedmann (né en 1935), professeur à la faculté de pédiatrie de l'université de Californie, et Richard Roblin (né en 1940), scientifique à l'Institut de Salk pour les sciences biologiques en Californie, la thérapie génique est le fer de lance d'une révolution thérapeutique. Son principe repose sur le remplacement du gène défectueux, responsable d'une maladie, par le gène intact, afin d'assurer sa guérison. Il est donc introduit, dans une cellule vivante, un gène susceptible d'induire un effet thérapeutique.

William French Anderson (né en 1936) a réalisé, en 1990, en Caroline du Sud, la première thérapie génique chez une petite fille qui présentait un déficit immunitaire sévère.

Alain Fischer (né en 1949), directeur de l'Institut des maladies génétiques de l'hôpital Necker-Enfants malades (Imagine), est, avec les professeurs Marina Cavazzna et Salima Hacein-Bey, l'initiateur de la thérapie génique sur des bébés, atteints d'une maladie génétique les privant de défenses immunitaires. On les a appelés « bébés-bulles », car ils sont placés, pendant la phase de traitement reposant sur une greffe de la moelle, dans une enveloppe plastique stérile.

Les « bébés-bulles »

En avril 2000, l'équipe de l'hôpital Necker annonçait que les essais de thérapie génique sur les bébés-bulles avaient porté leurs fruits. Cette méthode présentait l'avantage d'éviter les échecs liés à la greffe de moelle osseuse par donneur, traitement alors en usage, et consistait à pratiquer une autogreffe en insérant une copie normale du gène altéré dans l'organisme des enfants malades. Certains enfants ont ainsi pu retrouver un système immunitaire fonctionnel et échapper aux infections à répétition. Mais la technique, nécessitant un rétrovirus comme vecteur du gène, est encore porteuse d'échecs.

Le prix du Japon 2015, prestigieux prix scientifique international, a récompensé Alain Fischer, pour ses travaux pionniers sur la thérapie génique, ainsi que Theodore Friedmann, considéré comme le « père de la thérapie génique ».

En septembre 2010, une thérapie génique a été réalisée avec succès pour soigner un patient atteint d'une grave maladie du sang (la bêta-thalassémie). En 2011, la thérapie génique a été utilisée pour la première fois pour traiter l'hémophilie. De nombreux protocoles de thérapie génique suscitant un grand espoir sont en cours.

L'arsenal thérapeutique

Au XXᵉ siècle, la généralisation de la vaccination a éradiqué de grandes épidémies et contribué à augmenter l'espérance de vie de la population. Plusieurs maladies infectieuses (diphtérie, poliomyélite, rougeole, variole) ont disparu de nombreux pays ou régions du monde. L'aventure n'est pas finie, la recherche doit faire face à des maladies infectieuses résurgentes (tuberculose) ou à de nouveaux virus (voir le sida, « Partie des Dix », chapitre 13).

Le XXe siècle est aussi le siècle de la chimie reine : sulfamides, antibiotiques, « pilule », tranquillisants, « chimio »… L'industrie du médicament a connu plusieurs révolutions, jusqu'à celle des biomédicaments…

La vaccination pour tous

Tout au long du XXe siècle, la mise au point de nouveaux vaccins a bénéficié de la meilleure compréhension des bases immunologiques, génétiques, microbiologiques et virologiques.

Le BCG contre la tuberculose

À partir du moment où l'agent responsable de la tuberculose a été identifié, en 1882 par Robert Koch (voir chapitre 11), les différentes équipes de chercheurs se sont attachées à essayer de mettre au point un vaccin.

En 1899, le docteur Albert Calmette (1863 – 1933) a été sollicité par le président du Conseil Waldeck-Rousseau pour élaborer ce vaccin. À partir de 1897, il s'est attelé à cette tâche avec Camille Guérin (1872 – 1961), docteur vétérinaire. Ils étaient partis de la constatation que les animaux tuberculeux étaient incomparablement plus résistants que les animaux exempts d'infection à une inoculation d'épreuve. En 1906, ils ont réussi à montrer que l'immunité antituberculeuse était fonction de la présence de quelques bacilles vivants, mais peu virulents, dans l'organisme. Ils se sont aperçus que certains milieux de culture étaient susceptibles de produire des souches moins virulentes au fil du temps. Cela leur a donné l'idée de mettre au point une souche de bacilles de moins en moins virulents, en les transférant dans des cultures successives.

Au terme de 13 ans de travail acharné, Calmette et Guérin ont obtenu un bacille inoffensif, stable et vivant. Le 1er juillet 1921, la première vaccination a été réalisée.

 L'OMS a recommandé la vaccination par le BCG (Bacille de Calmette et Guérin) à partir de 1948 et il a été rendu obligatoire en France à partir de 1950.

Autres vaccins

À partir des années 1920, les découvertes de vaccins contre les infections bactériennes ou virales s'échelonnent avec régularité ; d'autres sont très récentes ou en cours :

- 1923 : vaccins contre la diphtérie et contre la coqueluche ;
- 1927 : vaccin contre le tétanos ;
- 1937 : vaccins contre la fièvre jaune et contre la grippe ;
- 1954 : vaccin inactivé contre la poliomyélite ;

✔ 1957 : vaccin atténué oral contre la poliomyélite ;

✔ 1958 : vaccins vivants atténués contre la rougeole ;

✔ 1963 : vaccin contre la rougeole ;

✔ 1966 : vaccin contre les oreillons ;

✔ 1969 : vaccins contre la rubéole et les infections à méningocoques ;

✔ 1973 : vaccin contre la varicelle ;

✔ 1976 : premier vaccin contre l'hépatite B ;

✔ 1980 : vaccin par recombinaison génétique contre l'hépatite B ;

✔ 1983 : vaccin contre les infections à pneumocoque ;

✔ 1985 : vaccin contre la méningite bactérienne ;

✔ 1992 : vaccin contre l'hépatite A ;

✔ 2006 – 2007 : vaccins contre le papillomavirus responsable du cancer de l'utérus (HPV), contre le zona et les infections à rotavirus (provoquant des gastroentérites).

De nombreux travaux sont menés dans la recherche de vaccins, entre autres, contre le paludisme, la malaria, le sida (VIH), la tuberculose (présentant une forte recrudescence dans le monde).

En France, certains vaccins sont obligatoires, d'autres recommandés ; d'autres encore sont proposés en cas d'exposition (profession, voyages, etc.).

La chimie du médicament

La saga du médicament aux XXᵉ et XXIᵉ siècles est une aventure pleine de succès.

Le laboratoire Bayer, en Allemagne, découvre l'aspirine à l'état pur, une version synthétisée de l'acide acétylsalicylique et dépose, en 1899, un brevet qui va faire sa fortune. Il sera commercialisé en France à partir de 1908, par la Société chimique des usines du Rhône.

Les antibiotiques ont représenté un virage dans l'histoire de la médecine, contribuant à faire baisser la mortalité liée aux maladies infectieuses. De très nombreuses substances se sont révélées actives contre la plupart des microbes, virus et maux : sulfamides, antibiotiques, insuline, cortisone, anti-hypertensifs, antiviraux… La contraception a changé la vie des femmes. Les psychotropes ont permis d'améliorer les conditions de vie des malades mentaux et sont depuis très largement prescrits. La thérapie génique, capable de réparer les erreurs génétiques, va encore plus loin.

Cet énorme marché crée une compétition entre les laboratoires dans le monde entier. Tous les jours de nouvelles substances sont testées dans le cadre de nombreux protocoles d'essai (notamment, dans le domaine de la lutte contre le cancer).

L'industrie du médicament a considérablement évolué au cours des XXe et XXIe siècles : commercialisation des dérivés de l'industrie chimique et naissance de l'industrie pharmaceutique ; industrie pharmaceutique avec structures de recherche intégrées, études cliniques et évaluation des médicaments ; émergence des biotechnologies, industrie du médicament générique, renforcement de la sécurité sanitaire afin d'éviter les erreurs du passé…

Les scandales de l'industrie pharmaceutique

Certains médicaments ont défrayé la chronique, l'affaire la plus célèbre restant celle de la thalidomide, mise sur le marché en 1957 par le laboratoire pharmaceutique allemand Chemie Grünenthal. Destinée à traiter les nausées et les insomnies légères, elle avait l'avantage de ne pas entraîner de dépendance. En mai et juin 1961, un gynécologue de Sydney, en Australie, le docteur William McBride, avait lancé un cri d'alarme devant la recrudescence de naissances de bébés dépourvus de segments de bras et des jambes, avec des pieds et des mains accrochés directement au tronc. Il avait remarqué que toutes les femmes ayant donné naissance à ces bébés avaient pris de la thalidomide au cours du premier trimestre de grossesse et que l'étendue des dommages au fœtus dépendait de la période où le médicament avait été pris au cours de la gestation. Malgré les dénégations du laboratoire, le produit a été retiré du marché après quatre ans de commercialisation, le 27 novembre 1961. Les deux procès de la thalidomide, à Liège en Belgique et à Alsdorf en Allemagne, ont contribué à jeter le discrédit pour la première fois sur l'industrie pharmaceutique.

D'autres médicaments ont entraîné des accidents dramatiques. La poudre Baumol a entraîné la mort de 73 enfants, tandis que le Stalinon, administré contre les furonculoses, a tué 100 personnes en 1956. Un autre médicament, le distilbène, commercialisé à partir de 1948 pour prévenir les avortements spontanés au cours des grossesses à risque, a également défrayé la chronique quelques années plus tard. Il a été établi, en 1971, une relation entre la survenue de cancers chez des filles et la prise de distilbène chez la mère pendant leur grossesse. Il a fallu attendre 1977 pour que soit rendue publique sa contre-indication aux femmes enceintes.

Les sulfamides

Dans les années 1930, les sulfamides représentent la première arme antimicrobienne. Par un heureux hasard, le premier antibiotique, la pénicilline, est découvert par Alexander Fleming en 1928. La chimiothérapie anti-infectieuse prend son essor. Avec la streptomycine et la cortisone, ces médicaments constituent une « révolution thérapeutique » qui fait faire un bon à la médecine du XXe siècle. Mais, grâce au génie génétique, le XXIe siècle n'est et ne sera pas en reste… L'Histoire est en train de s'écrire.

Gerhard Domagk (1895 – 1964), biochimiste allemand, a étudié en 1932 les infections à streptocoques. Il a remarqué que l'injection de Prontosil permettait de guérir des souris infectées par le streptocoque, alors qu'il était sans effet sur les streptocoques qui se développaient dans un tube à essai. Ce sulfamide a été commercialisé en 1935 par le laboratoire IG-Farben (Bayer). Pour la première fois, on disposait d'armes thérapeutiques efficaces contre les maladies infectieuses intestinales et urinaires, les pneumonies à pneumocoques, les septicémies puerpérales et les méningites épidémiques. Cette découverte a été suivie par la découverte par Daniel Bovet (1907 – 1992) de la sulfanilamide en 1936.

 Le 26 octobre 1939, le comité Nobel a décerné à Domagk le prix Nobel de médecine. Adolf Hitler avait interdit à ses ressortissants d'accepter le prix : il a fallu attendre 1947 pour que Domagk se rende à Stockholm afin de le recevoir.

Les premiers sulfamides hypoglycémiants

Les propriétés hypoglycémiantes des sulfamides ont été découvertes, en 1942, au cours d'une épidémie de typhoïde dans le sud-ouest de la France, par un médecin de Montpellier, Marcel Janbon, et ses collaborateurs. Ils ont indiqué une diminution du taux de glycémie après administration d'un sulfamide, le para-amino-benzène-sulfamido-isopropyl-thiodiazol (2254 RP). À la suite de cette observation, Auguste Loubatières a étudié chez l'animal cette propriété inattendue d'un médicament anti-infectieux et il a constaté, le 13 juin 1944, que l'administration par voie digestive ou parentérale du 2254 RP entraînait régulièrement chez le chien normal, éveillé et à jeun, une baisse de la glycémie progressive, profonde et durable. Les travaux de Loubatières sont passés inaperçus, car la France était sous occupation allemande et sensiblement coupée du reste du monde scientifique. Il faudra attendre 1946 et une nouvelle communication de Loubatières pour que les travaux de recherche continuent. Ce qui a abouti en 1955 à la mise au point par deux chercheurs allemands, H. Franke et J. Fuchs, du premier antidiabétique à administrer par voie buccale.

Fleming et la pénicilline

La découverte de la pénicilline reste attachée au nom mythique du médecin écossais Alexander Fleming (1881 – 1955). Il a bénéficié d'une chance colossale en découvrant, le 3 septembre 1928, à son retour de vacances, l'action de moisissures qui s'étaient développées sur des échantillons bactériens (staphylocoques). Il raconte :

 « Jamais je n'aurais dû normalement remarquer ce phénomène, à propos de cette miraculeuse journée. Il a suffi que mon esprit soit en éveil. J'aurais pu être de mauvaise humeur, irrité par une scène de ménage. J'aurais pu me fiancer ce jour-là et avoir la tête remplie d'images de bonheur. J'aurais pu simplement être trop alourdi par un bon déjeuner pour remarquer quoi que ce soit. »

Au lieu de jeter la moisissure dans un geste d'impatience, Fleming a cherché à comprendre.

LE SAVIEZ-VOUS ?

Le triple hasard qui présida à la découverte de la pénicilline

La découverte de Fleming est le fruit d'un triple hasard :

✔ il avait laissé sur sa paillasse une boîte de Petri contenant les staphylocoques pendant les vacances ;

✔ il n'avait pas mis cette boîte dans l'étuve à 37° et l'été 1928 avait été assez froid (les staphylocoques poussent moins vite que les champignons à 20°) ;

✔ un collègue mycologue travaillait à proximité sur des souches de *Penicillium*.

Jusqu'en mars 1929, le chercheur écossais a multiplié les expériences en testant les effets de la moisissure sur la croissance des streptocoques, staphylocoques, pneumocoques, méningocoques, gonocoques et bacilles diphtériques. Il n'a pas envisagé son utilisation en thérapeutique, mais il a proposé l'emploi du *Penicillium rubrum* comme antiseptique externe.

Le mérite d'Howard Walter Florey (1898 – 1968) et d'Ernst Boris Chain (1906 – 1979) a été de reprendre les travaux d'Alexander Fleming. Ils ont purifié la pénicilline et ils ont eu l'idée de l'utiliser pour la première fois, en février 1941, comme médicament.

LE SAVIEZ-VOUS ?

Le premier patient traité à la pénicilline

Un policier d'Oxford d'une quarantaine d'années, Albert Alexander, qui s'était blessé au visage à cause d'une épine de rosier, a été le premier homme à recevoir une injection de pénicilline, le 12 février 1941. Malgré ce traitement, il est mort le 15 mars 1941 à la suite d'une septicémie à staphylocoques.

Le 16 août 1941, cette expérience a fait l'objet d'une publication dans l'hebdomadaire médical *The Lancet*. Ernst Chain (1906 – 1979) et Howard Florey (1898 – 1968) et les chercheurs de l'université d'Oxford ont alors déclaré :

« Nous considérons avoir accumulé assez de preuves que la pénicilline est un agent chimiothérapeutique nouveau et efficace, qui possède certaines propriétés qui n'ont d'équivalent dans aucune autre substance décrite jusqu'ici. »

Le 2 juillet 1941, Florey s'est embarqué pour New York afin de convaincre les Américains de produire de la pénicilline en quantité industrielle, ce qu'ils firent dès 1942. En juin 1943, 425 millions d'unités sont produites par mois (170 malades) ; en juin 1944 100 000 millions d'unités (40 000 malades) puis 646 000 millions d'unités (250 000 malades), l'année suivante.

Le 25 octobre 1945, le prix Nobel de physiologie et de médecine est décerné à Fleming, Chain et Florey.

À partir de 1945, l'énorme succès de la pénicilline a fait de Fleming un héros public mondial : il a obtenu 25 titres honorifiques, 26 médailles, 18 prix, 13 décorations et est devenu membre d'honneur de 89 académies et sociétés...

LE SAVIEZ-VOUS ?

Le médecin français qui avait découvert la pénicilline avant Fleming

En 1897 à Lyon, un jeune médecin militaire, Ernest Duchesne, a soutenu sa thèse sur un sujet qui est passé inaperçu : « L'antagonisme entre les bactéries et les moisissures, notamment le *Penicillium glaucum* ». Il a eu l'idée d'inoculer des bacilles à des cochons d'Inde. Deux sont morts en 24 heures, tandis que deux autres, qui avaient reçu une culture de *Penicillium* et des germes pathogènes, ont survécu. La première expérience de pénicillothérapie venait d'être réalisée. Duchesne avait ainsi conclu dans sa thèse : « On peut donc espérer qu'en poursuivant l'étude des faits de concurrence biologique entre moisissures et microbes [...], on arrivera, peut-être, à la découverte d'autres faits directement utiles et applicables à l'hygiène prophylactique et à la thérapeutique. »

Il semble qu'il n'a pas été le seul à envisager l'action antibactérienne du *Penicillium* puisque l'Irlandais John Tyndall (1820 – 1893), en 1875, l'avait mis en évidence.

Découverte d'un antibiotique actif contre la tuberculose

En matière de traitement de la tuberculose, il n'y avait qu'une seule thérapeutique : la cure hygiéno-diététique associée à la collapsothérapie, technique qui consistait à affaisser une partie d'un poumon par la mise en œuvre de moyens divers (pneumothorax artificiel, thoracoplastie, etc.).

Salman Abraham Waksman, spécialiste de la microbiologie des sols à la station agronomique expérimentale de l'État du New Jersey, puis à la *Rutgers University* à New Brunswick, a mis au point de la streptomycine constituant une véritable innovation thérapeutique.

En 1943, le microbiologiste Salman Abraham Waksman (1888 – 1973) a reçu dans son laboratoire un fermier qui se plaignait de voir son poulailler décimé par une maladie inconnue des poules. L'agent responsable était une moisissure, qu'il a baptisée streptomycine. Il a mis en évidence qu'elle était capable de détruire les bacilles de Koch dans les boîtes où ils étaient cultivés.

Waksman a décidé d'expérimenter ce médicament, le 20 novembre 1944, sur une femme qui souffrait d'une tuberculose grave touchant les deux poumons. Devant le succès thérapeutique obtenu, il a pris contact avec le laboratoire américain Merck, qui avait été l'un des premiers fabricants industriels de la pénicilline, pour produire de la streptomycine.

À ce moment-là, le statisticien Austin Bradford Hill (1897 – 1991) a proposé d'étudier un groupe de patients traités par la streptomycine et de le comparer avec un groupe témoin bénéficiant d'un alitement. Bradford Hill a justifié l'intérêt de réaliser impérativement un essai thérapeutique, dit « randomisé » – les patients sont choisis au hasard – en cas d'administration d'un nouveau produit.

Bradford-Hill a donc démontré, du même coup, le bénéfice thérapeutique de la streptomycine ainsi que l'intérêt des études cliniques randomisées pour prouver l'efficacité d'un traitement.

Qu'est-ce que la randomisation ?

Bradford Hill reprenait l'idée de la procédure dite de randomisation, qui avait été élaborée en 1930 par le statisticien britannique Ronald Fischer (1890 – 1962), qui travaillait dans un laboratoire d'agronomie. Il avait proposé de répartir, au hasard, les différents plants au sein du champ agricole, de façon à étudier la qualité de l'engrais testé en tenant compte des variations aléatoires.

Il a ainsi élaboré le concept de l'essai randomisé pour l'évaluation des médicaments selon le principe du double aveugle, selon lequel ni le patient ni les médecins ne doivent savoir qui reçoit quoi, ce qui permet d'éviter un biais considérable : la partialité de l'observateur.

La streptomycine avait néanmoins des inconvénients lorsqu'elle était administrée à forte dose, entraînant de grands vertiges et une surdité. Et surtout, il est apparu des résistances. D'autres molécules antituberculeuses, comme l'isoniazide en 1951, puis la rifampicine en 1967, ont été mises au point par la suite.

Après la découverte de la pénicilline, l'industrie pharmaceutique s'est lancée dans la recherche de nouvelles molécules, dotées de diverses propriétés. L'utilisation massive et répétée, en santé humaine et animale, des antibiotiques a eu un effet sur les bactéries, qui ont adopté des systèmes de défense contre ces antibiotiques. Cela a créé, à l'échelle mondiale, un nouveau problème de santé publique, celui de la résistance aux antibiotiques.

Le *Staphylococcus aureus,* connu sous le nom de « staphylocoque doré », est l'une des bactéries les plus résistantes. En 1946, un hôpital du Royaume-Uni a rapporté que 14 % des souches de staphylocoque doré étaient résistantes à la pénicilline. La fréquence des résistances au staphylocoque doré a augmenté et a atteint 80 % des souches dans les années 1990. Depuis le début des années 1980, le corps médical s'est mobilisé afin de limiter l'augmentation de la fréquence des germes multirésistants par un usage plus rationnel des antibiotiques et par des mesures d'hygiène individuelle et collective. La prévention de leur transmission est devenue aujourd'hui un axe prioritaire de la lutte contre les infections nosocomiales.

La « pilule » contraceptive

L'histoire de la découverte de la pilule a commencé aux États-Unis, au lendemain de la Seconde Guerre mondiale, lorsque Margaret Sanger et Katharine Dexter McCormik ont contacté le chercheur Gregory Pincus (1903 – 1967), afin de lui demander de mettre au point une méthode de contraception orale.

Margaret Sanger était une militante de la régulation des naissances, qui avait été sensibilisée aux problèmes des maternités non désirées et à la mortalité consécutive aux avortements clandestins dans les années 1910, alors qu'elle commençait son exercice d'infirmière. Katharine Dexter McCormik était une milliardaire qui la soutenait activement sur le plan financier dans son projet de découvrir une méthode contraceptive. Gregory Pincus avait compris que l'ovulation était contrôlée par l'hypophyse et par l'hypothalamus : il était possible de bloquer le processus en stimulant l'activité de ces glandes par l'administration d'une hormone. Il a alors pris contact avec John Rock (1890 – 1984), gynécologue qui enseignait à l'université d'Harvard à Boston, pour l'aider dans son entreprise.

Un essai clinique a été mis en place en janvier 1956 pour évaluer les propriétés contraceptives d'un dérivé de la « 19-nor », qui était de la progestérone (une hormone sécrétée par les ovaires). Le choix s'est porté sur 221 femmes d'un faubourg pauvre de Porto Rico. Elles ont fait l'objet d'une surveillance étroite et régulière par une équipe médicale. La méthodologie de cet essai a été très critiquée car jugée peu éthique. À ses détracteurs, Gregory Pincus répondait que le territoire de Porto Rico avait été choisi en raison de sa proximité géographique avec les États-Unis, de sa croissance démographique importante et, surtout, de la coopération de ses autorités sanitaires. Ce fut un succès. Anne Meryl, assistante de Gregory Pincus, racontera plus tard avec enthousiasme : « Quand au bout d'un an ou deux, les premières femmes de l'expérience accouchaient, on ne savait pas si ces enfants seraient bien. C'était formidable de découvrir que la contraception était réversible, que les bébés arrivaient à terme et bien constitués. » Le succès de l'essai a conduit Pincus et Rock à l'étendre en 1957 à 15 000 Portoricaines et Haïtiennes. D'autres études ont alors été menées, d'abord en Inde, puis au Mexique et enfin aux États-Unis et en Grande-Bretagne.

La première pilule contraceptive œstrale progestative, a été autorisée en 1957 par la *Food and Drug Administration* comme régulateur des troubles menstruels. Puis, en 1960, sa prescription comme contraceptif oral a reçu le feu vert.

Depuis 1960, des progrès considérables ont été réalisés : les doses d'hormones utilisées ont fortement diminué ; on utilise des composés de plus en plus actifs. La course aux pilules faiblement dosées a commencé à partir de 1970, assurant ainsi une meilleure innocuité à la contraception orale. Il y a actuellement sur le marché quatre générations de pilules contraceptives, les dernières cherchant à minimiser les effets secondaires liés à la prise d'estrogènes (le risque de thrombose serait cependant accru).

L'insuline

En 1921, le médecin canadien Frederick Banting (1891 – 1941) et le scientifique britannique John MacLeod (1876 – 1935), directeur du laboratoire de physiologie de l'université de Toronto, ont injecté un extrait de tissus du pancréas à des chiens ayant subi l'ablation de cette glande et constaté une augmentation de la glycémie dans leur sang. Ils ont ainsi montré que le pancréas pouvait, en plus de sa fonction exocrine (sécrétion d'enzymes agissant sur la digestion), avoir une fonction endocrine (production d'une hormone capable de réguler la glycémie). Ils ont fabriqué, en janvier 1922, un extrait pancréatique purifié pouvant être utilisé sur l'homme. La première injection a été faite à Leonard Thompson, le 23 janvier 1922, qui souffrait d'un diabète sévère et l'a sauvé.

Une insuline purifiée, extraite du pancréas de porc et de bœuf, a d'abord été élaborée. L'insuline a été en effet l'une des premières protéines à être complètement séquencée, en 1955, puis à être synthétisée chimiquement, en 1958. En 1977, Herbert Boyer (né en 1936), du laboratoire américain de biotechnologies Genentech, a réalisé la première insuline humaine recombinante, produite par des bactéries génétiquement modifiées.

En France, l'insuline fut en 1984 le premier biomédicament introduit sur le marché national. Aujourd'hui, près de 220 millions de diabétiques dans le monde bénéficient d'un traitement par une insuline recombinante humaine.

La cortisone

La cortisone apparaît sur le marché français en 1955. Elle est le fruit de recherches sur les glandes surrénales d'une équipe constituée de Edward Kendall (1886 – 1972), Tadeusz Reichstein (1897 – 1996) et Philip Hench (1896 – 1965). En 1950, ils ont reçu le prix Nobel de médecine pour leurs découvertes.

L'aventure de la corticothérapie a commencé en 1936, lorsque Tadeusz Reichstein, professeur à la faculté de pharmacie de Bâle, a réussi à isoler plus de 20 dérivés hormonaux biologiquement actifs à partir de 20 000 glandes animales. Il est aussi parvenu à synthétiser le desoxycorticostérone qu'il « offrit » au laboratoire Ciba, situé non loin du laboratoire universitaire où il travaillait. Ciba commercialisa cette nouvelle substance pour traiter les patients souffrant de la maladie d'Addison. L'impact de cette découverte a été faible sur le moment, en raison du nombre peu important de patients souffrant de cette affection.

Reichstein a approfondi les connaissances sur la chimie des hormones surrénaliennes et des stéroïdes. Dans les 10 années suivantes, son équipe a mis en évidence 29 stéroïdes, en particulier l'aldostérone, la corticostérone et l'hydrocortisone.

De l'autre côté de l'Atlantique, le chercheur américain Edward Calvin Kendall, qui travaillait à la *Mayo Foundation* de Rochester, s'est intéressé également ment aux corticosurrénales des mammifères. En 1934, il a isolé la cortine. Parmi neuf hormones qu'il a étudiées, il y avait deux stéroïdes inconnus : le « composé A », qui était la 11-déhydrocorticostérone, et le « composé E », qui fut dénommé « cortisone » en 1939.

Un Canadien, Hans Selye, de l'université McGil de Montréal, a suggéré, au début de la Seconde Guerre mondiale, le rôle possible de la corticostérone dans le traitement au « syndrome général au stress ». Les nazis, ayant eu vent de cette information, envoyèrent en Argentine leurs agents secrets afin de recueillir une quantité colossale de glandes surrénales de bovins dans des abattoirs. Ils souhaitaient administrer ces extraits aux pilotes de la Luftwaffe pour lutter contre le stress des combats aériens. De son côté, le Pentagone, à Washington, qui pressentait également l'importance de cette hormone, a pris contact avec Kendall pour qu'il se place au service de l'*US Army*. Une véritable course de vitesse a été engagée avant la fin de la guerre, ce qui a permis la synthèse de la 11-déhydrocorticostérone. Les glandes bovines sont restées stockées à Buenos Aires et n'ont jamais été transférées en Allemagne.

Au lendemain de la guerre, Edward Kendall rencontre Philip Hench qui avait remarqué que les patients souffrant de polyarthrite rhumatoïde avaient des rémissions en cas d'hépatite virale et en cas de grossesse. L'ensemble de ces données lui avait suggéré qu'il serait peut-être intéressant de traiter les patients rhumatisants par des hormones. Au cours de l'été 1948, il réalise une expérience qui le stupéfie : une femme souffrant de polyarthrite rhumatoïde est soulagée après un traitement de composé E. Aussitôt, il met en place un essai clinique de traitement des patients souffrants de polyarthrite rhumatoïde par la cortisone. C'est le succès. (Voir aussi : La polyarthrite rhumatoïde de Raoul Dufy dans « La partie des Dix », chapitre 15.)

Les antihypertenseurs

L'hypertension artérielle est restée longtemps sous-estimée en matière de morbidité par les médecins. On commence à s'y intéresser dans les années 1920. Des médicaments plus ou moins toxiques sont employés (entre autres, le phénobarbital, les diurétiques mercuriels).

 L'administration de diurétiques mercuriels a été proposée à partir d'une observation, faite en 1919 à Vienne. Une patiente atteinte d'une syphilis souffrant d'une importante diurèse avait bénéficié, faute de salicylate de mercure, d'un nouveau composé mercuriel. Mais les diurétiques mercuriels utilisés pendant une trentaine d'années étaient toxiques.

 Un médicament contre le paludisme, la pentaquine, est utilisé à partir de 1946. Toutefois, son administration dans le cadre de cette indication est vite arrêtée, en raison de sa mauvaise tolérance.

En 1955, Marius Audler, professeur à la faculté de médecine de Marseille, se désespère :

 « On ne traite pas le fond tensionnel ; le médicament du tonus vasculaire est encore à trouver. »

Dans les années 1950, on assiste au développement de la première génération d'antihypertenseurs : les ganglioplégiques, avec le tétraméthylammonium, qui a été le premier de nombreux dérivés. Le retard va se trouver comblé au gré de découvertes successives :

✔ en 1954, un traitement de l'hypertension artérielle par la méthyldopa (un antihypertenseur d'action centrale, comme la clonidine mise au point en 1966) voit le jour ;

✔ au cours de l'*American Heart* qui a lieu à Chicago en 1957, Edward D. Freis (1912 – 2005) livre à ses collègues le résultat de l'étude qu'il a réalisée sur 10 patients souffrant d'hypertension artérielle, traités par un diurétique thiazidique : le chlorothiazide ;

✔ en 1962, le pronéthalol, le premier bêtabloquant (agissant sur le myocarde), est commercialisé ;

✔ à partir de 1963, Albrecht Fleckenstein (1917 – 1992), professeur de physiologie à l'université de Fribourg, réalise la synthèse de nombreux inhibiteurs calciques (qui ont une action sur les artères) ;

✔ les inhibiteurs de l'enzyme de conversion antagonistes de l'angiotensine II empêchent l'action hypertensive due à une hormone fabriquée
par les reins.

Du venin de serpent contre l'hypertension

L'aventure des inhibiteurs de l'enzyme de conversion a débuté dans les années 1950 avec la découverte par des chercheurs brésiliens des propriétés du venin de *Bothrops jararaca*, un serpent venimeux très répandu au Brésil. Ce venin a la propriété d'inhiber la dégradation de la bradykinine (responsable de douleurs extrêmes et d'une hypotension sévère) et de bloquer la conversion de l'angiotensine I en angiotensine II. La production d'un médicament inhibant l'enzyme responsable de cette conversion a donc été envisagée. Le captopril a ainsi été mis au point.

Diurétiques, bêtabloquants, inhibiteurs calciques, inhibiteurs de l'enzyme de conversion (IEC)… : la panoplie antihypertensive s'est étoffée. Les antihypertenseurs (utilisés ou non en association) sont couramment utilisés aujourd'hui dans la lutte contre les maladies cardiovasculaires, problème majeur de santé publique.

Les psychotropes

Ils ont changé la vie des « malades mentaux », mais la généralisation de leur consommation pose de nouvelles questions, notamment de santé publique, car les Français sont de gros consommateurs de psychotropes. La pilule du bonheur existe-t-elle ?

Les neuroleptiques

La plus grande innovation au service de la psychiatrie a été la mise au point des neuroleptiques. En 1952, Henri Laborit (1914 – 1995), chirurgien de l'hôpital militaire du Val-de-Grâce, a remarqué avec l'anesthésiste Pierre Huguenard (1924 – 2006), qui travaillait à l'hôpital Vaugirard, que les patients qui bénéficiaient d'un traitement par chlorpromazine, indiqué pour limiter le « choc postopératoire », se trouvaient plongés dans un état de douce quiétude et d'indifférence béate. Henri Laborit a qualifié ce produit de stabilisateur végétatif.

En 1952, Pierre Deniker (1917 – 1998), assistant du professeur Jean Delay (1907 – 1987) à l'hôpital Sainte-Anne à Paris, a eu l'idée d'expérimenter ce produit à des doses élevées en psychiatrie. Le succès des essais cliniques a marqué le début de l'ère des « camisoles chimiques », lesquelles ont désormais remplacé les camisoles de force.

Comme les premiers témoins de l'introduction des neuroleptiques l'ont noté, leurs effets pouvaient se mesurer à la diminution du volume sonore dans les hôpitaux psychiatriques.

Le lithium

C'est en 1949 que le psychiatre australien John Cade (1912 – 1980) a développé l'idée que les troubles bipolaires seraient dus à une insuffisance en lithium. Cela l'a conduit à essayer l'administration de sels de lithium dans le traitement des psychoses maniaco-dépressives.

Après s'être administré ce traitement, il a réalisé des injections de carbonate de lithium à un patient maniaque, ce qui a entraîné une amélioration de son état. Mais, n'ayant pas quotidiennement suivi son traitement, le patient a fait une rechute au bout de quatre mois. La découverte de John Cade tomba aux oubliettes pendant 19 ans, jusqu'à ce que le psychiatre danois Mogens Schou (1918 – 2005) ne démontre en 1968 l'intérêt du traitement des patients maniaco-dépressifs par le lithium.

Les benzodiazépines

La découverte des benzodiazépines, qui constituent une des familles de tranquillisants les plus prescrits dans le monde, est le fruit d'une série de hasards et de l'Histoire et d'un homme, Léo Henryk Sternbach (1908 – 2005).

La vie de ce chercheur illustre parfaitement le destin de certains juifs européens menacés par le IIIᵉ Reich qui ont réussi à émigrer à temps aux États-Unis. Ses travaux ont permis d'améliorer la qualité de vie de ses contemporains.

Alors qu'il travaillait au sein d'une unité d'étude et de recherche du laboratoire Hoffmann-Laroche à Nutley, non loin de New York, on lui a demandé de mettre au point un agent tranquillisant capable de supplanter le monopole du méprobamate. Cette molécule, découverte par le pharmacologue tchèque Franck Berger, a des propriétés calmantes, sédatives et anxiolytiques et a connu un énorme succès aux États-Unis ; ce qui lui a valu le surnom d'« *happy pill* ». Cependant, prise à doses élevées et de façon prolongée, la « pilule du bonheur » avait l'inconvénient de créer une dépendance.

Léo Sternbach était donc chargé de trouver une autre substance pharmaceutique dotée de propriétés tranquillisantes. Un peu à court d'inspiration, il a décidé d'étudier les quinazolines, utilisées comme colorants. Il a préparé plus de 40 dérivés qui se sont tous révélés inactifs, mis à part un produit baptisé Ro 5-0690, qui avait des propriétés hypnotiques et sédatives sans aucun effet indésirable sur les animaux. Malheureusement, les premiers essais cliniques sur l'homme n'ont pas été satisfaisants. Le directeur des recherches biologiques des laboratoires Hoffmann-Laroche ne s'est pas découragé et, pour convaincre les psychiatres de commencer une autre expérimentation, s'est rendu au zoo de San Diego où il a décidé de mêler de grosses doses de Ro 5-0690 à la nourriture de tigres, de lynx, de dingos et de singes. Les gardiens se sont aperçus que les bêtes ne s'endormaient pas et ne perdaient pas leur vigilance. En revanche, ils pouvaient désormais pénétrer dans leurs cages et même les caresser sans qu'elles manifestent le moindre signe d'agressivité. Les gros tigres restaient tranquilles, comme leurs cousins les chats sur lesquels on poursuivait des expérimentations plus précises en laboratoire.

Cette expérimentation est à la base de la fameuse légende selon laquelle les dompteurs donnent des benzodiazépines avant leur spectacle pour diminuer l'agressivité des animaux.

Les essais cliniques se sont poursuivis sur des malades volontaires, hospitalisés en clinique psychiatrique. En 1960, le chlordiazépoxide a été commercialisé sous le nom de Librium.

En 1963, un autre produit beaucoup plus efficace apparaît : le diazépam, devenu célèbre sous le nom de Valium.

Plusieurs centaines d'autres benzodiazépines ont été synthétisées et plus d'une vingtaine ont été commercialisées à partir de 1960, essentiellement des anxiolytiques et des hypnotiques.

Léo Sternbach, le père des benzodiazépines, qui constituent une des classes médicamenteuses les plus prescrites, a déclaré :

« J'ai vécu là les moments les plus intenses de ma vie. Il n'y a rien de plus beau, pour un "chimiste médical", que de trouver une molécule active. C'est si rare, si difficile, il y faut tant de tâtonnements, on passe par tant de frustrations. Et tout à coup, ça y est ! D'ailleurs on n'est pas seul. Autour de moi, toute la firme était galvanisée. »

Les antidépresseurs

Le premier antidépresseur, l'iproniazide, a été découvert par hasard au cours de l'évaluation de l'action de cette molécule dans le traitement de la tuberculose. En 1952, l'analyse des données recueillies au cours d'un essai mis en place par le biochimiste suisse Albert Zeller (1907 – 1987) avait révélé, chez les malades traités par ce médicament, un changement de comportement, avec une tendance à l'euphorie et la reprise de l'appétit.

En 1957, le psychiatre Nathan Kline (1916 – 1982) s'est aussitôt intéressé à ce médicament, qui a constitué le premier antidépresseur, fondateur de la famille des IMAO (inhibiteurs de la monoamine-oxydase, un enzyme important du cerveau). Cet antidépresseur a été abandonné après avoir suscité l'enthousiasme des psychiatres, car les patients présentaient parfois des effets indésirables (risque de mort subite en cas d'absorption de certains mets fermentés, fromages ou vins).

À la même époque, un psychiatre suisse, Roland Kuhn (1912 - 2005), qui travaillait dans le laboratoire Geigy à Bâle, a découvert l'action antidépressive de l'imipramine. Des essais de traitement de patients souffrant de psychoses avec l'imipramine ont été tentés. Toutefois, les résultats n'étaient pas à la hauteur des espérances. Les symptômes habituels de la psychose (agitation, délire, hallucination) ne disparaissaient pas avec ce traitement.

En 1954, les chercheurs du laboratoire Geigy étaient découragés et envisageaient de clore le dossier de l'imipramine. Roland Kuhn annonça à ce moment-là que parmi les centaines de malades traités, trois, dont l'humeur dépressive prédominait dans le tableau clinique, présentaient une amélioration indiscutable de leur symptomatologie. Ce psychiatre ayant l'avantage de bénéficier de la confiance des responsables de Geigy, lesquels reconnaissaient la valeur de ses intuitions, il fut décidé de poursuivre l'expérimentation, non plus pour combattre les effets de la psychose, mais ceux de la dépression.

Roland Kuhn rédigea un essai clinique rigoureux où il établit une définition précise de ses expériences. En 1957, trois ans après la mise en route de cet essai, Roland Kuhn présenta des résultats mettant en évidence une action bénéfique de l'imipramine dans la dépression.

Il a fondé une deuxième famille d'antidépresseurs, les tricycliques, ainsi appelés en raison de leur structure chimique qui comporte trois cycles.

La pilule du bonheur

Nul autre médicament que le Prozac® ne symbolise mieux les années 1990, lesquelles ont été marquées par une augmentation des syndromes dépressifs dus au stress. Ce médicament a été l'objet d'un engouement international. Médicament du monde moderne, il a été consacré par le best-seller du psychiatre américain Peter Kramer, *Prozac® : le bonheur sur ordonnance ?* (First, 1994). L'emploi des antidépresseurs s'est depuis largement banalisé…

La « chimio » anticancéreuse

La chimiothérapie (littéralement traitement par médicaments) représente l'un des traitements-phares du cancer (avec la chirurgie, la radiothérapie, l'hormonothérapie ou l'immunothérapie). On l'emploie en effet pour traiter un grand nombre de cancers différents.

La chimiothérapie consiste en l'administration de puissants médicaments à travers un protocole de plusieurs combinaisons de produits (polychimiothérapie), par voie intraveineuse ou orale, ou localement au contact de la tumeur, le plus souvent à travers une chambre implantable ou

« port-à-cath ». Le but est de détruire les cellules cancéreuses qui se multiplient et prolifèrent, risquant de créer ensuite des métastases à distance de la tumeur initiale.

La chimiothérapie, qui peut être néoadjuvante (pour diminuer la taille de la tumeur, avant la chirurgie), adjuvante (pour prévenir les récidives après la chirurgie) ou utilisée pour contenir la maladie métastatique, s'effectue par cycles de traitement (les « cures »). Les effets secondaires sont fréquents (aplasie, chute de cheveux, troubles digestifs, fatigue, etc.).

Les premières substances utilisées en chimiothérapie anticancéreuse furent, après la Seconde Guerre mondiale, les dérivés de moutardes azotées.

Des gaz de combat à la chimiothérapie anticancéreuse

L'observation des effets des gaz de combat au cours des deux guerres mondiales a conduit les médecins à s'intéresser à l'utilisation de ce type de substance, non pas dans un but de donner la mort, mais plutôt de soigner.

En 1919, Edward Bell Krumbhaar (1882 – 1966) a mis en évidence chez les soldats gazés une diminution du nombre de globules blancs et de plaquettes. En 1930, James Ewing (1866 – 1943) a suggéré l'utilisation du gaz moutarde dans le traitement du cancer : la chimiothérapie anticancéreuse est née. En décembre 1943, le navire américain *John Harvey* a explosé à Bari, avec dans ses soutes environ 100 tonnes de produits dérivés du gaz moutarde, la célèbre « ypérite » utilisée par les Allemands en 1917. Les médecins se sont alors aperçus très vite que les rescapés, dont la peau et les poumons avaient été brûlés par le gaz, présentaient également une forte diminution du nombre de leurs globules blancs. Informés du tragique accident, Philips et Gilman ont alors étudié *in vitro* ces moutardes à l'azote. Ils ont montré une inhibition des divisions cellulaires et une action toxique sur le noyau des cellules en division. L'effet des moutardes azotées était comparable à celui des rayons X. Or, à cette époque, le cancer n'était soigné que par la chirurgie et les rayons X. Cette découverte est passée inaperçue, car tout ce qui touchait les produits de type moutarde était tenu secret. Il faudra attendre 1946 pour qu'elle soit publiée à l'extérieur des États-Unis. Cela a marqué le début de la mise au point des chimiothérapies anticancéreuses.

Le nombre de molécules cytotoxiques proposées par l'industrie pharmaceutique s'est accru rapidement :

- en 1949 : les antifolates, qui bloquent la synthèse de l'ADN (l'aminoptérine, puis le méthotrexate, en 1949) ;
- en 1950 : la cyclophosphamide (de la famille des moutardes azotées), agent alkylant qui s'attaque à la reproduction des cellules cancéreuses ;
- en 1957 : le 5-FluoroUracile (5FU), un antimétabolique synthétisé par Charles Heidelberger (1920 – 1983), professeur à l'université du Wisconsin.

Ils figurent parmi les médicaments le plus utilisés aujourd'hui encore. Il existe actuellement de nombreux produits anticancéreux et la recherche, très active dans ce domaine, avance tous les jours.

Le choix des traitements se fait entre le patient et l'équipe de soignants au cours d'une réunion de concertation pluridisciplinaire (RCP). Les progrès actuels de la recherche ont favorisé la mise au point de nouveaux traitements ciblés qui cherchent à combattre les mécanismes de développement de la tumeur. Dans certains cas, des essais thérapeutiques innovants peuvent être également proposés au patient.

Les quatre phases d'essai d'un nouveau médicament

Phase I : administration à l'homme et test de tolérance ;

Phase II : administration à des patients malades et test d'efficacité ;

Phase III : comparaison d'un groupe de malades répartis de façon aléatoire en deux groupes, test d'efficacité comparatif et procédure d'autorisation de mise sur le marché ;

Phase IV : pharmacovigilance (études des effets secondaires après mise sur le marché).

Les antiviraux

L'acyclovir, premier médicament antiviral, permet à partir des années 1970 de soigner certaines formes d'herpès. Les antirétroviraux ont été développés dans les années 1980 pour lutter contre le sida. À partir de 1996, les traitements par trithérapie, association de trois médicaments, ont rendu les traitements contre le VIH beaucoup plus performants.

Les biomédicaments

Au cœur de l'innovation thérapeutique, les biotechnologies se sont fortement développées ces dernières décennies en ce qui concerne les applications médicales. Celles-ci visent à modifier des cellules vivantes de façon volontaire.

Les anticorps monoclonaux constituent la plus grande classe de médicaments biothérapeutiques. Utilisés en oncologie et en immunologie, ils présentent un intérêt en infectiologie et constituent également une nouvelle solution pour vaincre la résistance aux antibiotiques.

Les anticorps monoclonaux thérapeutiques

Très récemment, les innovations thérapeutiques ont considérablement progressé avec la découverte des anticorps monoclonaux (c'est-à-dire produits par une seule et même cellule) thérapeutiques, qui sont des molécules produites par le système immunitaire pour traiter diverses affections comme les cancers, les maladies inflammatoires et les maladies infectieuses.

Le point de départ de cette classe de médicaments biothérapeutiques a été la mise au point, en 1975, d'une technique de production industrielle d'anticorps monoclonaux. Le premier anticorps monoclonal pour une utilisation thérapeutique (OKT-3) a été approuvé en 1986 et utilisé en transplantation rénale humaine. Par la suite, la technologie des anticorps monoclonaux s'est améliorée. Elle a consisté, soit à modifier l'anticorps lui-même pour le rendre moins immunogène et pour améliorer son accès à la tumeur ou sa pénétration intratumorale, soit à coupler l'anticorps à d'autres molécules (toxine, agent cytotoxique, isotope radioactif, enzyme…) afin de guider ces molécules sur le site tumoral.

Ces innovations ont permis la mise au point de multiples traitements qui ont bouleversé le traitement de nombreuses maladies : cancer du sein, maladie de Crohn, polyarthrite rhumatoïde, psoriasis, leucémie myéloïde, asthme, DMLA. Le nombre d'antigènes pouvant être ciblés est potentiellement infini. Il est à prévoir que les anticorps monoclonaux deviennent une des principales thérapies du futur.

Exploits chirurgicaux

Les médecins mobilisés de part et d'autre du front au cours de la Première Guerre mondiale ont mis au point des techniques novatrices améliorant sensiblement la prise en charge des blessés.

Après la Seconde Guerre mondiale, l'anesthésie et l'usage des antibiotiques a favorisé l'essor du domaine chirurgical, qui embrasse désormais de multiples champs d'intervention : chirurgie orthopédique, cardiaque, mais aussi digestive, ORL, gynécologique, neurochirurgie, etc. De plus, les techniques opératoires se sont diversifiées.

À partir de la seconde partie du XXᵉ siècle, l'épopée de la greffe d'organes a été émaillée de succès grâce à l'amélioration des techniques chirurgicales et la découverte de nouveaux médicaments immunosuppresseurs. Les années 1970 ont vu le développement de la microchirurgie, laquelle implique l'utilisation d'un microscope lors d'interventions de précision en chirurgie vasculaire, ophtalmologique ou neurochirurgie.

Au XXIᵉ siècle, on s'attelle à relever de nouveaux défis dans divers domaines : cœur artificiel, greffe du visage, chirurgie du fœtus, neurochirurgie, chirurgie à distance…

Le début de la téléchirurgie

En 2001, une femme âgée de 68 ans a été opérée de la vésicule biliaire au CHU de Strasbourg, alors que son chirurgien, le professeur Jacques Marescaux, chef du service de chirurgie digestive et endocrinienne, se trouvait au *Mount Sinai Hospital* de New York, à plus de 7 000 km. Le chirurgien manipulait à distance les instruments avec un robot opérateur surnommé Zeus. Cette prouesse technologique a été baptisée « opération Lindberg », en souvenir du pilote Charles Lindberg qui avait traversé, le premier, l'Atlantique à bord d'un avion. Cet exploit technique a été rendu possible grâce à la très bonne qualité des images transmises en temps réel par France Télécom.

La téléchirurgie va probablement bouleverser la chirurgie dans le futur, car elle permettra d'aider un praticien en difficulté au cours d'une intervention, d'envisager la prise en charge de patients situés à l'autre bout de la planète, en particulier à bord d'un sous-marin nucléaire ou sur un théâtre d'opérations militaires, voire à bord d'une station spatiale…

L'opération Lindbergh n'a pas eu l'écho qu'elle méritait car l'intervention a eu lieu le 7 septembre 2001, soit quatre jours avant le tristement célèbre 11 septembre 2001 au cours duquel les États-Unis ont été victimes d'une série d'attentats terroristes, lesquels ont monopolisé l'actualité et relégué cet exploit à la rubrique des faits divers…

La chirurgie « réparatrice »

Réparer le corps, tout le corps ? La guerre a paradoxalement accéléré les progrès de la chirurgie.

Le bond en avant de la chirurgie au cours de la guerre de 1914 – 1918

Pendant la Première Guerre mondiale, la présence de chirurgiens et de nombreux médecins appartenant à des spécialités différentes, ainsi que la coordination de tous les moyens diagnostiques et thérapeutiques, améliorent considérablement les connaissances dans le domaine des blessures de guerre. Il va être établi une planification des techniques opératoires de façon à ce qu'elles soient reproductibles. L'ensemble de ces facteurs va permettre aux chirurgiens de faire d'importants progrès pendant le conflit.

Les chirurgiens militaires ont compris qu'il était important d'adopter une prise en charge précoce des plaies souillées, occasionnées par les éclats d'obus, de mines, de torpilles. Des brancardiers régimentaires assuraient sur le champ de bataille les premiers soins, tels que la pose d'un pansement individuel, l'immobilisation d'une fracture avec des moyens de fortune (fourreau de baïonnette, courroie de sac…) et la pose d'un garrot provisoire en cas d'hémorragie.

Des innovations ont été réalisées dans le domaine des pansements. Au début du conflit, on utilisait des bandages et des pansements en coton, mais très vite, il a été préconisé d'utiliser une nouvelle substance : la sphaigne, une mousse qui pousse dans les tourbières et les landes humides d'Europe du Nord. Les pansements en sphaigne ont l'avantage, à poids égal, d'être trois fois plus absorbants et d'avoir une acidité qui limite la prolifération bactérienne.

Le tulle gras d'Auguste Lumière

Un « pansement-traitement » révolutionnaire, à base de gazes imprégnées de vaseline et de baume de Pérou, le tulle gras, a été mis au point en 1915 par Auguste Lumière (inventeur avec son frère Louis, du cinématographe). Dans le service du professeur Léon Bérard, à l'Hôtel-Dieu de Lyon où étaient soignés des blessés de guerre, Auguste Lumière avait été choqué par la fétidité des salles où les pansements secs étaient renouvelés une fois par semaine. Le nouveau pansement mis en place par Auguste Lumière avait l'avantage de ne pas coller et, surtout, sa texture aérée permettait d'absorber les liquides suintants des plaies.

À partir du printemps 1917, des structures mobiles composées d'équipes sanitaires, appelées les « autochirs » (automobiles chirurgicales avancées), ont été mises en place à proximité du front. (Les « petites curies » étaient des unités mobiles de radiologie.) Dotées de blocs opératoires, elles comportaient à la fois des médecins et des chirurgiens. Il avait été établi un protocole de prise en charge des blessures qui reposait sur la désinfection, puis l'ablation des tissus nécrosés et des corps étrangers et, enfin, la suture de rapprochement des chairs dans un délai de 10 heures. Un suivi postopératoire, véritable prélude à la réanimation, était également organisé. Les infirmières avaient un rôle clé : la profession sera institutionnalisée en 1922 en France.

Le triomphe des anges blancs

Les « anges blancs » ont joué pour les poilus de la Grande Guerre le rôle de mère, de sœur, voire de fiancée. Ce sont elles qui réconfortaient les blessés, lisaient les journaux aux aveugles, leur écrivaient des lettres réconfortantes, veillaient les mourants et recueillaient leurs dernières confidences. Elles aidaient les médecins en prenant le pouls et la température, en recueillant les crachats, les selles et les urines. Ces « anges blancs » étaient soit des jeunes filles pauvres ayant suivi une formation rémunérée dans les hôpitaux militaires, soit des femmes issues de l'aristocratie ou de la bourgeoisie qui travaillaient bénévolement. Madame Vendroux, femme d'un riche industriel de Calais, a travaillé à l'hôpital de cette ville tout au long de la guerre avec sa fille Yvonne, qui épousera par la suite le capitaine Charles de Gaulle.

Au cours du conflit, la stérilisation des instruments chirurgicaux, d'abord sommaire à l'aide de bouilloires, va s'améliorer et être réalisée dans des étuves Poupinel et des autoclaves. Sur le plan de l'antisepsie, on a assisté à un bond en avant avec la généralisation de l'usage des techniques d'irrigation continue de toutes les blessures, à l'aide de désinfectants dilués qui exerçaient une activité antiseptique inhibant la prolifération bactérienne. En 1915, le chimiste anglais Henry Drysdale Dakin (1880 – 1952) a mis au point un antiseptique à base d'hypochlorite de soude auquel il a donné son nom : celui-ci avait l'avantage d'être facile à préparer, d'avoir une action antiseptique puissante et d'être bien toléré. Par ailleurs, sous la pression des médecins de l'Institut Pasteur, il est préconisé, dès 1915, l'injection systématique de sérum antitétanique à tous les blessés.

LE SAVIEZ-VOUS ?

L'asticothérapie

L'asticothérapie est sortie des oubliettes de l'histoire de la médecine au cours de la Première Guerre mondiale, grâce à un chirurgien de l'armée américaine nommé William Baer (1872 – 1931). Il avait été particulièrement surpris par le relatif bon état général de deux soldats qui avaient été bloqués entre les lignes de front pendant près d'une semaine. Ils souffraient de fracture ouverte du fémur et de plaies étendues au niveau de l'abdomen et du scrotum. William Baer n'a pas tout de suite compris pourquoi les soldats avaient survécu alors que les fractures ouvertes du fémur se compliquaient très fréquemment de septicémie. Il a alors découvert sur les plaies des deux soldats la présence de milliers de larves de mouches. Après avoir retiré les larves à la hâte, Baer a constaté que les blessures étaient propres et non pas recouvertes de pus – ce qui est habituel en cas de fracture ouverte, en raison de la dégénérescence des tissus dévitalisés et de la surinfection provoquée par de nombreux types de bactéries. 10 ans plus tard, en 1928, Baer, se souvenant de cet épisode de la guerre, a décidé de traiter quatre enfants atteints d'ostéomyélite (une infection des os) à l'hôpital de Baltimore en déposant des larves de mouche. Après six semaines de traitement, les blessures avaient entièrement guéri, non seulement au niveau des structures profondes, mais également au niveau de la peau.

Cela a été le début d'une période faste pour la larvothérapie, en particulier aux États-Unis. Cette technique reposait sur l'application de « larves chirurgicales ». Avec l'introduction de la pénicilline dans l'arsenal thérapeutique dans les années 1940, on a assisté à un déclin de la larvothérapie. Plus personne n'a préconisé l'asticothérapie, sauf les chirurgiens militaires, en 1954, lors de la bataille de Diên Biên Phu, au cours de laquelle le service de santé des armées était tellement débordé par l'afflux de blessés et tellement démuni en antibiotiques qu'on a mis en place une asticothérapie pour assurer la prise en charge des plaies.

Il a fallu attendre les années 1990 pour qu'un médecin américain, Ronald Sherman, ait l'idée de réutiliser cette technique, se disant que cela pouvait permettre de limiter la sélection de germes multirésistants et d'infections nosocomiales. Aujourd'hui, l'asticothérapie est une méthode reconnue qui est de plus en plus utilisée dans le traitement de plaies nécrosées ou fibrineuses.

Au cours de la Première Guerre mondiale, l'anesthésiologie a aussi considérablement évolué, grâce à la mise en commun des connaissances anglo-saxonnes et françaises. L'utilisation de mélanges ACE (alcool, chloroforme, éther) ou ECE (éther, chloroforme, chlorure dééthyle) s'est faite plus fréquemment, par inhalation, puis par voie intraveineuse. Le kélène et la novocaïne étaient utilisés pour des anesthésies locorégionales.

Les « gueules cassées »

Exposés à la mitraille et aux obus dans les tranchées, les soldats n'avaient que leur casque pour protéger leur tête. En conséquence, très rapidement, les chirurgiens ont été confrontés à des visages mutilés auxquels il manquait le nez, les joues, le menton, parfois les yeux et les arcades sourcilières. L'appellation « blessure maxillo-faciale » est alors déviée de son sens propre pour désigner tout blessé qui exige un double traitement : chirurgie et mise en place d'une prothèse. Un grand nombre de ceux qu'on a surnommés les « gueules cassées » ont bénéficié du dévouement d'équipes de chirurgiens qui se sont lancées dans des interventions de plus en plus élaborées, généralement longues, en plusieurs étapes, pour redonner leur aspect humain à des visages ravagés.

Hyppolite Morestin (1869 – 1919) a présenté en 1916 un premier cas de reconstruction de l'orbite, au moyen d'une greffe cartilagineuse. Il a rapporté en 1917 « la greffe en jeu de patience », technique de remplacement de la partie détruite par la récupération de tissus dans la plaie.

Un certain nombre d'autres chirurgiens français, comme Pierre Sébileau (1860 – 1953) et Léon Dufourmentel (1884 – 1957), se sont investis dans la prise en charge des « gueules cassées ». Ils seront les pionniers, après la guerre, de la chirurgie esthétique.

Au cours de la Seconde Guerre mondiale, la chirurgie plastique a bénéficié d'un essor important, en grande partie en raison de la prise en charge des blessures des pilotes et des membres d'équipages des bombardiers qui étaient victimes d'horribles brûlures du thorax.

Archibald McIndoe (1900 – 1960) s'est spécialisé dans la prise en charge de ces blessures dans un établissement situé à East Grinstead, à 50 kilomètres au sud de Londres, le *Queen Victoria Cottage Hospital*. Il est dès lors devenu un centre spécialisé dans le traitement des grands brûlés de l'aviation, ainsi qu'en chirurgie de reconstruction plastique. Les jeunes pilotes, sévèrement défigurés, étaient pris en charge par une équipe de médecins et d'infirmières dévoués qui tenaient compte de leur vécu psychologique.

Le club des cobayes

McIndoe considérait que la guérison psychologique de ses pilotes mutilés à jamais était aussi importante que la guérison physique. Il les autorisait à boire de la bière dans l'enceinte de l'hôpital et même à faire des virées dans les pubs de East Grinstead, afin qu'ils réapprennent à affronter le regard des gens « normaux ». McIndoe a mis au point des méthodes de prise en charge des brûlures avec des bains salins et l'administration de sulfamides et de pénicilline obtenant de meilleurs résultats que dans le passé. Les pilotes meurtris du *Queen Victoria Cottage Hospital* savaient parfaitement que McIndoe cherchait à tout prix de nouvelles thérapeutiques, ce qui les a conduits à adopter collectivement le surnom de *Guinea Pig Club* (« Club des cobayes »).

La plupart des plaies de guerre engendraient de longues périodes d'immobilisation et de graves troubles fonctionnels. Une politique de développement des centres de rééducation fonctionnelle a été favorisée par le gouvernement français. L'époque était révolue où le soldat mutilé tombait dans la mendicité, vivait d'aumône ou devenait la terreur des campagnes.

De réparatrice, la chirurgie est devenue « esthétique » au sens où on l'entend aujourd'hui. La première « star » à en bénéficier fut Sarah Bernhardt.

Le lifting de Sarah Bernhardt

Suzanne Noël (1878 – 1954), pionnière de la chirurgie esthétique, a eu un destin exceptionnel. Cette fille de carrossier a commencé ses études de médecine à 25 ans. Puis elle a décidé de devenir chirurgien esthétique au cours de son premier stage, après avoir assisté à une opération du professeur Hippolyte Morestin sur une petite fille présentant une cicatrice de brûlure disgracieuse. Elle a confié : « Je décidais alors de me consacrer à cette chirurgie, à tort appelée esthétique, puisque pour ma part, j'allais simplement essayer de combattre les erreurs de la nature ou les accidents et non réparer les outrages du temps. »

Jeune interne, elle a fait la connaissance de Sarah Bernhardt qui était alors considérée comme la plus célèbre actrice du monde. Elle lui a proposé de lui faire un lifting de la partie inférieure du visage, intervention qui n'avait encore jamais été réalisée. Suzanne Noël avait eu l'idée de réaliser celle-ci en se regardant dans la glace après avoir pincé avec les doigts la peau de son visage en différents endroits pour en rectifier les plis. Elle a expliqué son objectif à Sarah Bernhardt, qui a été aussitôt enthousiasmée. L'opération fut réalisée en 1912, sous anesthésie locale, à mains nues, sans enlever les bijoux de l'actrice, sans masque ni blouse stérile. Le résultat a été jugé très satisfaisant par la grande artiste.

Suzanne Noël a réalisé des interventions variées et téméraires telles que des remodelages de fesses, de cuisses, des dégraissages de l'abdomen et des jambes, des plasties mammaires, des blépharoplasties et des otoplasties. En 1926, elle a publié un ouvrage original intitulé *La chirurgie esthétique : son rôle social*. Cette féministe convaincue estimait que la chirurgie esthétique avait un « rôle social » pouvant entraîner des améliorations psychologiques.

La chirurgie cardiaque : vers le cœur artificiel

La chirurgie cardiaque, relativement récente, est emblématique de la chirurgie contemporaine avec ses opérations spectaculaires (greffe du cœur, cœur artificiel) : elle a bénéficié, notamment, des progrès en anesthésie-réanimation qui rendent possible des interventions de longue durée.

La chirurgie à cœur fermé

Le traitement d'une malformation cardiaque congénitale a été réalisé pour la première fois en 1938 par le chirurgien américain Robert Gross (1906 – 1988), qui a réalisé la ligature d'un canal artériel persistant de façon anormale après la naissance, entre l'aorte et l'artère pulmonaire. Cinq ans plus tard, Alfred Blalock (1899 – 1964) a réalisé à Baltimore une intervention sur l'aorte permettant d'améliorer l'état de santé de jeunes enfants souffrant de malformations cyanogènes (les enfants bleus). Clarence Crafoord (1899 – 1984), chirurgien à Stockholm, a effectué en octobre 1944 la première correction du rétrécissement congénital de l'aorte. Dans les années qui ont suivi, des interventions dites « à cœur fermé », c'est-à-dire en le laissant battre, ont été réalisées. En 1948 aux États-Unis, Charles Bailey et Dwight Hark ont pratiqué simultanément une intervention « à cœur fermé » pour soigner des enfants souffrant de rétrécissement de la valvule mitrale (entre l'oreillette et le ventricule gauches) ; Ussel Brock a fait de même en Angleterre.

La chirurgie à cœur ouvert

En 1952, le chirurgien américain John Gibbon a mis au point un appareil de circulation extra-corporelle (CEC) permettant l'oxygénation du corps de l'opéré quand le cœur n'assure plus sa fonction de pompe cardiaque. En 1953, il réussit une opération « à cœur ouvert », intervenant sur les oreillettes d'une jeune patiente. L'invention du cœur-poumon artificiel par Richard De Wall, plus simple et plus efficace, a amélioré encore la réalisation de ce type d'opération. On a alors assisté à la généralisation de l'emploi de la circulation extra-corporelle et à l'essor fantastique de la chirurgie à cœur ouvert.

La greffe du cœur

Le 3 décembre 1967, le chirurgien cardiaque Christian Barnard (1922 – 2001) a tenté, en Afrique du Sud, la première transplantation cardiaque de l'Histoire.

La première transplantation cardiaque par Christian Barnard

Le seul espoir de sauver Louis Washkansky, un malade cardiaque de 54 ans en phase terminale, repose sur le remplacement de son cœur par un cœur neuf. Il reçoit ainsi le cœur d'une jeune fille de 25 ans, décédée dans un accident de la circulation. L'intervention effectuée par le professeur Christian Barnard a duré 4 heures et 45 minutes. Malgré sa protection sous une tente plastique stérile, le patient meurt le 21 décembre 1967 d'une double pneumonie, après 17 jours de survie, conséquence de l'irradiation subie pour éviter le rejet du greffon.

Le geste chirurgical de Barnard a fait entrer la médecine et la chirurgie dans une ère nouvelle.

Le cœur artificiel

En 1952, Charles Hufnagel (1916 – 1989) a implanté une valve cardiaque artificielle, constituée d'une cage métallique contenant une bille de silicone. Albert Starr (né en 1926) et l'ingénieur Lowell Edwards (1888 – 1982) ont inventé en 1960, dans leur laboratoire à Portland en Oregon, la première valve artificielle cardiaque mécanique.

UN PEU DE TECHNIQUE

Rompant avec les prothèses mécaniques, qui nécessitent un lourd traitement anticoagulant, Alain Carpentier (né en 1933) a mis au point une valve composite (à la fois animale et artificielle) en 1968. Il a imaginé aussi un anneau mécanique qui stabilise et rétablit la forme de la valve du patient (anneau Starr-Carpentier).

L'inventeur du premier cœur artificiel est Robert Koffler Jarvik (né en 1946). Il a implanté son prototype – nommé Jarvik 7 – en 1982 sur Barney Clarke, à Salt Lake City dans l'Utah ; il était doté d'un dispositif extérieur très lourd.

Mis au point par le professeur Alain Carpentier, destiné aux patients souffrant d'insuffisance cardiaque ne pouvant pas subir de transplantation, le cœur CARMAT a été implanté pour la première fois sur l'homme le 18 décembre 2013 avec succès. Mais le patient est décédé le 2 mars suivant. D'autres implantations ont été réalisées depuis.

La chirurgie rénale : histoire de la greffe du rein

La première transplantation rénale a été réalisée par Charles Hufnagel (1916 – 1989) et Ernest Landsteiner (1922 – 2007) à Boston en 1947. Ils ont pratiqué clandestinement, bravant ainsi l'interdiction de leurs supérieurs hiérarchiques, la transplantation du rein d'un cadavre sur une jeune femme souffrant d'une insuffisance rénale aiguë, consécutive à une infection strepto-coccique contractée après un avortement.

La première greffe de rein à partir d'un donneur vivant a été effectuée en 1952.

L'équipe de Jean Hamburger (1909 – 1992) et de Louis Michon (1892 – 1973) a réalisé, à l'hôpital Necker, le premier essai de greffe du rein d'une mère sur son fils, Marius Renard, porteur d'un rein unique qui avait été victime d'un accident. Il est décédé à la suite d'un phénomène de rejet, malgré l'origine maternelle du greffon, 21 jours plus tard.

L'équipe du docteur Joseph Murray (1919 – 2012) a réussi, le 23 décembre 1954, une transplantation rénale chez Richard Herrick, âgé de 23 ans, souffrant d'une insuffisance rénale associée une hypertension sévère, en utilisant le rein de son frère jumeau Ronald, qui avait accepté de lui donner l'un de ses deux reins. Le greffé a survécu huit ans.

La technique de la transplantation rénale étant désormais maîtrisée, il restait une inconnue : l'immunocompatibilité.

L'idée de plonger les greffés dans un état d'immunosuppression a germé dans l'esprit de Jean Hamburger quand il a appris le succès des transplantations de moelle osseuse réalisée par Georges Mathé (1922 – 2010) sur des ouvriers victimes d'un accident survenu dans une centrale atomique en Yougoslavie, au cours de l'hiver 1958 – 1959. Mais le traitement d'irradiation était lourd et ses effets secondaires multiples. En 1958, le Français Jean Dausset (1916 – 2009) a permis de mieux comprendre le phénomène de rejet en mettant en évidence l'existence des groupes leucocytaires HLA (*human leucocyte antigens*), qui jouent un rôle fondamental dans la tolérance ou le rejet de greffes. L'irradiation de la moelle a alors été remplacée par l'usage des corticoïdes et l'azathioprine, un médicament immunosuppressif.

Le succès des autres greffes

La mise au point des médicaments immu-nosuppressifs a permis le développement des greffes. La première greffe de foie a été réussie par Thomas Starzl à Denver, en 1963, en utilisant l'azathioprine et de fortes doses de stéroïdes. La même année, James Hardy a réalisé la première transplantation pulmo-naire. La première greffe de pancréas a été réalisée en 1966 par les chirurgiens américains Richard Lillehei et William Kelly. Au début des années 1970, la greffe du pancréas est prati-quée chez des personnes atteintes d'un diabète insulinodépendant. En 1972, la découverte de la cyclosporine, puissant immunosuppresseur, par Jean-François Borel, a considérablement augmenté les chances de succès des greffes. En 1981, la première transplantation cœur-poumon a été réalisée par Bruce Reitz. En 1998 à Lyon, Jean-Michel Dubernard a greffé une main droite sur un homme amputé. Il a également réalisé en 2005, avec Bernard Duvauchelle, la première greffe de visage sur Isabelle Dinoire. La principale limite reste donc aujourd'hui celle du nombre de greffons disponibles.

Gros plan sur quelques spécialités

On ne peut citer ici toutes les spécialités et sous-spécialités médicales et chirurgicales nées au cours du XXᵉ siècle... Elles étudient un organe (la cardiologie, la gastroentérologie, l'hématologie, l'hépatologie, la pneumologie, l'oto-rhino-laryngologie, stomatologie, l'urologie,...), des fonctions (endocrinologie), des maladies (l'oncologie), des publics (la pédiatrie, l'obstétrique), des spécificités (médecine d'urgence)... Quelques exemples (parmi bien d'autres) vous donneront l'idée de leur évolution, sous un éclairage différent : l'anesthésie-réanimation, l'ophtalmologie, la pédiatrie et la psychiatrie.

 Aujourd'hui, les spécialités proposées en début d'internat, par rang de classement, sont : la médecine générale, 16 spécialités médicales, cinq spécialités chirurgicales, l'anesthésie-réanimation, la biologie médicale, la gynécologie médicale, la gynécologie-obstétrique, la médecine du travail, la pédiatrie, la psychiatrie, la santé publique et la médecine sociale.

L'enseignement médical français et la création des CHU

Le XXᵉ siècle a été marqué par de grandes réformes. La durée des études médicales s'est allongée, passant de quatre à cinq années en 1909, puis à six ans en 1934 ; il est à noter que, à partir de 1893, l'obtention du baccalauréat a été nécessaire pour entamer ces études.

Les étudiants ont vu leurs rangs grossir. Le progrès médical a suscité des vocations dans des milieux sociologiques divers ; les femmes sont devenues de plus en plus nombreuses.

Une ordonnance inspirée par le professeur Robert Debré a créé en 1958 les centres hospitalo-universitaires (CHU). Les hiérarchies des enseignants des hôpitaux publics (externe, interne, chef de clinique, chef de service) et universitaires (docteur, assistant, agrégé et professeur) ont fusionné. Des médecins hospitalo-universitaires ont été employés à temps plein dans les hôpitaux, ce qui a considérablement favorisé la médecine hospitalière. La nomination du chef de service s'est faite à partir d'un recrutement national commun relevant des ministères de la Santé et de l'Éducation nationale. Au sein des CHU, il a été prévu de concilier la recherche, l'enseignement et l'exercice de la médecine. Les représentants de la Sécurité sociale ont été introduits au sein de la commission administrative et les pouvoirs des directeurs d'hôpital ont été renforcés.

La loi Faure sur l'orientation de l'enseignement supérieur du 12 novembre 1968, qui a été promulguée après les événements de mai 1968, a réformé l'enseignement supérieur avec, pour conséquence, la division des facultés en unités d'enseignement et de recherche (UER). Un principe d'autonomie, selon lequel chaque université pouvait définir sa propre organisation structurelle et son propre programme pédagogique, a été instauré.

Après mai 1968, le concours de l'externat, ayant été supprimé en 1964, tous les étudiants de premier cycle ont pu bénéficier d'un enseignement clinique de qualité en tant que stagiaires hospitaliers.

L'enseignement médical français et la création des CHU (suite)

La loi du 12 juillet 1972 a mis en place un *numerus clausus* pour le concours à la fin de l'année de PCEM 1 (première année du premier cycle des études médicales) permettant l'accès des étudiants aux études médicales.

La loi Savary de 1984 a remplacé les UER par des unités de formation et de recherche (UFR).

À partir de 2001, l'obtention de certificats de médecine a été remplacée par celle de modules multidisciplinaires.

La loi de 2002 assimile la médecine générale à une spécialité médicale. Les études passent à neuf ans pour les généralistes et à 10 ou 11 ans pour les spécialistes.

En 2004, le passage de l'examen classant national (ECN) crée un nouveau filtre à l'entrée de l'internat qui ouvre le choix des spécialités.

L'anesthésie-réanimation

En 1943, on assiste, en pleine guerre, à la naissance d'une nouvelle spécialité aux côtés de l'anesthésie et de la chirurgie : la réanimation-transfusion. À la fin du conflit, la discipline disparaît et se scinde. La transfusion constituera une spécialité à part, chargée d'étudier les problèmes de conservation, de fractionnement et d'approvisionnement du sang, ainsi que la sécurité transfusionnelle. La réanimation va désormais faire partie du champ d'activité des anesthésistes, leur rôle étant de prendre en charge les périodes pré et postopératoires. L'anesthésiste est en effet chargé d'assurer le maintien et le rétablissement des fonctions cardiovasculaires, respiratoires, rénales et endocriniennes. Ainsi, l'anesthésiste est devenu un réanimateur à part entière.

Les chirurgiens français ont pris conscience à la fin de la Seconde Guerre mondiale de l'intérêt de l'anesthésiologie. Une poignée de médecins a choisi de se consacrer totalement à l'anesthésie après avoir appris cette spécialité auprès de leurs collègues anglais ou américains pendant la guerre.

L'amélioration de la chirurgie n'aurait jamais eu lieu sans les progrès de l'anesthésiologie, qui a bénéficié d'une part de la mise en commun des connaissances anglo-saxonnes et françaises chez les Alliés et, d'autre part, de la mobilisation de physiciens et de physiologistes. Les concepts de l'anesthésie moderne se sont mis en place au cours de cette période avec la généralisation de l'emploi de mélanges ACE (alcool, chloroforme, éther) ou ECE (éther, chloroforme, chlorure deéthyle). Dans le domaine de l'anesthésie par voie générale, le mode d'administration par inhalation tend à être remplacé de plus en plus par l'anesthésie par voie intraveineuse.

Il y a eu des innovations importantes dans le domaine de l'anesthésie locorégionale avec la large utilisation de la cocaïne, du kélène, de la novocaïne. À partir de la fin des années 1970, surtout, le développement de la rachianesthésie, autrement dit de l'anesthésie péridurale, rend possible « l'accouchement sans douleur ».

L'accouchement sans douleur

« L'accouchement sans douleur », qui est une « préparation à la naissance », naît en URSS à partir des travaux d'Ivan Pavlov (1849 – 1936) et de deux neuropsychiatres. L'idée qu'on puisse donner la vie sans douleur déclenche une vague d'oppositions morales. En France, l'Ordre des médecins condamne cette pratique et il faudra attendre 1960 pour que six séances de préparation soient remboursées par la Sécurité sociale. Il n'y a alors que la maternité des Bluets (ou des « métallos ») à Paris qui propose cette méthode aux parturientes, leur apportant un soutien médical, social et psychologique afin que l'accouchement se déroule dans les meilleures conditions.

Le volet postopératoire de réanimation et soins intensifs a également connu de nombreux progrès, ainsi que le matériel de ventilation (respirateur artificiel).

La respiration artificielle

La respiration artificielle a été mise au point en 1952, à l'occasion de la survenue d'une épidémie de poliomyélite d'une ampleur exceptionnelle en Scandinavie. La seule solution pour sauver les patients était l'utilisation d'un appareil complexe appelé « poumon d'acier », qui avait été inventé en 1928 par Philip Drinker (1894 – 1972) et Louis Agassiz Shaw (1886 – 1940). Or, le professeur Henri Lassen (1900 – 1974), qui dirigeait le service de maladies infectieuses à Copenhague, ne disposait que de sept poumons d'acier pour traiter les nombreux malades qui se présentaient chaque jour dans son service. Le docteur Bjorn Ipsen (1915 – 2007) a eu l'idée de réaliser une trachéotomie chez une jeune malade nommée Vicki, considérée comme condamnée, et de pratiquer une respiration artificielle au moyen d'un ballon comprimé manuellement, lequel permit d'insuffler de l'air dans ses poumons. Après avoir soumis pendant deux à trois mois la petite Vicki à une respiration artificielle permanente, il a réussi à sauver l'enfant.

L'ophtalmologie

Au début du XXᵉ siècle, l'Assistance publique de Paris recrute par concours d'éminents spécialistes. En ophtalmologie, l'école de Lariboisière fondée par le pastorien Victor Morax (1866 – 1935), qui préconise l'asepsie dans la chirurgie ophtalmologique, rivalise avec celle des professeurs de l'Hôtel-Dieu.

Des appareils permettant l'examen de l'œil sont mis au point : l'usage de l'ophtalmoscope, inventé en 1851 par le physicien allemand Hermann von Helmholtz (1821 – 1894), se généralise après la Première Guerre mondiale. En 1906, Schiötz invente son tonomètre qui permet de mesurer la pression oculaire ; Bailliart invente le sien en 1920. En 1911, Alvar Gullstrand (1862 – 1930) met au point la lampe à fentes – ou biomicroscope – pour l'examen de la surface de l'œil. Les tables d'Ishihara (1917) permettent de diagnostiquer le daltonisme, une déficience de la vision des couleurs. L'électrorétinogramme apparaît en 1940. L'appareil de Goldmann établit les normes de référence de la périmétrie (1945) pour l'examen du champ visuel. En 1960, Théodore Maiman crée le premier laser optique à rubis. L'utilisation du microscope opératoire permet l'avènement de la microchirurgie.

Les pratiques diagnostiques et chirurgicales connaissent des avancées étonnantes dans le domaine ophtalmologique au cours du siècle. En 1948, Gerhard Meyer-Schwickerath met au point le procédé de photocoagulation pour réparer les lésions oculaires. En 1960, l'angiofluorographie, inventée par deux étudiants en médecine américains, permet d'examiner les lésions rétiniennes. Eduardo Arruga propose le cerclage dans certains cas de décollements de rétine. La kératotomie radiaire (pour corriger la myopie) s'est largement répandue dans les années 1980 (elle sera supplantée par le laser). En 1975, l'Américain Charles Kelman a inventé une chirurgie de la cataracte moins invasive (c'est aujourd'hui une opération couramment pratiquée). Les implants intraoculaires se généralisent à partir des années 1980. Dans les années 1990, la chirurgie laser (*light amplifier by stimulated emission of radiation*) opère une révolution : correction des défauts de vision ; lésions oculaires, décollement de la rétine, glaucome…

La pédiatrie et la néonatalogie

De spécialité, la médecine pour soigner les enfants est devenue une discipline à part entière, ce qui s'est traduit par la création d'hôpitaux dotés de personnels spécifiquement formés. La pédiatrie a ainsi connu un essor important sous l'impulsion de Jacques Grancher (1843 – 1907), de Victor Hutinel (1849 – 1933) et d'Antoine Marfan (1858 – 1942).

Grâce aux travaux de Robert Debré (1882 – 1978), l'école de pédiatrie française a acquis une renommée internationale. Les améliorations dans la prise en charge médicale des enfants ont permis de réduire considérablement la mortalité infantile, qui est passée en France de 132 pour 1 000 en 1901 à 7,3 pour 1 000 en 1991.

La néonatalogie, discipline médicale qui s'attache à prendre en charge les nouveau-nés (définis par un âge inférieur à 28 jours de vie), a fait d'extraordinaires progrès à partir des années 1950. Le terme néonatalogie a été utilisé pour la première fois par Alexandre Shaffer, pédiatre américain, dans un traité de médecine néonatale en 1962. Elle a été reconnue par le Comité de pédiatrie américain comme une spécialité à partir de 1975. Les acquis accumulés dans cette spécialité ont conduit à une meilleure connaissance de la physiologie et de la physiopathologie des nouveau-nés, ce qui a permis de réduire considérablement la mortalité néonatale.

Dans les années 1950, la prise en charge des prématurés était pour ainsi dire inexistante. 85 % des nourrissons pesant moins de 1,5 kg à la naissance mouraient rapidement. Aujourd'hui, la survie des prématurés, quel que soit l'âge gestationnel ou le poids de naissance, dépasse 85 %. L'amélioration des techniques de réanimation et d'assistance respiratoire pédiatrique, a permis de sauver les nouveau-nés en détresse vitale. Il est devenu également possible d'évaluer la vitalité des nouveau-nés à la naissance grâce au score d'Apgar mis au point en 1952, puis au score de Silverman en 1961, qui évalue la gravité du syndrome de détresse respiratoire. La chirurgie néonatale a permis de prendre en charge des malformations congénitales, notamment digestives, cardiaques, neurologiques.

La psychiatrie

Pendant longtemps, les médecins ont disposé d'une pharmacopée très limitée pour assurer la prise en charge de leurs patients souffrant de troubles psychiatriques. Ils utilisaient les saignées, les vésicatoires et les purgations associées aux douches…

Au début du XXe siècle, les psychiatres ont commencé à élaborer la nosologie (les critères de classification des pathologies) et la nosographie (la classification des pathologies) de leur discipline, qui restait étroitement liée à la neurologie. La psychopathologie a contribué à améliorer leurs connaissances des comportements humains. L'Allemand Emil Kraepelin (1856 – 1926) a répertorié les psychoses chroniques : psychose maniaco-dépressive, démence précoce (qui sera baptisée « schizophrénie » par le Suisse Eugène Bleuler en 1911), paranoïa. Sigmund Freud a travaillé à la classification des névroses : neurasthénie, hystérie, névrose d'angoisse, névrose phobique, névrose obsessionnelle. Il est l'inventeur de la psychanalyse, méthode thérapeutique qu'il a utilisée pour soigner des patientes hystériques, qui va constituer une révolution bien au-delà de la médecine. La majorité des psychiatres se sont appuyés dès lors sur l'approche freudienne, dans le cadre psychothérapeutique.

L'invention de la psychanalyse

Le neurologue viennois Sigmund Freud (1856 – 1939) a été le premier à mettre en avant le rôle de l'inconscient en élaborant une théorie révolutionnaire selon laquelle le psychisme est le siège d'un affrontement entre de violentes pulsions antagonistes, désirs et interdits, qui font l'objet d'un refoulement et occasionnent des troubles. Ces pulsions, qui ne sont pas toujours totalement réprimées, peuvent apparaître sous forme de rêves, d'actes manqués ou de symptômes qui, eux, sont admis par la conscience.

La psychanalyse, méthode thérapeutique née dans les années 1895 – 1900, visait au départ à soigner l'hystérie. Freud a établi le rôle possible des fantasmes sexuels réprimés et des expériences de la petite enfance dans la survenue de troubles ultérieurs du comportement.

Lors d'une séance de psychanalyse, l'« analysant », allongé sur un divan, parle sans voir le psychanalyste, lequel adopte une attitude de « neutralité bienveillante » : la libération des pulsions s'opère par la parole. Le « transfert » permet « le déplacement sur la personne du thérapeute des désirs et conflits inconscients ». Le praticien arrive à une compréhension du refoulement en étudiant les associations d'images, les évocations des souvenirs lointains et en s'appliquant à comprendre les forces qui limitent le cours des pensées de ses patients.

En octobre 1902, Sigmund Freud a fondé la Société psychologique du Mercredi, qui deviendra la Société psychanalytique de Vienne avec Alfred Adler à Vienne, Carl-Gustav Jung à Zürich, Otto Rank et Sandor Ferenczi à Budapest, Ernst Jones à Londres et Wilhem Steckel aux États-Unis.

La pharmacopée reste, elle, limitée au laudanum, au sirop de choral et aux barbituriques (le véronal en 1903, le phénobarbital en 1912). Des traitements de choc, censés améliorer l'état psychiatrique des patients, sont essayés.

- ✔ En 1927, le psychiatre viennois Julius Von Wagner-Jauregg (1857 – 1940) a injecté du sang de patients souffrant d'une forme bénigne de paludisme à *Plasmodium vivax* pour traiter la paralysie générale (qui constituait la phase tardive de la syphilis). Cela lui a valu d'être récompensé par le prix Nobel de médecine en 1927.

- ✔ En 1933, le psychiatre allemand Manfred Sakel (1900 – 1957) a utilisé une autre méthode pour traiter la neurosyphilis, qui consistait à administrer de fortes doses d'insuline par paliers progressifs, de façon à entraîner un coma hypoglycémique, puis à administrer immédiatement du sucre par voie intraveineuse puis par la bouche, une fois le patient réveillé.

- ✔ Au même moment, le neurologue hongrois Lazlo Joseph Von Meduna (1896 – 1964) a élaboré une nouvelle médication, la convulsivothérapie, induite par le cardiazol, un dérivé du camphre.

- ✔ Une autre méthode chirurgicale, la leucotomie, appelée par la suite lobotomie, a été mise au point en 1936 par deux médecins portugais, le neurologue Antonio Caetano de Egas Moniz et le neurochirurgien Almeida Lima. Cette méthode, qui a eu son heure de gloire dans les années 1940, consistait à introduire dans la boîte crânienne un instrument par des petits trous, afin de détruire des connexions nerveuses dans les lobes cérébraux préfrontaux (sièges de la pensée). Egas Moniz reçut le prix Nobel de médecine en 1949, mais la pratique de la lobotomie (désormais interdite) a connu de nombreuses dérives.

Toutes ces méthodes, responsables d'accidents parfois mortels, ont suscité des protestations au sein de la communauté médicale.

Au lendemain de la Seconde Guerre mondiale, de profondes transformations dans les conceptualisations et les pratiques des psychiatres se sont produites. La psychiatrie s'est ouverte à différents courants de pensée, en premier lieu aux sciences humaines, mais aussi aux neurosciences et à l'éthologie (étude des comportements). Deux événements ont transformé, en France, la vie de ceux que l'on appelait alors les « malades mentaux » :

✔ le premier fut la prise de conscience par les psychiatres des conséquences de l'internement forcé, à la lumière des témoignages sur les camps de concentration. Ils ont ainsi été amenés à proposer une transformation des relations entre soignants et soignés. Cette humanisation a été le point de départ de ce que l'on a appelé la désinstitutionnalisation des hôpitaux psychiatriques ;

✔ le deuxième événement est la découverte de médicaments qui vont littéralement révolutionner la psychiatrie.

Dans les années 1950, l'emploi de nouveaux médicaments a considérablement amélioré l'état des malades, dont la prise en charge reposait auparavant sur l'enfermement et sur un protocole de « traitement » à base de douches froides et de camisole de force. Les électrochocs ont pris le relais de la lobotomie (on les utilise encore aujourd'hui dans les cas extrêmes, la lobotomie étant, elle, interdite).

En 1952, l'introduction des neuroleptiques et, dans les années suivantes, celle des antidépresseurs et des anxiolytiques ont permis de faciliter les échanges avec les patients, qui sont devenus plus accessibles aux techniques relationnelles et psychothérapeutiques.

Au cours des années 1960 et 1970, un mouvement de contestation dans les milieux psychiatriques a remis en cause les méthodes thérapeutiques en usage (sismothérapie, chimiothérapie surtout, mais aussi la psychanalyse), ainsi que l'appartenance de la psychiatrie à la médecine, sous la tutelle de la neurologie. Après les événements de mai 1968, la neuropsychiatrie a ainsi été séparée en deux branches : neurologie et psychiatrie.

Entre 1970 et 1990, le mouvement de désinstitutionnalisation de la psychiatrie s'est traduit par une diminution du recours à l'hospitalisation dans les établissements de grande capacité, souvent éloignés des grands centres urbains, et par une diminution de la durée de séjour. En 1977, le terme d'« hôpital psychiatrique » a remplacé officiellement l'ancienne appellation d'« asile ». Parallèlement, la mise en place de traitements extrahospitaliers et de réseaux d'institutions « alternatives » et diversifiées a été encouragée.

Le nombre de psychiatres a considérablement augmenté, tandis que les intervenants des autres professions (psychologues, infirmiers, travailleurs sociaux, éducateurs) ont occupé une place de plus en plus importante.

L'ancrage de l'éthique médicale

L'éthique médicale englobe des règles professionnelles, mais également morales et scientifiques. En France, l'Ordre des médecins édicte un code de déontologie. En 2011, une charte européenne d'éthique médicale a été mise en place. En 1947, le Code de Nuremberg a constitué le point de départ de la prise de conscience des dangers des progrès de la science et de la nécessité de l'encadrer par un certain nombre de règles.

Le terme de « bioéthique » est cité pour la première fois en 1970 par le docteur Van Rensselaer Potter de l'université du Wisconsin dans un article intitulé « Bioethics, the Science of Survival », qu'il reprend un an plus tard dans un ouvrage intitulé *Bioethics : Bridge to the Future.* Il établit étymologiquement ce terme en utilisant deux mots grecs : *bio* (la vie) et *éthikos* (éthique). Ce terme sera véritablement adopté un an plus tard, au cours d'une conférence sur la responsabilité sociale des scientifiques à l'Académie des sciences de New York. Le docteur Van Rensselaer Potter avait pris conscience de l'importance des questions que pose, pour la société, le fantastique développement des connaissances scientifiques (notamment dans le domaine biologique).

Le Code de Nuremberg

Au cours du procès des médecins de Nuremberg, qui a eu lieu en 1947, chargé de juger les auteurs des expérimentations médicales nazies dans les camps de concentration, les juges ont pris conscience du vide juridique qui entourait les expérimentations sur l'homme. Ils ont compris la nécessité de rédiger des règles précises afin que, plus jamais, les médecins ne se métamorphosent en monstres pour les besoins de la science. Les quatre juges du tribunal militaire américain ont alors élaboré un code de droit international sur l'expérimentation humaine. Il comporte 10 principes déontologiques et repose en grande partie sur les dépositions des deux médecins experts américains cités par l'accusation, le professeur Andrew Ivy (1893 – 1978) et le docteur Leo Alexander (1905 – 1985).

Le Code de Nuremberg, fondateur de l'éthique moderne de la recherche médicale, reprend deux règles fondamentales : l'obligation du consentement volontaire du sujet et la nécessaire indépendance du sujet vis-à-vis de la recherche. Pour la première fois, l'importance du respect du sujet de recherche et la responsabilité du chercheur à cet égard sont officiellement établies. Il a connu plusieurs prolongements. Il y eut les recommandations votées lors de l'Assemblée médicale mondiale (à Helsinki en juin 1964 et à Tokyo en octobre 1975), destinées à guider les médecins dans les recherches biomédicales portant sur l'être humain, puis la déclaration de l'Organisation mondiale de la santé (en 1981 à Manille) à propos des recherches impliquant la participation de sujets humains.

 Dans cette déclaration, l'OMS reprend en les développant les différents articles définis par l'Assemblée médicale mondiale en 1964 et 1975, avec un ajout : l'obtention du consentement éclairé doit toujours être complétée par un examen éthique indépendant des projets de recherche.

Enfin, la déclaration d'Hawaï (1977) de l'Association mondiale de psychiatrie apportera des précisions sur l'autonomie et le libre arbitre du patient se prêtant à la recherche, tandis que celle de l'Association médicale mondiale à Venise (octobre 1983) insistera sur la nécessité d'études préalables, indispensables à la mise en œuvre des expérimentations.

L'éthique médicale bafouée

Au XXe siècle, des médecins ont violé les principes moraux essentiels de leur profession, en particulier ceux qu'ils ont juré de respecter lors de leur lecture du serment d'Hippocrate. L'éthique médicale a été bafouée à plusieurs reprises, souvent de façon spectaculaire. Certains agissements ont été rapidement identifiés. C'est le cas des nazis qui ont exterminé en masse des malades mentaux et se sont livrés à des expérimentations médicales sur des déportés dans les camps de concentration. D'autres ont mis du temps à être reconnus, tels que les activités de l'unité 731 dans la Chine occupée par les Japonais.

En Allemagne, en octobre 1939, un décret signé par Adolf Hitler a chargé le Reichsleiter Bouhler (1899 – 1945) et le docteur en médecine Karl Brandt (1904 – 1948) de mettre en place un programme désigné sous le nom de code « T4 ». Ce programme d'euthanasie, visant à exterminer les malades mentaux, a été réalisé avec le soutien des médecins. Des opérations d'enlèvement et de crémation des cadavres ont été réalisées dans le plus grand secret par des psychiatres allemands considérés comme politiquement sûrs. Ils réalisaient, à l'arrivée des patients, un pseudo-examen médical afin d'établir une cause de mort plausible en fonction des troubles et des antécédents. Les familles étaient informées du transfert de leur proche dans un établissement, sans pouvoir lui rendre visite ou avoir des renseignements sur son état de santé. Plus tard, elles étaient informées de son décès dû à une infection, par exemple. Ce programme d'euthanasie a abouti à l'extermination d'environ 70 273 victimes, approximativement le quart des malades mentaux alors hospitalisés.

Dans le cadre du camp d'extermination d'Auschwitz-Birkenau, les médecins SS ont été directement impliqués dans chacune des différentes phases du processus d'anéantissement, depuis le triage des déportés à l'arrivée des convois, jusqu'à la surveillance du bon déroulement de leur assassinat dans les chambres à gaz, en passant par les sélections dans le camp ou à l'infirmerie. Dans les camps de concentration, des médecins allemands ont participé à des expérimentations sur des déportés avec l'aval des autorités ; ils ont même bénéficié de crédits publics. Ces expériences conduites pour servir l'effort de guerre allemand ont été planifiées en collaboration étroite avec les plus grandes institutions de recherche d'Allemagne.

À Tokyo en novembre 1948, le tribunal militaire international pour l'Extrême-Orient qui a jugé les criminels de guerre japonais n'a pas du tout évoqué les expérimentations de l'unité 731. Seuls 12 membres de cette unité ont été jugés par les Soviétiques, à Khabarovsk en 1949, au cours d'un procès qualifié par les Américains de « propagande ».

L'unité 731, dirigée par un éminent bactériologiste de l'université de Kyoto, le docteur Shiro Ishii (1892 – 1959), a été créée au sein de l'école de médecine militaire de Tokyo, sous la forme d'un laboratoire de prévention des épidémies. Celui-ci était en fait chargé d'étudier des armes bactériologiques, violant ainsi la convention de Genève de 1925, pour en doter l'archipel. Cette unité, une fois installée à Pingfang en Mandchourie, disposait d'un budget quasi illimité (10 millions de yens dès la première année) et de la liberté d'utiliser des êtres humains pour ses expériences. Les scientifiques de l'unité 731 ont inoculé à plus de 3 000 hommes, femmes et enfants, chinois, russes, mongols et coréens, la peste, le choléra, le charbon, la fièvre typhoïde et la dysenterie. Ils les ont également soumis à des expériences d'exposition au gel. En dehors de ce type d'expériences de masse, l'unité 731 a volontairement contaminé des puits et des sources dans la région de Nankin, propageant entre 1940 et 1942 la fièvre typhoïde et le choléra. Des puces infectées par la peste ont été disséminées dans les rizières, le long des routes et des chemins, ainsi que dans le système de distribution d'eau de la région de Ning Bo, ce qui a provoqué la mort de centaines de villageois. La peste, inconnue auparavant, a finalement ravagé la région au cours de plusieurs épidémies en 1940, 1941, 1946 et 1947.

La naissance de la bioéthique

Branche de l'éthique, la bioéthique est une discipline destinée à traiter l'ensemble des relations que l'homme entretient avec le monde du vivant. Le monde médico-scientifique a compris que chaque grande découverte soulevait des problèmes éthiques. Des comités d'éthique ont ainsi été créés dans les pays industrialisés au cours des années 1980. Leur rôle est d'émettre des avis sur des questions sensibles qui relevaient naguère de la Bulle papale et qui concernent les problématiques du don d'organe, de la procréation, de l'identité de la personne, de la naissance, de la vie et de la mort. Les membres de ces comités élaborent désormais des arbitrages pratiques pleins de bon sens sur des attitudes ou des lois à adopter, dans des situations encore inédites : clonage, diagnostic préimplantatoire, thérapie génique, « acharnement thérapeutique » et euthanasie.

Les lois de bioéthique de 1994 (révisées en 2004 et 2011) encadrent les pratiques médicales comme le don d'organe, l'utilisation des produits du corps humain, l'assistance médicale à la procréation, le diagnostic prénatal. Elles interdisent le clonage, les recherches sur l'embryon et les cellules embryonnaires (sauf si elles constituent un progrès thérapeutique majeur).

Revenons sur deux épisodes largement médiatisés : la fécondation *in vitro* et le clonage.

La procréation médicalement assistée

La procréation médicalement assistée (PMA) recouvre les techniques cliniques et biologiques permettant la conception de l'embryon *in vitro*. Elle demeure en France une pratique juridiquement très encadrée. Elle vise à soigner une infertilité pathologique médicalement constatée ou à éviter la transmission d'une maladie génétique. Elle s'adresse aux couples formés par un homme et une femme vivants et en âge de procréer. Il faut que ces personnes soient mariées ou qu'elles vivent maritalement depuis au moins deux ans.

Les premiers bébés-éprouvette

Dès 1930, Gregory Pincus, co-inventeur de la pilule contraceptive, a réussi les premières fécondations *in vitro* chez des lapins. Chez l'homme, les premiers essais de fécondation *in vitro* ont été des échecs. Dans les années 1960, le biologiste Robert Edwards et le gynécologue Patrick Steptoe ont décidé de mener des recherches en transposant chez l'homme la technique utilisée jusque-là chez les animaux. Les innovations qu'ils se proposaient d'apporter consistaient à cultiver *in vitro* les ovocytes humains jusqu'à maturité, puis à les faire féconder par un spermatozoïde avant d'implanter les œufs fécondés *in vitro* dans l'utérus maternel. Ce projet a été accueilli avec une extrême réticence. Le prix Nobel James Watson a en effet déclaré : « Ce n'est pas de la médecine ! » Les deux chercheurs britanniques ne se sont pas découragés. En 1976, la première grossesse clinique a été obtenue à partir d'une fécondation *in vitro*. Malheureusement, la grossesse était extra-utérine et a dû être interrompue avant le troisième mois.

Deux ans plus tard, le 25 juillet 1978, Steptoe et Edwards ont annoncé fièrement la naissance à l'hôpital d'Oldham, dans le nord-est de l'Angleterre, de Louise Brown, le premier bébé conçu par fécondation *in vitro* et transfert embryonnaire (FIVETE ou FIV). Le succès de la naissance de Louise Brown a été vécu par beaucoup comme un événement d'une portée considérable, perçu comme l'équivalent biologique et médical du premier pas de l'homme sur la Lune. Les deux médecins britanniques ont prélevé des ovules (ou ovocytes) chez Lesley Brown, qu'ils ont ensuite mis en

Les premiers bébés-éprouvette (suite)

contact avec le sperme de John Brown dans un tube (d'où l'expression *in vitro*), puis l'embryon a été transféré dans l'utérus de la mère où il a poursuivi son développement. La presse a utilisé alors le terme de « bébé-éprouvette » pour décrire cet enfant ayant été conçu sur une paillasse de laboratoire, en dehors des voies génitales de sa mère. Elle a aussitôt été baptisée « *Lovely Louise* » par le *Daily Mail* et « *Baby of the century* » par le *Daily Express*. Les « pères » du premier « bébé-éprouvette », les docteurs Steptoe et Edwards, ont affronté les critiques de l'Église, mais aussi d'une partie de la communauté médicale. L'ère de la fécondation *in vitro* était née. Quelques mois plus tard, deux Australiens, Alan Trounson et Alexander Lopata, à Melbourne, annonçaient la venue au monde de Candice Reed... Puis ce fut la naissance d'Elizabeth le 28 décembre 1981, premier bébé FIV aux États-Unis, grâce à Howard et Georgeanna Jones, à Norfolk en Virginie, puis celle d'Amandine le 24 février 1982, premier bébé FIV français, à Clamart, grâce à René Frydman et Jacques Testard. D'autres équipes françaises étaient proches du succès. Jacques Salat-Baroux, gynécologue à l'hôpital Tenon, avait annoncé en mars 1981 qu'une femme traitée par FIV était enceinte de six semaines ; elle a eu une fausse couche. Jean Cohen, gynécologue à l'hôpital de Sèvres, Jacqueline Mandelbaum et Michèle Plachot, biologistes, ont réussi à donner naissance à une fille, Alexia, par FIV, en juin 1982.

Le 11 avril 1984, l'équipe du docteur Alan Trounson a donné naissance en Australie à Zoe, premier « bébé-éprouvette » issu d'un embryon formé par fécondation *in vitro* qui a été

congelé puis décongelé. Ce médecin australien a eu l'idée d'implanter un seul embryon à partir d'ovocytes recueillis au cours de l'ovulation naturelle. Il a proposé d'élaborer plusieurs embryons à partir de plusieurs ovocytes au cours d'une cœlioscopie après avoir stimulé les ovaires d'une femme, ce qui lui a permis d'obtenir de nombreux ovocytes qu'il a conservés dans l'azote liquide. Après décongélation, il déposait dans la cavité utérine d'une femme plusieurs embryons, en moyenne trois, de façon à augmenter les chances de réussite. Cette méthode de congélation des embryons a l'avantage de conserver les embryons surnuméraires, qui peuvent être réimplantés de façon différée, de diminuer le risque de grossesse multiple et d'augmenter les chances de réussite de FIV pour un couple donné : une ponction folliculaire permettant plusieurs transferts embryonnaires intra-utérins.

Les techniques de fécondation *in vitro* se sont progressivement affinées avec la mise au point de la technique GIFT (*Gamete Intra Fallopian Transfer*), élaborée en 1985 par R. H. Asch au Texas. Elle consiste à recueillir les ovocytes, puis à les mélanger immédiatement avec les spermatozoïdes et à réinjecter l'ensemble dans la trompe d'Eustache par cœlioscopie. Mais la grande percée a été la réalisation, le 14 janvier 1992, par les professeurs André Van Steirteghem et Paul Devroey, en Belgique, de la première naissance d'un enfant grâce à la technique originale dite de l'ICSI (*Intracytoplasmic Sperme Injection* ou « injection intracytoplasmique de spermatozoïde »). Elle consiste à réaliser la micro-injection d'un seul spermatozoïde à l'intérieur d'un ovocyte.

Le clonage : Dolly

Le 5 juillet 1996, Ian Wilmut et Rudolf Jaenisch ont annoncé la naissance au *Roslin Institute* d'Édimbourg d'une brebis qu'ils ont appelée Dolly. Elle avait pour particularité d'être le clone de sa mère et de ne pas avoir nécessité la présence d'un père biologique pour être conçue. Ils lui ont donné ce nom en référence à Dolly Parton, la chanteuse *country* américaine, célèbre pour sa voix et ses généreuses mensurations.

Dolly était le point final d'une série d'expériences qui a débuté en 1952, lorsque deux chercheurs américains, Robert Briggs et Thomas King, ont réalisé la première expérience de clonage d'une grenouille, en implantant le noyau d'un embryon de grenouille dans un ovule de la même espèce, sans toutefois réussir à assurer le développement de l'embryon cloné. En 1981, les chercheurs Karl Illmensee et Peter Hoppe ont déclaré avoir réussi le clonage de trois souris à partir de cellules embryonnaires. (On s'est aperçu par la suite qu'ils avaient falsifié leurs résultats.) Les membres de l'équipe écossaise du *Roslin Institute* ont eu l'idée d'extraire des cellules des glandes mammaires d'une brebis blanche Finn Dorset, adulte âgée de 6 ans, et de faire en sorte de les « reprogrammer » afin qu'elles puissent se diviser et se transformer en une brebis entièrement nouvelle. Pour réussir cet exploit, ils ont retiré le noyau d'un ovocyte, qui n'a qu'un seul lot de chromosomes, et ont injecté à sa place le noyau d'une cellule adulte, en l'occurrence les cellules de la glande mammaire. Au terme de la mise en culture de 277 embryons, un seul est parvenu à terme.

Le clonage de la brebis Dolly a remis totalement en question le dogme unanimement admis selon lequel une cellule musculaire ne pouvait pas devenir une cellule de foie ou un globule rouge. Cela a suscité dans un premier temps un enthousiasme qui s'est estompé lorsqu'on s'est aperçu, en 1999, que Dolly présentait un vieillissement accéléré dû à une érosion progressive des télomères de ses chromosomes qui correspondaient à ceux d'un animal de 9 ans, alors que Dolly avait moins de 3 ans. Dolly est morte le 14 février 2003, six ans après sa naissance, à la suite de troubles respiratoires incurables. Cela a soulevé des questions de la part des scientifiques du monde entier. Elles restent en suspens.

Médecine humanitaire : le devoir d'ingérence

Il faut soigner et témoigner. Parler, dénoncer les atrocités qui se produisent dans le monde : c'est un devoir pour les médecins, au même titre que porter assistance, distribuer des vivres et délivrer des soins.

Le concept de droit d'ingérence (élaboré par Jean-François Revel), qui se définit comme le « droit d'intervention de la communauté internationale au service des droits essentiels de la personne promus au rang de patrimoine commun de l'humanité », est repris par Bernard Kouchner et Mario Bettati qui l'ont transformé en devoir d'ingérence.

En octobre 1999, le prix Nobel de la paix a été attribué à Médecins sans frontières.

La Croix-Rouge

Héritière du concept de charité et de philanthropie, pendant plus de 100 ans, la Croix-Rouge a été la seule organisation humanitaire présente sur les champs de bataille aux quatre coins du monde. Son action s'appuyait sur la convention de La Haye (1907), qui élabore les dispositions relatives aux prisonniers de guerre et aux populations civiles ; celles-ci ont été étendues et affinées en 1949 et en 1977 par les conventions de Genève. Elle repose sur la lutte contre les maladies, avec l'envoi sur les lieux de conflit ou de catastrophe naturelle d'équipes de médecins, de chirurgiens et d'infirmières ; du matériel médico-chirurgical, des vivres et de l'eau potable, des couvertures et des vêtements sont expédiés ; des tentes sont dressées.

 La naissance de la médecine humanitaire date de 1968, avec le départ d'un groupe de médecins au Biafra (à l'est du Nigeria), parmi lesquels figuraient Bernard Kouchner, un jeune gastro-entérologue, Max Recamier, Olivier Dulac et Jean-François Bernaudin. Ils étaient en mission pour la Croix-Rouge, laquelle leur avait demandé de signer un engagement leur imposant de ne pas témoigner. Sur place, ils ont découvert l'étendue des massacres auxquels se livrait l'armée du Nigeria sur les Biafrais, les dégâts causés par le blocus alimentaire et ils ont constaté, impuissants, que la grande majorité des dons était distribuée aux populations nigérianes. Malgré le serment de silence imposé par la Croix-Rouge, ils ont participé à leur retour à Paris à une retentissante conférence de presse au cours de laquelle ils ont dénoncé les exactions commises au Biafra. Le *Nouvel Observateur* a publié, le 19 janvier 1970 : « De retour du Biafra, un médecin accuse ». Le concept du « devoir d'ingérence » venait de naître.

Médecins sans frontières

Raymond Borel, directeur de l'hebdomadaire médical *Tonus*, a fondé en novembre 1970 le Secours médical français (SMF), constitué d'une équipe de médecins volontaires chargée d'intervenir en cas de catastrophes, auquel s'intègre Bernard Kouchner et son groupe de médecins. Peu de temps après, le Secours médical français devient Médecins sans Frontières (MSF) : la première organisation non gouvernementale (ONG) d'aide médicale au monde vient d'être créée. Ses prises de position originales reposent sur le témoignage des violations des droits de l'homme et le caractère impartial et indépendant de l'aide médicale et des moyens mis à la disposition des populations en situation de crise. MSF est une organisation indépendante de tout État ou institution, ainsi que de toute influence politique, économique ou religieuse. Son financement provient essentiellement de donateurs privés, ce qui lui permet de choisir les modalités de ses interventions en toute liberté. En 1972, MSF envoie sa première équipe de *French Doctors* à l'étranger, après un tremblement de terre au Nicaragua. En 1976, c'est la première mission de guerre au Liban, au cours de laquelle 56 médecins et infirmières se relaient sous les bombes, dans un hôpital de Beyrouth, pendant sept mois. En 1978, Médecins sans frontières publie une affiche représentant des enfants noirs avec en bas, une phrase : « Dans notre salle d'attente, 2 milliards d'hommes. »

Médecins du Monde

À la suite de divergences sur l'attitude à adopter vis-à-vis des *boat-people*, Bernard Kouchner est critiqué à l'intérieur du bureau de l'association. Il claque la porte en novembre 1978 et fonde Médecins du Monde, entraînant avec lui ce qui reste du groupe des « Biafrais ». Ils participent à une opération médiatique, « Un bateau pour le Vietnam », qui est suivie de l'affrètement d'un navire nommé *Île de Lumière* pour recueillir des *boat-people* en mer de Chine.

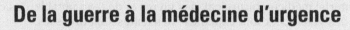

De la guerre à la médecine d'urgence

Pendant la Seconde Guerre mondiale, le service de santé de l'armée américaine s'est adapté très rapidement à la guerre de mouvement. Son organisation au cours du Débarquement en constitue la meilleure illustration. En dehors de la mise à disposition d'un matériel impressionnant dans les hôpitaux de campagne, des méthodes de prise en charge des blessés ont été codifiées. L'examen des blessés par un médecin, le plus précocement possible, a été la clé de voûte de la médecine de guerre chez les Alliés.

Pendant les mois qui précèdent le jour J, médecins et infirmiers militaires s'entraînent à intervenir dans des unités mobiles de chirurgie et à évacuer les blessés dans leurs Jeep. Dès les premières heures du 6 juin 1944, les ambulances de campagne, chargées de près de 200 hommes, débarquent sur les plages de Normandie. Près de 9 000 litres de sang et de 7 500 litres de plasma ont été embarqués sur les barges du Débarquement.

Un système d'intervention conduit rapidement les hommes blessés dans les ambulances de campagne où ils sont immédiatement pris en charge par des médecins qui disposent de nouvelles thérapeutiques. Les respirateurs deviennent plus maniables et plus performants et sont utilisés dans les zones de combat. En dehors de l'adrénaline, de l'atropine et de la morphine qui étaient déjà employées, les médecins utilisent désormais largement les sulfamides, la pénicilline.

L'élément nouveau est le développement important des évacuations sanitaires par voie aérienne qui ont concerné au cours du conflit presque 12 millions de soldats.

Les deux conflits qui ont eu lieu par la suite en Extrême-Orient, respectivement en Indochine (1946 – 1954) et en Corée (1950 – 1953), ont été marqués par une série d'innovations dans le domaine de la prise en charge des blessés.

↪ Au cours de la guerre d'Indochine, les procédures d'évacuation aérienne par hélicoptère se sont perfectionnées. C'est à partir de cette époque qu'on voit apparaître une différence fondamentale dans la prise en charge préhospitalière des blessés, entre le système français, consistant à amener le médecin auprès du blessé, et le système américain, où ce sont des auxiliaires paramédicaux qui sont chargés de la relève des médecins cantonnés dans les hôpitaux. Au total, au cours de la guerre d'Indochine, 65 000 blessés ont été évacués par voie aérienne.

↪ Au cours de la guerre de Corée, on a assisté à la création des MASH (acronyme de *Mobile Army Surgical Hospital*), hôpitaux militaires situés près du front dotés d'équipements adéquats. Les blessés étaient transportés d'urgence dans ces structures où ils étaient pris en charge par des équipes composées de chirurgiens et d'anesthésistes réanimateurs, secondés par des infirmières et des soldats du service de santé. L'activité frénétique qui régnait dans les MASH sera transposée à l'écran en 1970, dans un film mondialement célèbre.

De la guerre à la médecine d'urgence (suite)

L'utilisation de l'hélicoptère pour l'évacuation des blessés au cours de la guerre d'Indochine a permis l'essor des transports sanitaires d'urgence et bientôt du SAMU. L'hôpital sortait de ses murs transposant les techniques hospitalières d'anesthésie-réanimation au domicile des patients ou au bord des routes.

La recherche

Mondialisée, la recherche est porteuse d'énormes enjeux, notamment économiques.

La recherche française a connu récemment un très grand succès dans le domaine épidémiologie avec l'identification du virus du sida.

La découverte du virus du sida et la controverse scientifique franco-américaine

Les Centres pour le contrôle et la prévention des maladies (*Centers for Disease Control*) d'Atlanta ont rapporté le 5 juin 1981 la survenue de cinq cas de pneumonies à *Pneumocystis carinii* chez de jeunes homosexuels de Los Angeles, dont le système immunitaire, pour une raison mystérieuse, était profondément altéré. Le docteur Michael Gottlieb ne savait pas qu'il décrivait ce qui allait devenir l'une des plus redoutables maladies infectieuses que l'Humanité allait connaître : le sida (voir la « Partie des Dix », chapitre 13).

Pratiquement deux années ont séparé cette publication du 5 juin 1981 du *MMWR* (*Morbidity and Mortality Weekly Report*) de celle parue le 20 mai 1983. Les chercheurs s'étaient livré à une course de vitesse afin d'arriver à cette extraordinaire découverte : l'identification de l'agent responsable du syndrome de déficience immunitaire acquise, dont l'acronyme s'est écrit respectivement S.I.D.A., SIDA, Sida, et enfin sida. Ce qui correspond probablement à la plus grande découverte du XXᵉ siècle allait opposer la France aux États-Unis sur la question de sa paternité. Rétrospectivement, le contraste est important entre la rapidité avec laquelle l'agent pathogène responsable du sida a été découvert et le peu de moyens dont disposait le petit groupe de Français grâce auquel l'une des pages les plus prestigieuses de l'histoire de l'infectiologie du XXᵉ siècle a pu s'écrire.

Trois jeunes médecins, Jacques Leibowitch, Willy Rozenbaum et Jean-Baptiste Brunet, qui avaient été amenés à prendre en charge les premiers malades du sida, avaient alors pris conscience de la menace que représentait cette nouvelle affection qui atteignait non seulement les homosexuels, mais aussi les toxicomanes, les hémophiles, les Haïtiens et les transfusés. La plus grande confusion, source de véritables comportements paranoïaques, a régné pendant les deux ans qui ont suivi sur l'étiologie du sida, suscitant de nombreuses hypothèses dont aucune n'était totalement satisfaisante. Persuadé que cette affection était due à un virus inconnu, ce groupe de

LE SAVIEZ-VOUS ?

La découverte du virus du sida et la controverse scientifique franco-américaine (suite)

praticiens parisiens a établi une collaboration avec Françoise Brun-Vézinet, qui était alors chef de travaux du laboratoire de virologie de l'hôpital Claude Bernard, et le professeur Luc Montagnier, directeur de l'unité pour l'étude des virus cancérigènes à l'Institut Pasteur de Paris, dans laquelle travaillaient également Françoise Barré-Sinoussi et Jean-Claude Chermann. Il a été réalisé, le 3 janvier 1983, l'excision d'un ganglion cervical chez un malade hospitalisé à la Pitié-Salpêtrière. Dans le laboratoire du professeur Montagnier, le prélèvement a été mis en culture et étudié par Françoise Barré-Sinoussi. Le 4 février 1983, Charles Dauguet, spécialiste de la microscopie électronique à l'Institut Pasteur, a pu visualiser le virus du sida. Le premier manuscrit évoquant la découverte du nouveau rétrovirus évoqué sous le terme de LAV (*Lymphadenopathy Associated Virus*) – futur HIV-1 – a été adressé à *Science* le 19 avril. Il a été publié le 20 mai, accompagné des travaux des professeurs Robert Gallo et Max Essex, avec une annonce préalable à la presse. Robert Gallo présentait des informations sur la détection d'un virus apparenté au virus HTLV (*Human T'Leukemia Virus,* responsable de leucémie), tandis que Max Essex mettait en évidence des résultats sérologiques. Aussitôt a commencé ce qui a constitué la plus grande controverse scientifique franco-américaine.

En effet, en mars 1984, Robert Gallo annonçait avoir découvert le virus du sida, qu'il dénomma HTLV-3. Coup de théâtre en janvier 1985 : une publication mettait clairement en évidence le fait que le LAV et le HTLV-3 étaient strictement identiques. Seul le virus de Gallo a bénéficié d'un brevet. Un conflit relatif aux brevets a alors eu lieu entre les Français et les Américains.

Ce conflit s'est résolu par la signature d'un accord à l'amiable et une déclaration commune, le 31 mars 1987, du président des États-Unis Ronald Reagan et du Premier ministre français Jacques Chirac. En juillet 1994, les Américains ont officiellement reconnu l'antériorité de la découverte du virus par l'Institut Pasteur. L'épilogue de ce conflit a eu lieu le 29 novembre 2002 avec la publication de trois articles sur l'histoire officielle de la découverte du virus du sida dans *Science*, rédigés respectivement par Luc Montagnier, Robert Gallo et par Stanley Prusiner qui jouait en quelque sorte le rôle de modérateur.

Le 6 octobre 2008, le prix Nobel de médecine a été attribué à Françoise Barré-Sinoussi, dont le rôle fut déterminant dans la découverte, et au professeur Luc Montagnier, qui dirigeait l'équipe de l'Institut Pasteur. Robert Gallo, bon joueur, a alors déclaré : « Je félicite les lauréats du prix Nobel de médecine de cette année et suis heureux que mon ami de longue date et confrère, le docteur Luc Montagnier, ainsi que sa collègue Françoise Barré-Sinoussi, aient eu cet honneur. »

Questions de santé publique

Au début des années 1920, la population civile a cruellement souffert de la guerre et du manque de médecins. L'État a décidé d'accentuer son engagement dans la santé publique, notamment à travers la lutte contre l'alcoolisme, la syphilis, la tuberculose et le cancer. Le 21 janvier 1920, la création du ministère de l'Hygiène, de l'Assistance et de la Prévoyance sociale, a entraîné une nouvelle politique de santé publique. La lutte contre le cancer était une de ses priorités.

En 1946, le préambule de la Constitution a inscrit la santé publique dans les devoirs de l'État :

« La nation assure à l'individu et à la famille les conditions nécessaires à leur développement. Elle garantit à tous, notamment à l'enfant, à la mère et au vieux travailleur, la protection de la santé, de la sécurité matérielle, le repos et les loisirs. Tout être humain, qui en raison de son âge, de son état physique ou mental, de la situation économique se trouve dans l'incapacité de travailler a le droit d'obtenir de la collectivité des moyens convenables à l'existence. »

En 1945, la mise en place du système français de sécurité sociale visait à couvrir la maladie, la maternité, l'invalidité, la vieillesse. La généralisation de la couverture à toute la population a été progressive jusqu'à ce qu'un régime général rassemble les salariés des secteurs public et privé, des caisses de sécurité sociale se substituant à de multiples organismes. Des régimes spéciaux ont cependant subsisté.

En 2004, la France se dote d'une loi de santé publique afin de réduire les inégalités de santé.

Des plans d'action sont élaborés dans divers domaines, comme la maladie d'Alzheimer. Des mesures de santé publique sont également édictées au niveau national, européen et international pour lutter contre les pandémies.

D'abord préventive, elle place au cœur de son action le « principe de précaution ». Nous illustrons celle-ci, ici, à travers deux épisodes emblématiques : celui de la « vache folle » et celui d'Ebola.

L'essor de la lutte contre le cancer

On assiste à la fondation, en 1918, de la Ligue nationale française contre le cancer, dont l'objectif est l'éducation de la population, la recherche et le développement de nouveaux traitements. Au cours de cette période, des centres anticancéreux sont ouverts. Leur vocation est double : développer la radiologie et la radiothérapie, former des radiobiologistes et des radiothérapeutes.

En 1922, une commission du cancer auprès du ministère de l'Hygiène, de l'Assistance et de la Prévoyance sociale est mise en place, instituant la lutte contre le cancer au rang des causes nationales. La commission recommande au ministre la construction d'un réseau de centres régionaux spécialisés dans le traitement du cancer, la mise en place à l'échelle du pays de centres de diagnostic, le développement de l'information et de l'éducation du public. L'État est contraint de s'engager rapidement dans la lutte anticancéreuse et d'y consacrer des crédits considérables. Le radium reste une matière qui coûte très cher.

Le gramme de radium vaut près de 1,5 million de francs-or, une « bombe » au radium nécessitant entre 3 et 4 grammes. Pour pouvoir obtenir un gramme de bromure de radium à 92 %, il faut disposer de 400 à 500 tonnes de pechblende (le minerai dont on extrait le radium), de 150 à 200 tonnes de réactifs divers, de 150 à 200 tonnes de charbon, de 800 à 1 200 tonnes d'eau, sans compter le travail des 30 personnes employées à l'usine et celui des mineurs qui ont extrait les minerais.

En 1922, l'Assistance publique et l'Institut Curie ouvrent six centres de traitement du cancer par rayons X et radium, associés aux services de chirurgie générale. De 1923 à 1928, 14 nouveaux centres sont ouverts en province. En 1934, le service spécialisé dans le cancer, créé à l'hôpital Paul Brousse par le neuropathologiste Gustave Roussy (1874 – 1948), à Villejuif, donne naissance à l'Institut de recherche sur le traitement du cancer, dont il devient le premier directeur. En 1936, rue Lhomond à Paris, l'hôpital spécialisé de la Fondation Curie (créée par Marie Curie et Claudius Regaud, reconnue d'utilité publique en 1921) ouvre ses portes. L'Institut du radium et la Fondation Curie sont réunis en 1970 pour former l'Institut Curie. En 1991, l'hôpital Claudius Regaud est ouvert rue d'Ulm. En 2010, l'Institut Curie et le Centre René Huguenin fusionnent et constituent un nouveau pôle complet de traitement et de recherche.

La maladie d'Alzheimer

Avec le vieillissement de la population, la maladie d'Alzheimer, qui entraîne une destruction des neurones (elle est qualifiée de « neurodégénérative »), devient un problème grave de santé publique, car elle est responsable d'environ la moitié des syndromes démentiels actuels. On estime que plus de 35 millions de personnes dans le monde souffriraient de cette affection, chiffre qui pourrait doubler d'ici 2030, en lien avec l'accroissement de l'espérance de vie et de l'augmentation résultante du nombre de personnes de plus de 65 ans.

Les scientifiques sont incités à multiplier les programmes de recherche pour en établir les causes, pour trouver les moyens de la dépister précocement et, surtout, pour mettre au point des médicaments susceptibles de ralentir, et même, éventuellement, d'inverser son évolution.

Le nom de la maladie lui a été donné par Emil Kraepelin (1856 – 1926), fondateur de la psychiatrie scientifique, qui était le professeur d'un médecin allemand, Alois Alzheimer (1864 – 1915).

PORTRAIT

L'histoire du docteur Alois Alzheimer

En 1901, le psychiatre et neurologue allemand Alois Alzheimer avait pris en charge à l'hôpital psychiatrique de Francfort, c'était son premier poste d'affection, une femme de 51 ans nommée Auguste D., qui présentait des troubles progressifs de la mémoire, du langage et du comportement. Quand elle décéda à l'âge de 55 ans, il examina son cerveau et y observa, pour la première fois, des lésions très particulières. Alois Alzheimer a alors établi le rapport entre un syndrome démentiel survenant chez des patients de moins de 65 ans et des lésions neuro-anatomiques caractéristiques, après avoir utilisé la technique d'imprégnation argentique.

Le virus Ebola

La maladie a été identifiée pour la première fois en 1976 à Yambuku, localité située au nord-est de l'ex-Zaïre (actuelle République démocratique du Congo), près de la rivière Ebola qui lui a donné son nom. Il s'agissait d'une fièvre hémorragique virale dont le pronostic était sombre. Parallèlement à cette épidémie zaïroise, il en est survenu une autre la même année, à Nzara, au sud du Soudan.

D'emblée, le corps médical a été alerté par le caractère épidémique de cette maladie dont la contagiosité interhumaine est très importante et l'issue, souvent, fatale. Puis, aucun cas d'infection à virus Ebola n'a plus été rapporté en Afrique pendant près de 15 ans. En 1994, une primatologue suisse ayant effectué l'autopsie d'un chimpanzé trouvé mort dans une forêt en Côte-d'Ivoire a présenté cette affection. La même année, une épidémie a eu lieu à Kikwit, au centre du Zaïre, entraînant la mort de 250 personnes parmi les 316 malades. Cette épidémie a surpris, car elle a touché de nombreux membres du personnel de l'hôpital et des membres de la famille des patients hospitalisés.

Depuis 2000, de nombreuses épidémies dues au virus Ebola ont été rapportées en Afrique, d'abord en Ouganda, puis au Gabon, en République démocratique du Congo et au Sud-Soudan. À partir de décembre 2013, l'épidémie de fièvre hémorragique liée au virus Ebola a pris une ampleur considérable en Afrique de l'Ouest. Après avoir débuté en Guinée, elle s'est rapidement propagée à d'autres pays, touchant la Sierra Leone, le Liberia, le Nigeria, la République démocratique du Congo et le Sénégal.

Cette situation a conduit l'OMS à qualifier d'urgence mondiale de santé publique cette épidémie de fièvre due à un virus particulièrement virulent, dont la mortalité atteint en moyenne 55 %.

Son mode de transmission est mal connu, mais l'hypothèse la plus probable est que les chauves-souris, considérées comme porteuses saines, contaminent les singes et que l'homme s'infecte en dépeçant les singes et en consommant leur viande peu cuite. L'ingestion de chauves-souris peu cuites est une autre possibilité. Ensuite, la contagion interhumaine se propage très vite, en raison de la présence en abondance du virus dans le sang, les sécrétions, la salive, le sperme, d'autant que 5 à 10 particules virales seulement suffisent à contaminer un nouveau sujet. La communauté internationale s'est mobilisée pour lutter contre cette affection en préconisant la mise en place de mesures individuelles et collectives de protection et de dépistage des sujets contacts.

La « vache folle », maladie à prions

Les prions ont pris une place très médiatique dans les années 1990, du fait des événements liés à la « maladie de la vache folle » décrite par les éleveurs anglais. Son origine serait les aliments destinés au bétail préparés à partir de tissus provenant de bovins, comme la cervelle et la moelle épinière, et contaminés par l'agent de l'encéphalopathie spongiforme bovine (ESB), selon les études épidémiologiques menées au Royaume-Uni.

Les travaux de Gajdusek ont intéressé William J. Hadlow, un vétérinaire britannique travaillant au Montana, qui a trouvé une ressemblance entre les lésions du cerveau et la tremblante du mouton, appelée *scrapie* en Angleterre. Des essais de contamination de chimpanzés par injection de matériel pathologique provenant de malades souffrant de *kuru* ont alors été réalisés par Carleton Gajdusek en 1963. Ils ont permis de mettre en évidence, deux ans après l'inoculation par Gibbs du premier chimpanzé, des manifestations neurologiques et d'un aspect histopathologique du cerveau proche de ceux du *kuru*.

Au cours de ses recherches, Gajdusek a trouvé un certain nombre de similitudes entre le *kuru* et la maladie de Creutzfeldt-Jakob, une démence décrite en 1921 par Hans-Gerhard Creutzfeldt (1885 – 1964) et Alfons Jakob (1884 – 1931), qui est une étrange maladie entraînant une cachexie et des troubles de la coordination, se soldant par la mort.

Il a été envisagé que ces deux maladies avaient une origine commune, d'autant que des cas de maladie de Creutzfeldt-Jakob ont été rapportés en Nouvelle-Guinée dans d'autres tribus.

L'ensemble de ces travaux très originaux sur les encéphalopathies spongiformes à évolution lente a permis à Carleton Gajdusek d'obtenir le prix Nobel de médecine et de physiologie en 1976.

En étudiant la tremblante du mouton, puis la maladie de Creutzfeldt-Jakob, affections neurologiques dégénératives, Stanley Ben Prusiner (né en 1942) a envisagé, en 1982, l'hypothèse de l'existence d'une nouvelle forme d'agent infectieux, différente des classiques bactéries, virus ou parasites. Il a donné à ces agents infectieux le nom de PrP ou *Prion Protein*, en référence à la nature de celui-ci (« prion » est un acronyme de *Proteinaceous Infectious Particle*), qui a été également classé ATNC (« Agent transmissible non conventionnel »), afin de le distinguer des micro-organismes décrits jusqu'à présent. Son hypothèse reposait sur la résistance de ce nouvel agent à tous les procédés de destruction des micro-organismes, aussi bien physiques (rayonnements ionisants, chaleur) que chimiques (acides, aldéhydes, formol) ou enzymatiques. Cela l'a conduit à conclure que le responsable de la destruction des neurones serait une protéine.

Stanley Ben Prusiner a d'abord rencontré l'incrédulité de ses collègues, et ce n'est que 25 ans plus tard, en 1997, qu'il a reçu le prix Nobel de médecine.

L'histoire de la découverte des prions

Elle a débuté de manière fortuite en 1955, lorsqu'un médecin nommé Vincent Zigas, faisant partie d'une mission médicale australienne chargée de la prise en charge de membres de la tribu de l'ethnie des Forés, qui vivaient à l'âge de pierre en Papouasie-Nouvelle-Guinée, a établi qu'un certain nombre d'entre eux présentait une curieuse maladie neurologique qu'ils appelaient *kuru*, mot qui signifiait dans leur langage « trembler de peur et de froid, frissons ». Cette affection gravissime, évoluant vers la mort en moins d'un an, se manifestait au début par la survenue de frissons et de troubles de l'équilibre, puis par un tremblement, des difficultés d'élocution et une absence de coordination des mouvements empêchant la station debout.

Deux ans plus tard, en 1957, un médecin américain, Carleton Gajdusek, titulaire d'une bourse pour étudier au *Walter and Eliza Hall Institute of Medical Research* à Melbourne, a voulu comprendre pourquoi le *kuru* affectait plus fréquemment les femmes et les jeunes enfants et pourquoi les hommes adultes étaient habituellement épargnés. Ce médecin passionné d'anthropologie et d'épidémiologie a passé près de 10 mois parmi les membres de l'ethnie des Forés. Il a longuement étudié leur langue, leurs coutumes et leur mode de vie, parallèlement à ses recherches médicales. Il a mis en évidence, en étudiant des prélèvements de cerveau, un aspect en éponge du tissu cérébral avec d'étranges trous, témoins d'une destruction des neurones, associés à une prolifération des astrocytes (des cellules du cerveau), ce qui a valu au *kuru* d'être appelé plus tard « encéphalopathie spongiforme ». Il n'a pas réussi à mettre en évidence la présence de virus ou de bactéries dans le sang et dans le cerveau. Au terme d'une enquête minutieuse, Gajdusek a appris que les membres de cette tribu pratiquaient le cannibalisme rituel, qui consistait à faire manger par les femmes et les enfants le cerveau et les viscères des morts, tandis que les muscles, symboles de force et de virilité, étaient consommés par les hommes. Carleton Gajdusek a donc compris qu'il y avait une relation entre la survenue du *kuru* et la consommation de cerveau au cours de la pratique du cannibalisme rituel. Avec l'arrêt de la pratique du cannibalisme rituel des morts à partir de 1957, on a assisté à la disparition progressive du *kuru*.

Cinquième partie
La partie des Dix

Dans cette partie...

Et si nous parlions des maladies et des malades ?

Certaines maladies sont anciennes et ont fait des ravages dans le monde entier avant d'être combattues, grâce à la persévérance des chercheurs. Elles ont aussi parfois changé plus incidemment le cours de l'Histoire. D'autres sont malheureusement toujours d'actualité.

Certains malades sont célèbres. Pas parce que leur maladie était remarquable, mais en raison de l'influence qu'elle a eue sur leur vie, qu'ils aient été roi, écrivain ou artiste. Parmi ces derniers, plusieurs ont même sublimé à travers leurs œuvres les maux qui les atteignaient.

Chapitre 13

Les dix maux qui ont changé le cours de l'Histoire

Dans ce chapitre :

▶ Dix grandes maladies… mais il y en eut d'autres…

*L'*histoire des maladies est sans commencement ni fin. Aussi avons-nous pris le parti de l'illustrer par quelques exemples choisis au fil du temps.

La peste

Un mal qui répand la terreur,

Mal que le Ciel en sa fureur

Inventa pour punir les crimes de la terre,

La Peste (puisqu'il faut l'appeler par son nom),

Capable d'enrichir en un jour l'Achéron,

Faisait aux animaux la guerre.

(Jean de La Fontaine, « Les Animaux malades de la peste »,
Fables, Livre VII, 1)

La peste d'Athènes

Cette épidémie, relatée par l'historien Thucydide (460 – 395 av. J.-C.), est survenue pendant la guerre du Péloponnèse qui opposait Sparte et Athènes. Elle a sévi au cours de plusieurs vagues successives, en 430 et 429 avant J.-C. Le stratège Périclès (495 – 429 av. J.-C.) a été victime de l'épidémie, ainsi que près de 4 000 soldats. Un tiers de la population aurait péri de cette infection. Elle aurait joué un rôle important dans la défaite d'Athènes face à Sparte.

Thucydide a expliqué la succession des symptômes de la maladie : « En général, rien ne lui fournissait de point de départ ; elle vous prenait soudainement, en pleine santé. On avait tout d'abord de fortes sensations de chaud de la tête ; les yeux étaient rouges et enflammés ; le pharynx et la langue étaient à vif, le souffle sortait, irrégulier et fétide. Puis survenaient, à la suite de ces premiers symptômes, l'éternuement et l'enrouement ; alors en peu de temps le mal descendait sur la poitrine, accompagné d'une forte toux. Lorsqu'il se fixait sur le cœur, celui-ci en était retourné, et il survenait des évacuations de bile, sous toutes les formes... »

Il est difficile d'établir rétrospectivement le diagnostic de cette affection. S'agissait-il d'une épidémie de peste ou de typhus ?

La peste d'Antonin et de Justinien

La peste d'Antonin, qui a sévi sous Marc Aurèle (121 – 180), aux environs de 165 après J.-C., a décimé la population romaine après le retour des armées. Selon Ammien Marcellin (320 – 390), historien du IVe siècle, elle serait due à un soldat romain contaminé au moment de la prise de Séleucie sur le Tigre. Ce dernier, qui avait pénétré dans le temple d'Apollon, avait ouvert un coffre d'or d'où s'était dégagé un « souffle pestilentiel ». La peste aurait été alors attribuée à la vengeance d'Apollon. Selon la légende, Galien (218 – 268) se serait enfui de Rome. Il y serait revenu l'année suivante à la demande de Marc Aurèle et y aurait établi la description précise de cette affection.

La peste de Justinien (empereur romain d'Orient de 527 à sa mort en 565) a débuté en 541. Ce dernier avait entrepris la conquête des régions de l'ancien Empire romain d'Occident et avait brillamment battu les Barbares. Cependant, l'épidémie de peste qui avait débuté brutalement, à partir d'un probable foyer africain, s'est étendue à partir de l'Égypte jusqu'à la Syrie et l'Asie Mineure, atteignant Byzance en 542, où elle a entraîné la mort de la moitié de sa population. Elle a touché par la suite la Hongrie, l'Autriche, l'Italie, la France jusqu'à Reims et l'Allemagne jusqu'à Trèves.

La peste de Marseille

Le 27 mai 1720, le *Grand Saint-Antoine* est arrivé au large de Marseille. Informées de la mort de huit marins à bord de ce navire en provenance de Syrie, les autorités ont permis aux hommes d'équipage de débarquer, contrairement aux règlements de la police sanitaire. En donnant cette autorisation, les magistrats municipaux, plus intéressés par la cargaison de tissus que par la sécurité publique, n'ont pas imaginé ce qui était sur le point d'arriver. Le 20 juin 1720, une couturière a été la première victime de ce qui allait être la vingtième épidémie de peste à toucher Marseille depuis Jules César. En août, on y a dénombré de 500 à 1 000 morts par jour. À la fin de ce mois, des forçats ont été réquisitionnés afin de procéder au ramassage des cadavres, en échange de leur liberté.

Le bilan de cette affection est très lourd puisqu'entre 1720 et 1722, 50 000 personnes sont mortes à Marseille et 100 000 en Provence. Devant la gravité de la situation, le régent Philippe d'Orléans (la Régence dura de 1715 à 1723, entre les règnes de Louis XIV et de Louis XV) a établi des mesures d'isolement qui ont permis de circonscrire l'épidémie de peste en Provence. Le capitaine Chataud, qui dirigeait le *Grand Saint-Antoine*, a été écroué au château d'If le 8 septembre 1720. Cet emprisonnement a été plus un bien qu'un mal, car cela lui a sauvé probablement la vie, en le mettant à l'abri de la peste. Trois ans plus tard, il a été libéré, car il a été prouvé qu'il avait bien déclaré les décès à bord. Premier échevin de Marseille et propriétaire d'environ un douzième de la cargaison du *Grand Saint Antoine*, Jean-Baptiste Estelle avait usé de son influence pour que les marchandises soient débarquées. Cet homme que l'on pouvait considérer comme responsable de l'épidémie a été déclaré innocent en 1722, grâce à de puissants protecteurs. On lui a même accordé des lettres de noblesse.

Les épidémies de peste responsables des défaites napoléoniennes

Le destin de l'épopée napoléonienne aurait été différent si des épidémies n'avaient pas bouleversé le déroulement de certaines campagnes. En 1799, Napoléon Bonaparte (1769 – 1821, futur empereur des Français sous le nom de Napoléon Ier) a tenté de conquérir la Syrie dans le cadre de sa campagne d'Égypte. Forte d'environ 13 000 hommes, son armée a alors été fortement désorganisée par la survenue d'une épidémie de peste. Le médecin militaire Desgenettes (1762 – 1837) s'est refusé à prononcer le mot de peste, afin de ne pas nuire au moral de la troupe. Apprenant l'épidémie, Bonaparte a écrit une série d'instructions afin que soient appliquées des mesures d'hygiène préventives pour ses troupes, dictées par le bon sens, compte tenu de l'ignorance où l'on était alors des causes de la maladie :

« Qu'il n'y ait plus de parade ; qu'on ne monte plus de gardes que chacun dans son camp. Faites faire une grande fosse de chaux vive pour y jeter les morts.

Dès l'instant que, dans une maison française, il y a la peste, que les individus se campent ou y baraquent ; mais qu'ils fuient cette maison avec précaution, et qu'ils soient mis en réserve en plein champ. Enfin, ordonnez qu'on se lave les pieds, les mains, le visage, tous les jours, et qu'on se tienne propre.

Si vous ne pouvez pas garantir la totalité des corps où cette maladie s'est déclarée, garantissez au moins la majorité de votre garnison. »

Bonaparte ne se contenta pas d'appliquer des mesures sanitaires préventives, il fit adopter des mesures d'ordre psychologique. En effet, le personnel soignant craignait, et avec raison, de contracter la peste en approchant les malades, ce qui entraîna la réticence de certains à participer aux soins. Pour y remédier, Bonaparte donna l'ordre de fusiller les infirmiers – ou employés – qui auraient refusé des secours ou des vivres aux malades. Signalons également que c'est à l'occasion de la peste que Desgenettes, pour apaiser les imaginations et raviver le courage ébranlé de l'armée, fit sur lui-même une héroïque expérience d'inoculation de la peste : il trempa une lancette dans le pus d'un bubon de convalescent et se fit une piqûre à l'aine et une autre au voisinage de l'aisselle ; il ne tomba pas malade.

On estime que le corps expéditionnaire de Syrie a, à cause de la peste, perdu près de 1 000 hommes sur 13 000. Cette perte importante ne permettant pas de prendre Saint-Jean-d'Acre, Bonaparte leva le siège le 17 mai 1799, ce qui mit fin à ses velléités.

Le problème des malades et des blessés se posa avec acuité. À la veille de la levée du siège, Bonaparte envisagea avec sérieux l'opportunité d'une euthanasie des malades, comme en témoigne la relation de son entrevue avec Desgenettes, en présence du général Berthier, au cours de laquelle il dit : « À votre place, je terminerais à la fois les souffrances de nos pestiférés et je ferais cesser les dangers dont ils nous menacent en leur donnant de l'opium. » Il poursuivit en disant que si lui-même, Bonaparte, avait la peste, il demanderait qu'on lui accordât cette faveur. Desgenettes répondit : « Mon devoir à moi, c'est de conserver. »

Bonaparte fit remarquer à Desgenettes que son but à lui était de conserver l'armée et il ajouta : « Je ne cherche pas à vaincre vos répugnances… mais je crois que je trouverai des personnes qui apprécieront mieux mes instructions. »

Bonaparte a été dans l'obligation de faire évacuer son armée. La retraite s'effectua dans des conditions extrêmement pénibles. Il s'est embarqué le 22 août pour la France. Le destin de Bonaparte aurait sans aucun doute été différent si cette affection n'avait été sur son chemin de la conquête de l'Asie.

Le paludisme

Comment une piqûre d'insecte a pu faire chuter des empires…

Alexandre le Grand, victime d'un moustique et ce qui s'ensuivit...

À la mort de Philippe de Macédoine, en 336 avant J.-C., son fils Alexandre devient roi. Ce dernier soumet la Grèce révoltée et, avec 50 000 hommes, il franchit l'Hellespont, détroit de Turquie entre l'Europe et l'Asie. Commence alors une gigantesque expédition. Avec ses troupes, il parcourt des milliers de kilomètres et accumule les conquêtes pour constituer en une dizaine d'années le plus vaste des empires antiques, européen et asiatique, avec Babylone pour capitale.

Le destin extraordinaire d'Alexandre le Grand s'est achevé à la suite d'une piqûre de moustique qui a changé le cours de l'Histoire. Bien que la légende ait relaté une mort par empoisonnement, il semble plutôt qu'il ait été victime de la malaria. Un certain nombre de textes datant de cette époque permettent en effet de poser un diagnostic rétrospectif de paludisme, autre nom de cette maladie.

Tous les faits et gestes des derniers jours d'Alexandre ont été consignés dans les *Éphémérides royales* rédigées par ses historiographes. Cette fidèle observation permet d'éliminer l'hypothèse d'un empoisonnement, car il n'est rapporté aucun signe évocateur d'une intoxication. Il a présenté une fièvre quelques jours après s'être promené dans les marais formés par l'Euphrate au-dessous de Babylone. Le seul symptôme mentionné est une fièvre qui a duré 11 jours. S'il y a eu des rémissions diurnes pendant les trois premiers jours, elle est devenue permanente et s'est transformée en un coma fébrile qui a été fatal à Alexandre le Grand, alors au sommet de sa gloire.

Il voulait laisser son empreinte en unifiant les différents peuples de son empire, notamment en y diffusant la culture hellénique. Mais son œuvre demeura inachevée. Et l'empire qu'il avait créé ne lui survécut pas : aussitôt après sa mort, il fut partagé entre ses généraux. Il est difficile d'imaginer ce qui se serait passé si Alexandre le Grand n'était pas mort aussi jeune et comment aurait évolué son empire. Mais si lui-même voulait changer le cours de l'Histoire, c'est finalement un moustique qui y a réussi...

Le rôle du paludisme dans le déclin de la civilisation grecque

Jusqu'au Ve siècle avant J.-C., les textes grecs anciens faisaient parfois référence au paludisme. Ainsi, dans l'*Iliade* d'Homère (qui date d'environ 850 av. J.-C.), il existerait des allusions au paludisme dans une « fièvre » que les chaleurs apportaient aux misérables mortels (*Iliade*, chant XXII) ou dans la « mauvaise maladie » qui décimait les armées rassemblées devant la ville de Troie entourée de marais (*Iliade*, chant I). À partir du Ve siècle avant J.-C., on a assisté à un déclin de la civilisation grecque, qui aurait été favorisé par le paludisme et la diminution de la population, en grande partie en raison de la faible natalité.

La diminution de la population de la campagne grecque a entraîné un déboisement très important, en raison de l'abandon de la culture au profit de l'élevage du bétail transhumant, qui nécessitait un personnel moins important. Le bétail avait tendance à détruire la végétation, en broutant ou en piétinant l'herbe, les arbustes et les jeunes pousses d'arbres. Le déboisement de la campagne grecque a eu pour conséquence la formation de vastes marécages et une extension du paludisme. Le paludisme n'a pas été la seule cause du déclin de la civilisation grecque ; en revanche, la décadence a probablement également favorisé l'extension de cette parasitose.

Le rôle du paludisme dans le déclin de l'Empire romain

La campagne romaine est restée longtemps un des plus éloquents exemples d'une terre désolée par le paludisme. Cette affection y était déjà présente bien avant la Deuxième Guerre punique (218 – 201 av. J.-C.), mais il est probable que c'est la traversée de l'Italie par les troupes carthaginoises d'Hannibal en route pour Rome, qui est à l'origine de la véritable endémie palustre dans cette contrée.

Le poète Martial (40 – 104 apr. J.-C.) a évoqué au moins trois fois dans ses *Épigrammes* la « semi-tierce » mortelle (correspondant probablement à la fièvre tierce maligne). En outre, des conditions favorables au développement du paludisme existaient notamment à Rome : durant les saisons pluvieuses, les rues de cette ville étaient souvent boueuses et parsemées de petites flaques d'eau propices à la pullulation des moustiques. Le cours des rivières n'était à l'époque pas aussi bien régulé que de nos jours et les inondations du Tibre favorisaient aussi cette pullulation.

Il est vrai qu'ayant remarqué l'influence néfaste des marais et des moustiques, les Romains avaient entrepris des travaux de drainage et d'assèchement des étendues d'eau stagnantes, ce qui avait permis un temps une diminution de l'incidence du paludisme. Mais comme pour la Grèce antique, le paludisme a joué un rôle majeur dans la décadence de l'Empire romain. En effet, les mentalités ayant changé après les conquêtes romaines, la population rurale abandonna de plus en plus la campagne pour rejoindre les villes, qui étaient devenues bien plus attrayantes. Comme en Grèce, le manque de main-d'œuvre qui en découla favorisa l'activité pastorale, qui permettait de plus grands bénéfices. L'abandon des cultures entraîna le mauvais entretien des *caniculi*, systèmes de drains qui avaient été mis en place par les cultivateurs. L'obstruction de ces *caniculi* amena à la formation des marécages. Les plaines, auparavant fertiles, devinrent insalubres et l'extension progressive du paludisme décima les populations de régions entières.

Bien sûr, d'autres facteurs ont précipité la chute de l'Empire romain comme les invasions barbares qui le touchèrent durement, au Ve siècle. D'ailleurs, l'incursion des barbares provoqua elle-même une flambée du paludisme. Les guerres affaiblirent les populations, qui devinrent plus sensibles à la maladie. La destruction des ouvrages servant à l'écoulement des eaux participa à la formation des zones marécageuses. Les champs n'étaient plus aussi cultivés, la guerre entravant les travaux des agriculteurs.

Si la malaria a participé au déclin de l'Empire romain, il faut tout de même reconnaître qu'elle a parfois joué un rôle protecteur. Les envahisseurs étrangers ont été souvent plus affectés par le paludisme que les populations locales protégées par une immunité partielle acquise grâce à la répétition des infections. Il suffit de se souvenir de l'échec de Brennus, qui tenta de pénétrer dans le Capitole de Rome en 387 avant J.-C. Les guerriers gaulois avaient été décimés par le paludisme contracté dans la campagne romaine.

Le paludisme ralentit la construction du château de Versailles

La France de Louis XIV a été une zone d'endémie palustre, notamment dans ses multiples zones humides. Le palais de Versailles et le vaste parc ont été établis sur les terres marécageuses de l'ancien « rendez-vous de chasse » de Louis XIII. Leur assainissement a nécessité des travaux pharaoniques et la participation de très nombreux ouvriers, qui ont été décimés par le paludisme.

Le roi lui-même n'a pas été épargné par cette maladie, appelée à l'époque le « mal du mauvais air », puisqu'il aimait inspecter les chantiers d'assèchement de ces zones marécageuses. Quand il s'est installé à Versailles avec sa Cour en 1682, les grands travaux de terrassement étaient loin d'être finis. Une importante machinerie hydraulique avait été mise en place pour récupérer et conduire les eaux pluviales devant alimenter les jets d'eau du parc royal ; la machinerie de Marly approvisionnait aqueducs et canaux et transportait l'eau de l'Eure dans les jardins. En attendant la fin des travaux, les anophèles continuaient de pulluler dans les eaux croupissantes des marais et des fontaines de Versailles. Les ravages que causait le paludisme parmi les ouvriers désorganisaient et retardaient périodiquement les travaux. C'est surtout durant les mois d'été qu'ils étaient les plus importants.

L'aqueduc de Maintenon restera même inachevé à la suite de la mort de plusieurs milliers de manœuvres. Un véritable cercle vicieux s'est installé, puisque la lenteur des travaux, encore interrompus par les guerres, fit que Versailles resta un immense chantier de terres mal drainées et d'eaux stagnantes pendant des années.

Cette histoire de la construction du château de Versailles rappelle que la région parisienne n'a pas été épargnée par un paludisme autochtone, avant que cette affection ne soit éradiquée du territoire au milieu du XXe siècle.

À Paris même, une épidémie est survenue en 1811, lors du creusement du canal Saint-Martin, touchant essentiellement la population des quartiers du Temple, de la Villette et de Pantin. Deux autres épidémies ont été constatées, l'une en 1840 pendant la construction des fortifications de la ville, l'autre en 1865 au moment de la réalisation des Grands Boulevards par le baron Haussmann.

La syphilis

Aucun des médecins de l'Antiquité ou du Moyen Âge n'a évoqué dans ses traités d'affection correspondant à la syphilis. Les premiers cas de syphilis avérés ont été rapportés au cours de la bataille de Fornoue, le 6 juillet 1495. Dans les mois qui ont suivi, de nombreux cas de syphilis ont été signalés en France, en Allemagne, en Autriche et en Angleterre, probablement favorisés par le retour des mercenaires et des soldats. Cette affection a d'abord été appelée « mal de Naples », « mal français » (*morbus gallicus*) par les médecins vénitiens, « *las bubas* » par les Espagnols, la « grande gore » par les Écossais. On a relevé de multiples autres appellations : « *pancque denarre* », « grosses poques », « fièvre de saint Job ». Longtemps appelée vérole (grande vérole) la syphilis a finalement été nommée ainsi par référence au poème épique de l'Italien Jérôme Fracastor (Girolamo Fracatoro) écrit en 1530, *Syphilis sive morbus Gallicus.*

La syphilis était d'autant plus redoutée qu'elle se manifestait par des symptômes particulièrement sévères. Son caractère contagieux et son mode de transmission ont été reconnus très tôt :

« Je dis que ce mal est contagieux, écrit le médecin italien Corradino Gilino en 1497, c'est pourquoi je recommande qu'on ne s'unisse en aucune façon avec des femmes infectées de cette dangereuse maladie. »

Très rapidement, l'hypothèse selon laquelle la syphilis serait une tréponématose endémique en Amérique centrale, rapportée en Europe par les marins des expéditions de Christophe Colomb, a été évoquée. Un certain nombre de facteurs plaident en faveur de cette hypothèse, notamment des études de squelettes en Europe et en Amérique précolombienne qui ont mis en évidence l'existence de cas de tréponématose, sans qu'il soit formellement possible d'affirmer s'il s'agit de syphilis ou de tréponématoses non vénériennes.

Les autorités ont mis en place très rapidement des mesures visant à limiter la propagation de cette affection. Un arrêt du Parlement de Paris du 6 mars 1496 a menacé de pendaison les étrangers souffrant de syphilis qui n'auraient pas quitté la ville dans les 24 heures. La même année, il est promulgué l'interdiction pour les malades souffrant de syphilis de se rendre dans la ville de Genève. En 1497, le roi d'Écosse a menacé de marquer au fer rouge, sur la joue, les malades qui refuseraient d'être internés.

L'arsenal thérapeutique disponible dans la prise en charge des patients souffrant de syphilis a longtemps été limité. Il reposait sur les saignées, les purges, la cautérisation des ulcères, l'administration de bois de gaïac, les sels mercuriels sous toutes leurs formes et sur l'arsenic. En l'absence de thérapeutique réellement efficace, il a été mis en place des mesures de prophylaxie, en particulier l'internement des malades et la surveillance des prostituées.

Le XIXᵉ siècle a été marqué par un accroissement des connaissances sur la syphilis. Son traitement est devenu une spécialité médicale, la syphiligraphie. Le chef de file de cette spécialité est une figure marquante du milieu médical de cette époque, le professeur Alfred Fournier (1832 – 1914). Il a apporté une contribution importante à la connaissance de la syphilis en établissant les différents stades de cette affection et en démontrant son rôle dans le développement du tabès (dégénérescence nerveuse) et de la paralysie générale. Au cours de cette période, les médecins ont eu tendance à mettre sur le compte de la syphilis une grande quantité d'affections d'origine inexpliquée.

Le tréponème pâle, qui est l'agent responsable de la syphilis, a été découvert à Berlin en 1905 par le zoologiste Fritz Schaudinn (1871 – 1906) et le dermatologiste Éric Hoffmann (1871 – 1906). Ils lui ont donné le nom de *Spirocheta pallida*. L'année suivante, Albert Neisser (1855 – 1916) et August Paul von Wassermann (1866 – 1925) ont mis au point les premières sérologies de la syphilis (dites de Bordet-Wassermann).

La découverte de la pénicilline (voir chapitre 12) a été une véritable révolution thérapeutique permettant une prise en charge efficace de l'affection et mettant un terme à la crainte obsessionnelle de la maladie. Celle-ci a longtemps été considérée comme un véritable fléau social, constituant selon Alfred Fournier avec la tuberculose et l'alcoolisme « la triade des pestes contemporaines ».

Le choléra

Le choléra était une maladie infectieuse qui sévissait en Asie du Sud-Est et en particulier dans le delta du Gange, en Inde. La fragilité de l'agent responsable du choléra explique que cette affection touchait exclusivement ceux qui vivaient dans cette partie du monde.

Avec le développement de moyens de transport plus performants, les premiers cas de choléra ont été rapportés en Europe à partir de 1832. L'épidémie de choléra a été particulièrement meurtrière à Paris, où elle a entraîné près de 100 000 morts et a eu des conséquences politiques importantes car elle a touché plus particulièrement les habitants des quartiers ouvriers.

La similitude des manifestations cliniques du choléra (diarrhées, vomissements, regard halluciné, cyanose, violentes douleurs abdominales) avec celles des empoisonnements a été à la base d'une rumeur fausse faisant état d'un empoisonnement des points de distribution d'eau par les médecins, les partisans de la Royauté et les Juifs. Des mouvements insurrectionnels, encouragés par la peur du choléra et fomentés par les républicains, les bonapartistes ou les légitimistes, se sont alors multipliés.

Voici les paroles d'une chanson du *Chansonnier des Grâce*s de 1832, qui comporte une critique acerbe des médecins :

« Les suppôts de la médecine

Y perdent déjà leur latin :

La contagion assassine,

Frappe malade et médecin.

Vivat ! Plus de drogues nouvelles !

Docteurs, remportez vos poisons !…

Hâtons-nous d'embrasser nos belles,

Et débouchons nos vieux flacons ! »

L'épidémie de choléra a cessé en février 1833. Elle a été évoquée par de nombreux écrivains comme Victor Hugo ou Chateaubriand, lequel assimilait cette maladie à un « fléau de Dieu ». Alexandre Dumas a décrit dans ses mémoires l'effroi qu'elle a suscité :

« Cependant, la France suivait depuis longtemps avec inquiétude la marche du choléra. Parti de l'Inde, il avait pris la route des grands courants magnétiques, avait traversé la Perse, gagné Saint-Pétersbourg, et s'était rabattu sur Londres.

Le détroit seul nous séparait de lui.

Qu'était-ce donc que la distance de Douvres à Calais pour un géant qui venait de faire trois mille lieues ?

Aussi traversa-t-il le détroit d'une seule enjambée.

Je me rappelle le jour où il frappa son premier coup : le ciel était d'un bleu de saphir ; le soleil, plein de force. Toute la nature renaissait avec sa belle robe verte et les couleurs de la jeunesse et de la santé sur les joues. Les Tuileries étaient émaillées de femmes, comme l'est une pelouse de fleurs ; les émeutes, éteintes depuis quelque temps, laissaient un peu de calme à la société, et permettaient aux spectateurs de se hasarder dans les théâtres.

Tout à coup, cet effroyable cri retentit, poussé par une de ces voix dont parle la Bible, qui passent dans les airs en jetant à la terre les malédictions du ciel.

— Le choléra est à Paris !

On ajoutait :

— Un homme vient de mourir rue Chauchat ; il a été littéralement foudroyé !

Il sembla qu'à l'instant même un crêpe s'étendait entre le ciel bleu, le soleil si pur et Paris. »

Plus d'un siècle plus tard, Jean Giono a décrit, avec une très grande précision et réalisme, l'épidémie de choléra qui a sévi dans le sud de la France dans son ouvrage *Le Hussard sur le toit* (1951).

La fièvre jaune, responsable de l'échec de l'expédition de Saint-Domingue

Profitant du vent de liberté révolutionnaire qui soufflait sur les Antilles, le Haïtien Toussaint Louverture (1743 – 1803) s'est fait proclamer gouverneur de la partie française de l'île de Saint-Domingue. En réaction, Bonaparte a envoyé une expédition militaire dont il a confié le commandement à son beau-frère, le général Leclerc. L'expédition a quitté Brest avec 24 vaisseaux et 23 000 hommes de troupe, dans la nuit du 11 au 12 décembre 1801. Elle est arrivée en vue du Cap haïtien le 1er février 1801. Au bout de trois mois, les troupes de Toussaint Louverture ont été écrasées par la petite armée française, bien mieux équipée, excellemment commandée, disciplinée et composée de soldats des campagnes d'Égypte rompus à toutes les fatigues de la guerre. Mais, pendant ces trois mois, Leclerc a perdu 6 000 hommes tués ou morts de la fièvre et a eu autant de blessés et de malades dans ses hôpitaux. Le 5 mai, il a conclu avec Toussaint Louverture une convention de paix. Un mois plus tard, rompant ses engagements, il l'a fait prisonnier et l'a envoyé en France où Bonaparte l'a enfermé au fort de Joux. C'est à ce moment-là que l'épidémie de fièvre jaune a pris des proportions effrayantes, touchant rapidement et massivement aussi bien les soldats français que les marins, les colons et les employés civils. Le général Leclerc, atteint lui-même, est mort le 2 novembre 1802. Sur les 33 000 hommes venus de France, 24 000 sont morts, tandis que 7 000 étaient mourants. 140 médecins et 42 pharmaciens firent partie des victimes. Les quelques survivants qui restaient était si découragés et si démoralisés qu'il a été procédé à leur rembarquement pour la France le 28 novembre 1802. Le 1er janvier 1804, l'île de Saint-Domingue est devenue officiellement indépendante.

Le typhus, une des causes du désastre de la retraite de Russie

Le 19 octobre 1812, Napoléon a donné l'ordre à la Grande Armée (environ 80 000 hommes) d'abandonner Moscou et de battre en retraite. L'épidémie de typhus (propagé par les poux) l'avait littéralement décimée. Après la bataille de la Berezina (26 – 29 novembre 1812), l'armée n'était plus qu'une horde de malheureux démoralisés, assaillis par cette maladie à laquelle s'ajoutaient les assauts du froid, de la faim et des cosaques. Il n'y avait plus la moindre discipline de marche : simples soldats, officiers, généraux marchaient confondus. Lorsque l'armée est arrivée à Vilna (Vilnius, en Lituanie), il ne restait plus guère que la moitié des soldats. Les débris de ce qui fut la Grande Armée ne trouvèrent ni toit ni vivres. Au retour des malades évacués puis du reste des troupes, le typhus a touché la France où il a fait des ravages. La mortalité dans la population civile comme dans l'armée ayant pris des proportions inquiétantes, une insurmontable lassitude a saisi le pays. On peut dire que, rejoignant les forces européennes coalisées contre Napoléon, le typhus a contribué à faire trébucher un empereur jusqu'alors considéré comme invincible.

En 1870 – 1871, la variole décime la population et... l'armée française

Le 28 mars 1800, pour la première fois, un Français a bénéficié de la vaccination contre la variole selon un procédé inventé par l'Anglais Edward Jenner (voir chapitre 11). Napoléon avait un tel respect pour Jenner qu'il a accepté de libérer à sa demande des prisonniers anglais en proclamant « Rien ne peut être refusé à un bienfaiteur de l'humanité ». En 1808, plus de 2 millions de personnes avaient été vaccinées. Toutefois, l'introduction de la vaccination contre la variole a suscité des critiques importantes, en particulier de la part du pape Léon XII, qui s'y est fermement opposé en 1829. Dans un certain nombre de diocèses, les patients avaient le choix entre l'excommunication et la vaccination. La seule erreur de Jenner a été de penser qu'il n'y avait aucun intérêt à une mesure de revaccination (l'Académie de médecine y était opposée). À la veille de la guerre de 1870 – 1871, une épidémie de variole a sévi à Paris. Zola a d'ailleurs relaté la description de cette affection dans le final de son roman *Nana* (1880), lorsque l'héroïne meurt victime des suites de la maladie :

« Nana restait seule, la face en l'air, dans la clarté de la bougie. C'était un charnier, un tas d'humeur et de sang, une pelletée de chair corrompue, jetée là, sur un coussin. Les pustules avaient envahi la figure entière, un bouton touchant l'autre ; et flétries, affaissées, d'un aspect grisâtre de boue, elles semblaient déjà une moisissure de la terre, sur cette bouillie informe, où l'on ne retrouvait plus les traits. Un œil, celui de gauche, avait complètement sombré dans le bouillonnement de la purulence ; l'autre à demi ouvert s'enfonçait, comme un trou noir et gâté. Le nez suppurait encore. Toute une croûte rougeâtre partait d'une joue, envahissait la bouche, qu'elle tirait dans un rire abominable. Et sur ce masque horrible et grotesque du néant, les cheveux, les beaux cheveux, gardant leur flambée de soleil, coulaient en un ruissellement d'or. Vénus se décomposait. Il semblait que le virus pris par elle dans les ruisseaux, sur les charognes tolérées, ce ferment dont elle avait empoisonné un peuple, venait de lui remonter au visage, et l'avait pourri. »

Contrairement aux médecins français, les praticiens prussiens avaient préconisé la revaccination, ce qui a eu des conséquences importantes sur le cours de la guerre de 1870 – 1871. En effet, l'armée française a été décimée par la variole qui a affecté 280 000 hommes et a entraîné la mort de 23 500 d'entre eux. En revanche, il n'a été recensé que 297 morts dans l'armée prussienne.

La tuberculose

La tuberculose, baptisée « mal anglais », « maladie de poitrine » ou encore « phtisie », était particulièrement redoutée dans les sociétés industrialisées du XIXᵉ siècle (voir chapitre 11). Elle a été considérée comme la maladie la plus répandue à la « Belle Époque » (1870 – 1914) et jugée responsable de la mort, chaque année, de 150 000 personnes. En 1880, on a estimé qu'au total 9 millions de Français seraient morts de tuberculose au cours du siècle, soit 20 fois plus que le nombre de victimes du choléra.

La tuberculose a souvent été décrite comme la maladie de l'innocence, de la jeunesse, dans nombre de romans de l'époque. Marguerite Gautier, l'héroïne de *La Dame aux camélias* (1848) d'Alexandre Dumas fils, en est la tragique victime, de même que Raphaël dans *La Peau de chagrin* (1831) de Balzac.

La maladie touchait toutes les couches de la société, avec une nette prédilection pour les milieux défavorisés, en particulier la classe ouvrière. La promiscuité des travailleurs, entassés dans les logements insalubres des quartiers populaires des grandes cités, favorisait sa propagation.

À Montparnasse, un jeune peintre italien extrêmement timide nommé Amedeo Modigliani (1884 – 1920), arrivé à Paris en 1906, a souffert de cette affection. Ses conditions de vie précaires et, surtout, sa consommation importante d'alcool ont sûrement favorisé la survenue de la maladie. Mal soigné, il est décédé à l'hôpital de la Charité à Paris le 24 janvier 1920, victime d'une méningite tuberculeuse ayant évolué rapidement dans son organisme affaibli par l'alcool.

Au début du XXᵉ siècle, on a assisté au développement d'une approche thérapeutique révolutionnaire de la tuberculose grâce à la généralisation de l'emploi du pneumothorax artificiel proposé par Carlo Forlanini (1847 – 1918) en 1882 (voir chapitre 11). Toutefois, si les avis étaient partagés concernant le type de soins à adopter, les médecins étaient convaincus de l'importance de l'adoption des mesures hygiéno-diététiques. Mais ils hésitaient sur le mode de vie que les tuberculeux devaient observer. Fallait-il prôner la suralimentation ou la diète ? Le repos ou l'activité ?

La prévention antituberculeuse a été mise en place avec la création de dispensaires assurant la prise en charge et le dépistage de la tuberculose. Grâce au Viennois Von Pirquet et sa cuti-réaction à la tuberculine permettant l'identification des sujets ayant présenté une primo-infection tuberculeuse (premier contact avec le bacille de Koch). Et, surtout, grâce au Français Mantoux qui a inventé la fameuse intradermo-réaction à la tuberculine en 1908, il a été possible de réaliser de vastes études épidémiologiques chez les enfants et les adolescents.

La grippe espagnole

Le 11 novembre 1918, la Première Guerre mondiale prend fin. L'heure est au bilan. Au total, près de 8,5 millions d'hommes sont morts après quatre ans de guerre. C'est au moment précis où le bruit des canons cesse qu'a lieu une épidémie de grippe extrêmement sévère, qui va être responsable en France de la mort de près de 250 000 personnes en un an. On lui a attribué le nom de « grippe espagnole ».

Il semble qu'il y ait deux origines à son appellation. La première est liée à une rumeur selon laquelle la maladie aurait été transmise par l'intermédiaire de boîtes de conserve importées d'Espagne, dans lesquelles des agents allemands auraient introduit des microbes. Cette rumeur est typique d'une psychose collective qui fait voir partout la main de l'ennemi. L'autre origine est liée au fait que l'Espagne, en situation de paix en 1918, a identifié plus vite cette grippe parce qu'elle avait la possibilité de publier librement les informations relatives à l'épidémie.

C'est la plus grande pandémie du XXᵉ siècle, mais, surtout, la plus mortelle de l'Histoire dans un laps de temps aussi court. Entre 1918 et 1920, année durant laquelle elle a cessé ses ravages, elle a contaminé un terrien sur deux, soit un milliard d'habitants et causé la mort de 20 millions d'entre eux. Elle a touché le monde entier, à l'exception de l'île de Sainte-Hélène et de la partie ouest des îles de Samoa, grâce à la mise en place par les autorités de mesures de quarantaine. Cette pandémie a fait prendre conscience de la nature internationale de la menace que représentent les maladies à virus et les épidémies qu'elles provoquent. Adopter des mesures d'hygiène adaptées et créer un réseau de surveillance pour faire face à ces fléaux est devenu un impératif.

Les premiers cas ont été enregistrés en janvier et février 1918 dans un village du Kansas, aux États-Unis, où de jeunes agriculteurs sont brutalement terrassés. De nombreux jeunes hommes de cette région rejoignent ensuite le camp militaire voisin de Funston. C'est dans ce camp que débute, le 11 mars 1918, la première vague de l'épidémie, laquelle atteint ensuite plusieurs autres camps militaires à travers le pays. Aucune région n'est épargnée. En France, l'épidémie se répand rapidement, d'abord dans le sud à la fin du mois d'avril, puis dans le nord au début du mois suivant. Tout le territoire est touché à la fin du mois de mai. En août 1918, une deuxième vague atteint la France par Brest et se propage encore plus rapidement, d'abord vers le nord, puis vers le sud. La troisième vague atteint des régions du monde qui avaient été relativement épargnées par les deux premières, comme l'Australie jusque-là à l'abri grâce à des mesures de quarantaine efficaces.

La mortalité due à la grippe espagnole a été considérable. Mais ses conséquences ont aussi largement influé sur le cours de la guerre. Au moment où cette épidémie sévissait, le problème crucial de l'état-major français, qui ne disposait plus que de 2,5 millions d'hommes aux armées, dont 800 000 à l'arrière, était le tarissement des ressources en hommes. Au moment où le sort de la guerre était loin d'être établi, l'épidémie de grippe espagnole a eu des répercussions indiscutables. Ludendorff, commandant en chef de l'armée allemande, n'a pas eu les moyens humains pour réaliser l'attaque qui aurait pu être décisive. Du côté des Alliés, la grippe a touché 400 000 hommes, soit près de 20 % de l'effectif global, et a entraîné la mort de 30 000 hommes, ce qui représentait l'équivalent de plusieurs divisions. Elle a mis en péril la grande offensive de 1918, mais celle-ci a finalement eu lieu.

Le sida

C'est au début des années 1980 aux États-Unis qu'est rapportée la survenue de pneumocystoses et du sarcome de Kaposi chez de jeunes homosexuels, d'où la dénomination de « syndrome gay », *Gay Related Immune Deficiency* (*GRID*). Le 5 juin 1981 est la date qui marque le début de l'histoire de la maladie avec le recensement des premiers cas de malades dans la revue scientifique américaine *Morbidity and Mortality Weekly Report* (voir page 249).

Le monde médical avait connaissance de victimes antérieures, comme nous le révèlent des échantillons sanguins de 1959 conservés à Kinshasa. À la fin de 1981, les médecins ont clairement établi que cette maladie, jusqu'alors inconnue, provoquait une immunodéficience, qu'elle se transmettait par voie sexuelle et sanguine et qu'elle se développait plus volontiers chez certaines catégories de populations, non seulement les homosexuels, mais également les utilisateurs de drogues injectables et les personnes transfusées.

Le sida, syndrome d'immunodéficience humaine acquise (autrement dit S.I.D.A., ou *acquired immunodeficiency syndrome* – A.I.D.S. en anglais), révèle une pandémie qui a infecté 40 millions de personnes dans le monde entier. C'est la plus mortelle épidémie de l'histoire humaine (plus de 28 millions de morts depuis 1981). En 2008 sur la planète, 33,4 millions de personnes vivaient avec le VIH, soit 0,8 % de la population mondiale.

Au cours de l'année 1982, il a été rapporté de nombreux cas au Danemark, en Suisse, en Angleterre et, notamment, en France par le professeur Willy Rozenbaum. De 1981 à 1984, l'épidémie a évolué très rapidement, tandis que le taux de létalité (la proportion de cas mortels) atteignait 40 %. Cette situation a été le début d'un véritable défi pour les médecins, les biologistes et les chercheurs. Ceux-ci ont réalisé des progrès en l'espace de trois décennies, permettant de comprendre le mode d'action du VIH, de mettre au point des outils diagnostiques et l'élaboration de traitements de cette affection, avec pour conséquences une amélioration de sa prise en charge, une meilleure espérance de vie et une meilleure qualité de vie pour les malades.

On peut schématiquement distinguer quatre étapes dans l'histoire de cette maladie :

✔ la première étape a été l'isolement du virus de l'immunodéficience humaine, ou VIH (*HIV* en anglais) – un rétrovirus –, par l'équipe du professeur Luc Montagnier à l'Institut Pasteur de Paris en 1983 ; il a d'abord été nommé *Lymphadenopathy Associated Virus* ou *LAV* (futur VIH-1). Les travaux français ont été confirmés par ceux des chercheurs américains, en 1984, de l'équipe du professeur Robert Gallo. (Voir page 000, « La découverte du virus du sida et la controverse scientifique franco-américaine ».) En 1985, a été isolé un deuxième virus à partir d'un patient originaire de l'Afrique de l'Ouest, le LAV-2 (futur VIH-2) ;

✔ au début, la transmission du sida fut attribuée uniquement aux relations sexuelles avec partenaires multiples, puis il a été identifié d'autres facteurs de risques : transfusions sanguines, récentes ou anciennes, administration de produits anti-hémophiliques non chauffés, toxico-manie par voie intraveineuse, réutilisation de matériel d'injection souillé ou transmission maternofoetale par voie transplacentaire ;

✔ la deuxième étape a été l'élaboration d'outils diagnostiques. En 1984, ce fut la mise à disposition des premiers tests de détection des anticorps anti-VIH 1 par l'Institut Pasteur ; en 1987, elle fut suivie de celle des tests de détection des anticorps anti-VIH 2. À partir de 1997, il a été possible de disposer du dosage de charge virale en médecine de ville ;

✔ la troisième étape a été la mise en place de protocoles de traitements des maladies opportunistes, qui ont permis d'enregistrer les premières survies chez des séropositifs ;

✔ la quatrième étape a été le développement des antirétroviraux. Elle a commencé en 1984 avec la mise en évidence des propriétés antirétrovirales de l'AZT, qui a abouti à son introduction dans l'arsenal thérapeutique à partir de 1986. En 1994, il a été proposé d'associer deux molécules antivirales différentes. La même année, un essai thérapeutique franco-américain a démontré que la transmission du virus de la mère au fœtus était réduite en cas d'administration de l'AZT. En 1996, il a été proposé l'administration d'une trithérapie, combinaison de trois médicaments, à la suite d'essais prouvant un bénéfice thérapeutique.

L'apparition de résistances aux antirétroviraux, ainsi que les complications métaboliques, ont érodé l'optimisme né des progrès de la biologie et de la pharmacologie. L'épidémie est encore loin d'être éradiquée.

Chapitre 14

Dix rois et hommes d'État malades

*L*e pouvoir n'est pas une garantie contre la maladie. Et il continue à s'exercer malgré elle ; nous en avons eu des exemples sous la Ve République. Mais savez-vous d'où vient l'expression « Comment ça va » ?

Comment ça va ?

Expression simple et quotidienne de salutation, « Comment ça va ? » possède un sens que l'on ne soupçonne pas. Bien entendu, on se doute aisément que la question a trait à la santé de son interlocuteur. Il existe de nombreuses interprétations pour expliquer l'origine de cette expression. À la fin du Moyen Âge, le principal indicateur de l'état de santé était l'aspect des selles. « Comment allez-vous à la selle ? » était la formule complète habituellement employée, en particulier à la Cour du roi de France au XVIIe siècle. La question « comment allez-vous ? » renvoyait directement à la consistance, à l'odeur et aux autres qualificatifs de la défécation de l'interlocuteur. L'expression anglo-saxonne « *How do you do ?* », qui est traduite littéralement par « Comment fais-tu ? », aurait selon certains la même origine.

La démence de Charles VII

Charles VII (roi de France de 1422 à 1461) a été victime d'un délire de persécution. Il pensait fermement avoir été empoisonné par son fils, le futur Louis XI, qu'il haïssait par-dessus tout. Il se plaignait de douleurs à la bouche dont il attribuait l'origine à un poison discrètement versé dans sa nourriture. Il se mit à jeûner pendant 8 jours après avoir déclaré « Par Saint Jean, nous ne mangerons plus ! » Les médecins consultés ont diagnostiqué un phlegmon buccal et lui ont proposé des médications pour le guérir. Mais rien ne pouvait faire changer le roi d'avis : il était victime d'un empoisonnement auquel ses propres médecins participaient. Désormais, il ne voulut plus ingérer aucun aliment et demanda à ce qu'on lui fasse des lavements. Malheureusement, cette thérapeutique n'eut aucun succès puisqu'il souffrait encore et toujours. C'est dans un état de cachexie extrême qu'il mourut à l'âge de 58 ans, pour la plus grande joie de son fils qui s'était débarrassé de son père en lui faisant croire qu'il tentait de l'empoisonner...

Le délire paranoïaque de Louis XI

Louis XI (roi de France de 1461 à 1483) a été surnommé l'« araignée » en raison de sa laideur et de l'habileté avec laquelle il combattait ses ennemis. Pendant son règne, il a consolidé le pouvoir royal en usant de la corruption, de la diplomatie, de la traîtrise et des armes.

À partir de 1482, Louis XI a présenté un délire de persécution, suspectant des complots de la part de ses proches. Il est vrai qu'il avait été opposé à son propre frère, le duc de Berry, qui n'avait pas hésité à s'allier avec le comte de Charolais et le duc de Bretagne, François II.

Il souffrait également d'un délire hypocondriaque, qui se manifestait par la crainte de la survenue d'une maladie qui mettrait fin à ses fonctions. Louis XI était persuadé de souffrir de la lèpre parce qu'il présentait une dermite séborrhéique sévère et des céphalées tenaces, qui étaient soulagées partiellement par le port de chapeaux à bords larges qui lui enserraient la tête. Aucun médecin n'a osé s'opposer au diagnostic posé par le roi.

Ce faux diagnostic a contribué à alimenter la fausse légende d'un roi cruel se nourrissant de sang humain. En effet, un jour il a appris qu'on guérissait la lèpre sur l'île Saint-Jean du Cap-Vert avec des bains et l'ingestion de sang de tortue géante. Il a dépêché une expédition sur place, sous les ordres de Georges le Grec, avec 300 soldats, afin de « quérir aucunes choses qui touchoient très fort le bien et la santé de sa personne ».

Au terme de l'expédition, le roi a observé à la lettre ce régime. Les courtisans, qui voyaient le roi se baigner dans du sang de tortue et en boire des quantités astronomiques, croyaient à tort qu'il s'agissait de sang humain. Cette fausse information a contribué à accentuer son image de monstre sanguinaire.

La lèpre du prince Baudouin IV

Lors de la croisade décidée à la suite de l'appel du pape Urbain II au concile de Clermont en 1095, les croisés commandés par Godefroi de Bouillon se sont emparés le 15 juillet 1099 de Jérusalem. Ils ont créé le royaume de Jérusalem, qui a duré 88 ans. L'affection dermatologique de Baudouin IV, lequel avait accédé au trône en 1173 à l'âge de 13 ans a sans doute la prise du royaume par le sultan d'Égypte Saladin.

Guillaume de Tyr, précepteur du jeune Baudouin, s'alarma vers 1170 du surprenant courage de son élève : âgé de 9 ans, il ne pleurait jamais lorsqu'il le flagellait. L'insensibilité de l'enfant, ainsi découverte, fit naître les premiers soupçons bientôt confirmés par des lésions terribles. Les médecins de la Cour consultés posèrent un terrifiant diagnostic : il était lépreux. Cette affection était bien connue, ainsi qu'en témoigne le professeur de la faculté de médecine de Montpellier, Bernard de Gordon (1260 – 1318) :

« La lèpre est une affection de tout le corps. Elle provoque des pustules et des excroissances, la résorption des muscles, principalement celui entre pouce et index, l'insensibilité des extrémités, des crevasses et affections cutanées. Voici les signes annonciateurs de la fin : corrosion du cartilage entre les narines, mutilations des mains et des pieds chez l'un, grosseur des lèvres et nodosités sur tout le corps chez l'autre, dyspnée et voix rauque. »

Baudouin IV devait lutter à la fois contre les armées de Saladin 1er, qui encerclaient Jérusalem, et contre sa maladie qui ne cessa de s'aggraver de manière effrayante. En 1183, épuisé, Baudouin a été contraint de nommer régent son beau-frère, Guy de Lusignan. Toutefois, ce dernier s'est révélé incapable de gouverner et, surtout, de combattre. C'est Baudouin, aveugle, mutilé des mains et des pieds, incapable de chevaucher, qui alla sur les champs de bataille pour diriger les combats à partir de sa litière. Il est mort en 1185, laissant le souvenir d'un souverain valeureux et héroïque.

Deux ans plus tard, le sultan Saladin réussit à s'emparer du royaume de Jérusalem. Désormais il allait falloir attendre la sixième croisade, en 1229, pour que les croisés puissent reprendre Jérusalem. En effet, ni Frédéric Barberousse ni Philippe Auguste ou Richard Cœur de Lion n'ont pu entre-temps s'emparer de nouveau de cette ville.

Les troubles ostéo-articulaires chez les Médicis

Les travaux architecturaux réalisés en 1945 lors de la remise en place des statues et des sculptures dans la chapelle des Princes, ainsi que dans les sacristies Vieille et Neuve de l'église San Lorenzo de Florence, ont permis de retrouver les squelettes des membres de l'illustre famille des Médicis. Le professeur Antonio Costa, directeur de l'Institut d'anatomie pathologique de l'université de Florence, et Giorgio Weber ont étudié les squelettes de quatre membres de la famille : Cosme l'Ancien (1389 – 1464) et ses trois descendants directs ; son fils, Pierre le Goutteux (1416 – 1469), son petit-fils, Laurent le Magnifique (1449 – 1492) et son arrière-petit-fils, Julien, duc de Nemours (1478 – 1516). L'examen des squelettes a permis d'apporter des informations intéressantes en ce qui concerne l'histoire clinique de ces quatre personnages, lesquels ont tous souffert d'affections ostéo-articulaires. Étiquetées « goutte » par leurs contemporains, elles englobaient en fait une variété d'affections rhumatismales.

Cosme l'Ancien

Cosme a commencé à se plaindre vers l'âge de 43 ans de douleurs à la jambe, puis aux mains et aux genoux huit ans après. Ensuite, jusqu'à sa mort survenue dans sa 76e année, il a présenté des épisodes évolutifs importants, répétés environ tous les deux ans, qui l'ont « tout cassé ». Il est mort le 1er août 1464 dans des conditions relatées par son fils Pierre : « durant un mois, il fut oppressé par défaut d'urine, avec quelque fièvre ». L'examen du squelette et des radiographies de Cosme l'Ancien ont mis en évidence des anomalies qui ont conduit à poser le diagnostic de spondylarthrite ankylosante, sans éliminer totalement le diagnostic de brucellose, voire d'atteinte gonococcique.

Pierre le Goutteux

À l'âge de 40 ans, Pierre le Goutteux a commencé à présenter des arthralgies des deux pieds, qui ont augmenté en s'accompagnant d'accès fébriles et d'une dermatose prurigineuse. Pierre est mort à 53 ans « fort navré de goutte » comme l'a expliqué son fils Laurent, après une crise d'urémie compliquée de lésions cérébrales avec aphasie. L'étude de son squelette a mis en évidence les altérations ankylosantes sacro-iliaques caractéristiques de la spondylarthrite ankylosante.

Laurent le Magnifique

Laurent a présenté une dermatose prurigineuse dès l'âge de 18 ans, puis des arthralgies qui l'ont conduit à fréquenter assidûment les sources thermales à partir de l'âge de 33 ans. À 39 ans, il a présenté des coliques néphrétiques, tandis que les arthralgies s'accentuaient. Après une maladie de deux mois, Ange Politien, précepteur des enfants du prince, a relaté qu'il est mort « d'un mal étrange avec grandissimes douleurs d'estomac et de tête, si bien que jamais les médecins ne purent rien connaître à sa maladie ».

Certains ont soupçonné un empoisonnement, sans que cela puisse être vérifié. L'âge relativement jeune de Laurent de Médicis à sa mort et, surtout, les déformations de son humérus gauche ont fait évoquer le diagnostic d'arthropathie nerveuse.

La plaie oculaire du roi Henri II

Au cours du tournoi qui a eu lieu à Paris le 30 juin 1559, pour commémorer la signature du traité du Cateau-Cambrésis qui mettait fin aux guerres d'Italie, Henri II (roi de France de 1547 à 1559) a été opposé à Gabriel de Lorges, comte de Montgomery, capitaine de la garde écossaise. Il a été blessé sévèrement au niveau de la face par un éclat de lance, lequel a entraîné une plaie très sévère au-dessus du sourcil droit et est venu s'encastrer dans un coin de l'œil gauche. Un autre morceau, de 10 centimètres, est entré par l'œil et ressortait par l'oreille. Les médecins sur place ont lavé la plaie au blanc d'œuf et ont administré au blessé une potion à base de rhubarbe et de camomille. Les chirurgiens du roi ont ensuite envisagé la réalisation d'une trépanation pour limiter ses souffrances car son état avait empiré entraînant un cortège de signes méningés, de troubles neuropsychiques et de fièvre. Ils ont aussi été autorisés à réaliser la même blessure sur plusieurs condamnés à mort détenus au Châtelet, afin de mieux observer les dégâts causés par la plaie. Les deux médecins les plus prestigieux de l'époque, André Vésale et Ambroise Paré, auraient même été appelés à son chevet mais le projet d'intervention n'eut pas le temps d'aboutir. Henri II est mort, après 11 jours de souffrance, le 10 juillet 1559. Nostradamus (1503 – 1566), qui est resté célèbre pour ses prophéties, avait prédit la mort d'Henri II et avait écrit :

« Le lion jeune le vieux surmontera

En champ bellique par singulier duel ;

Dans cage d'or les yeux lui crèvera

Deux classes une, puis mourir, mort cruelle. »

François Ier, victime de la contamination d'un mari cocu ?

Le 31 mars 1547, François Ier (roi de France de 1515 à 1547) est mort au château de Rambouillet à l'âge de 51 ans, en proclamant à son fils :

> « J'ai vécu ma part et maintenant que je sais que je laisse pour mon successeur un prince aussi sage que vous l'êtes, je meurs l'homme le plus content du monde. »

Le célèbre roi était confiné dans ses appartements depuis plusieurs semaines en raison d'une apostume périnéale. L'apostume – ou apostème – était le terme utilisé au XVIe siècle pour décrire un abcès.

10 jours auparavant, le 20 mars 1547, les chirurgiens avaient dû inciser l'abcès périnéal du roi. Selon l'observation des médecins et le rapport de l'autopsie, le roi a succombé à une septicémie, ainsi qu'à une insuffisance rénale consécutive à une pyélonéphrite.

Aussitôt, des rumeurs se répandirent au sein de la Cour. Quelle était la cause de la mort du roi ? Certains disaient qu'il avait été victime de ce qu'on appelait tantôt « mal de Naples » tantôt « mal des Espagnols » ou encore « syphilis ».

En effet, on garde de François Ier l'image d'un roi élégant, fougueux et brave, intelligent, aimant autant le jeu de paume et la chasse que les lettres et les arts. C'était aussi un séducteur, n'hésitant pas à jeter son dévolu sur les jolies femmes sans se soucier de leurs maris. Mais une de ses aventures lui a été préjudiciable. Il avait courtisé la femme d'un avocat parisien, Ferron, surnommée « La belle Ferronière », qui avait commencé par l'éconduire. Les courtisans avaient expliqué à l'effrontée les conséquences que ce refus allait avoir pour elle et pour son époux. Désespérée, elle avait mis au courant son mari qui, en désespoir de cause, avait autorisé sa femme à le tromper. Mais il décida de se venger en allant de bordel en bordel, essayant d'attraper la syphilis qu'il a fini par contracter. Il l'a transmise à sa femme, qui la passa au roi, lequel la passa à d'autres… L'avocat a fini par en guérir, sa femme également ; en revanche, le roi François Ier n'eut pas cette chance.

La fistule buccomaxillaire, qui explique pourquoi Louis XIV ne souriait jamais sur ses portraits

En 1685, Louis XIV (roi de France 1643 à 1715) , présenta un trou dans la mâchoire supérieure gauche dont toutes les dents avaient été arrachées (elles étaient cariées). Cette fistule était la conséquence d'une hygiène bucco-dentaire déplorable, responsable de la perte progressive de toutes ses dents.

En 1686, alors qu'il n'avait que 47 ans, il ne lui restait plus une seule dent à la mâchoire supérieure et les dents du bas étaient cariées. Les essences de girofle ou de thym apaisaient les douleurs et, quand elles devenaient insupportables, le dentiste royal soignait ou arrachait les chicots noirâtres du roi avec un « élévatoire ».

Cette fistule était particulièrement gênante. Son médecin, d'Aquin, nota que « toutes les fois qu'il buvait ou se gargarisait, il portait l'eau de sa bouche dans son nez, d'où elle coulait comme d'une fontaine ». Le premier chirurgien, Félix, appelé au chevet de l'illustre malade, cautérisa à la pointe de feu les bords de la gencive aussi profondément que la carie de l'os le demandait. Il appliqua 14 fois le bouton de feu, avec l'aide du valet de chambre qui « paraissait plus fatigué que le Roi ». Visiblement, le roi avait une bonne consistance physique puisque d'Aquin, dans son Journal, ne fait jamais mention de la douleur que Louis pouvait ressentir pendant ces tortures, qu'il s'agisse des pointes de feu, du bistouri du chirurgien ou de l'arrachage de dents. Louis XIV savait que, même dans les moments les plus difficiles, il devait conserver son image de marque divine. Il n'était pas question que le roi se comporte comme le commun des mortels !

Après les applications de feu, les gargarismes d'eau vulnéraire (une solution médicamenteuse) et d'eau de fleur d'oranger « pour résister à la pourriture », le roi put retrouver l'usage de sa bouche, les gencives ayant engendré des « chairs abondantes et si solides » que le trou dans la mâchoire s'en trouva bouché une fois pour toutes. Cela n'empêcha pas le roi de se plaindre de la mauvaise odeur qui se dégageait de son nez, venant sans doute des mucosités en voie de décomposition qui s'étaient accumulées dans les parois nasales, et dont le roi eut du mal à se débarrasser.

Les 30 dernières années qui ont suivi, Louis XIV a été obligé de cacher un sourire édenté derrière une bouche pincée, même lorsqu'il assistait à une comédie de Molière, au grand désespoir de ce dernier.

Le phimosis, qui rendit Louis XVI impopulaire

L'Histoire de la France aurait été différente si Louis XVI n'avait pas présenté un phimosis (rétrécissement congénital du prépuce). En raison de ce problème urologique, il n'aurait pas pu avoir de relations sexuelles, les sept premières années de son mariage, avec son épouse Marie-Antoinette, surnommée « L'Autrichienne ».

Le docteur Jean-Marie-François de Lassonne a écrit à son propos, en 1773, que « le dauphin était d'une paresse et d'une nonchalance qui ne le quittaient que pour la chasse ». Les médecins ont conseillé au roi Louis XVI la réalisation d'une intervention chirurgicale, qu'il a refusée avec obstination.

Les fêtes organisées par Marie-Antoinette suscitaient un mécontentement dans le peuple. De son côté, Louis XVI faisait l'objet de moqueries, comme en témoigne ce petit poème satirique :

> « Le grand ménage couronné,
>
> Est du mot puce enfariné.
>
> Mais chacun l'est à sa manière :
>
> La reine a le puce inhérent
>
> Le roi a le prépuce adhérent.
>
> C'est le pré qui gâte l'affaire. »

Ce n'est qu'en 1778 que Louis XVI a accepté de se faire opérer. Quelques jours plus tard, il a pu avoir des relations sexuelles avec son épouse. Un an plus tard, Marie-Antoinette a accouché de son premier enfant. Lorsqu'arriva 1789, la popularité du roi Louis XVI – et *a fortiori* celle de Marie-Antoinette – était bien entamée.

Napoléon Bonaparte

La mort de Napoléon a fait couler beaucoup d'encre… Mais quelle en est la cause ? Les suppositions vont bon train.

Les accès palustres de Napoléon Bonaparte

Napoléon Bonaparte (empereur des Français de 1804 à 1814, puis en 1815, pendant les Cent-Jours) a commencé à présenter des accès palustres à partir de l'âge de 18 ans en mars 1787, alors qu'il était en congé à Ajaccio, en Corse, comme le suggère une lettre datée du 1er avril, adressée au célèbre médecin suisse du moment, André Tissot, dans laquelle Bonaparte a écrit : « Depuis un mois, je suis tourmenté d'une fièvre tierce. » Cette première crise lui a permis de prolonger son congé pour faire une cure à Guagno puis à Orezza, où l'on traitait ce qu'on appelait classiquement « la cachexie palustre ».

En août 1788, de retour dans son régiment stationné à Auxonne, la fièvre l'a repris. Il en subit les accès pendant plusieurs mois. Il s'agissait probablement d'une réinfestation, la ville étant entourée de marécages qu'une crue de la Saône inondait. De nombreux soldats étaient frappés par des fièvres similaires.

Bonaparte a écrit à sa mère le 12 janvier 1789 :

« Ma santé qui est enfin rétablie me permet de vous écrire longuement. Ce pays-ci est très malsain à cause des marais qui l'entourent et des fréquents débordements de la rivière qui remplissent tous les fossés d'eau exhalant des vapeurs empestées. J'ai eu la fièvre continue pendant certains intervalles de temps et qui me laissait ensuite quatre jours de repos, venait m'assiéger de nouveau pendant tout autant de temps. Cela m'affaiblit, m'a donné de longs délires et m'a fait souffrir une longue convalescence. Aujourd'hui que le temps s'est rétabli, que les neiges ont disparu, ainsi que les glaces, les vents et les brouillards, je me remets à vue d'œil. »

Une autre infestation se produisit probablement lors d'un nouveau séjour en Corse au printemps 1790, alors qu'il sollicitait encore une fois auprès de son colonel une prolongation de son congé pour « rétablir sa santé » grâce aux eaux minérales d'Orezza. En août 1790, il est soigné à l'hôpital de Bastia par du « petit-lait nitré et de la tisane de chicorée et de patience », comme le signale sa feuille de traitement. Napoléon Bonaparte a présenté encore, par la suite, quelques accès fébriles pouvant correspondre à des crises de paludisme jusqu'à la campagne d'Égypte en 1789.

Cette expérience personnelle du paludisme a été le début d'une longue réflexion de Bonaparte sur cette maladie. C'est au cours du deuxième accès, à Auxonne, que le lieutenant en second Napoléon Bonaparte a rencontré le docteur Bienvelot, médecin du régiment. Très rapidement, il s'est passionné pour la conversation de l'officier de santé sur la relation entre les fièvres, la « pestilence », les « miasmes » et les marais, et il a compris le danger de faire stationner les troupes dans les marécages. Les mois de convalescence qui ont suivi lui ont permis de poursuivre sa méditation sur les conséquences du « mauvais air ». Il a réalisé que pour augmenter les chances de victoire, il fallait se battre contre cet invisible ennemi, capable de décimer des troupes entières. Durant toute sa carrière militaire, Bonaparte n'a jamais cessé de mettre en pratique les leçons du docteur Bienvelot. Il a multiplié les instructions sur les mesures de prévention et la nécessité d'éviter le stationnement des troupes à proximité des marais.

Napoléon Bonaparte a compris l'importance de l'hygiène préventive, et il a préconisé l'adoption de mesures de santé publique. Il avait une véritable hantise du « mauvais air » et il a fait en sorte que ses hommes ne soient pas décimés par le paludisme : « C'est parce que j'ai toujours porté le plus grand soin à ces détails que mes armées n'ont point eu de maladies proportionnelles aux autres » (lettre adressée à Eugène en 1806).

Napoléon a fait en sorte que le paludisme ne soit pas un ennemi, mais plutôt une « arme » contre ses adversaires. Le « général Fièvre » s'est révélé particulièrement efficace contre l'invasion anglaise, à Walcheren, en 1809.

C'est en effet en août 1809 que les Anglais débarquent au large des côtes hollandaises sur l'île de Walcheren, très marécageuse, dans le but d'envahir Anvers. Mais, malgré l'affolement de ses généraux qui ont constitué à Paris une cellule de crise, Napoléon, en séjour en Autriche, a ordonné à ses hommes de ne pas bouger. Il a expliqué à ses aides de camp que l'île de Walcheren avait pour défense « la fièvre et le mauvais air ». Il était évident pour Napoléon « qu'avant six semaines, des quinze mille Anglais qui sont dans l'île de Walcheren, il n'en restera pas mille cinq cents ; le reste sera aux hôpitaux ». Les jours qui ont suivi ont montré qu'il avait raison. Les Anglais ont très vite été décimés par les fièvres. L'armée anglaise, qui a été vaincue avant d'avoir pu combattre, s'est repliée en ramenant ses rescapés en Angleterre. Bonaparte conclut encore une fois en écrivant à son ministre de la guerre, le général Clarke : « Écrivez aux maréchaux que le plus grand ennemi que puissent avoir les troupes, c'est le mauvais air. »

Ainsi, parfois ennemi, parfois allié, le paludisme a fait partie intégrante de la stratégie militaire de Napoléon Bonaparte. Ce dernier n'a cependant pas toujours pu préserver la santé de ses troupes. Celles-ci ont beaucoup souffert lors de la retraite de Russie en 1812, sous l'effet conjugué du typhus, du froid et de l'absence de nourriture (voir page 270).

Napoléon le constipé

Napoléon Bonaparte a souffert depuis l'enfance d'une constipation qui l'a handicapé jusqu'à sa mort. Cette affection est devenue de plus en plus pénible avec l'âge. Corvisart (voir chapitre 11) a proposé à l'empereur de le soigner au moyen d'une « soupe à la reine », composée d'un mélange de sucre, de jaune d'œuf et de lait. Néanmoins, Napoléon Bonaparte préférait les traitements plus conventionnels, comme il l'a écrit :

« Sans les bains répétés et les lavements, je n'aurais pas pu supporter l'existence et, conformément à mes idées sur les droits de l'homme au suicide, j'aurais abrégé mes jours pour m'y soustraire, sans mes préoccupations incessantes. »

Le journal du docteur Antommarchi, qui était son médecin à Sainte-Hélène, mentionne qu'il était consterné par la constipation dont souffrait Napoléon. Le remède pour ce mal était, à l'époque, le calomel (cyanure de mercure, voir le paragraphe suivant).

L'énigme de la mort de Napoléon

Deux ans après son arrivée sur la petite île anglaise de Sainte-Hélène, Napoléon a commencé à présenter des douleurs aiguës de l'hypocondre droit, des migraines, des vomissements de bile, des épisodes de diarrhée-constipation et de la fièvre. De nombreux diagnostics ont été évoqués : scorbut, hépatite amibienne, cancer gastrique, tuberculose digestive et empoisonnement. L'empereur déchu a bénéficié d'une prise en charge par trois médecins :

- ✔ Barry Edward O'Meara, médecin irlandais apprécié par Napoléon, a été expulsé par le gouverneur anglais Hudson Lowe en juillet 1818, pour avoir informé ses supérieurs hiérarchiques des brimades que ce dernier faisait subir à l'empereur et pour avoir osé évoquer l'insalubrité du climat de Sainte-Hélène ;

- ✔ Francesco Antommarchi a été surnommé par Napoléon *capicorsinacio* (« le médecin de chèvres »), en raison de son incompétence et de son absence d'empathie à son égard ;

- ✔ Archibald Arnott, un médecin militaire écossais, s'est occupé de Napoléon pour pallier les insuffisances d'Antommarchi.

Le 1ᵉʳ avril 1821, après la survenue de vomissements « noirs comme du marc de café » et de selles « comme du goudron », Napoléon s'est fait examiner par Archibald Arnott, qui a diagnostiqué une inflammation de l'estomac et qui lui a prescrit du quinquina, des cataplasmes, de la gelée de viande, du vin de Bordeaux, des laitages et des vésicatoires. L'empereur écrit :

> « Comme je souffre, je ne sens plus mes entrailles, il me semble que je n'ai plus de bas-ventre. Tout le mal que j'éprouve est vers la rate et l'extrémité gauche de l'estomac. »

Malgré le traitement mis en route, l'état de Napoléon s'est aggravé et il lui a été délivré, le 30 avril, 10 grains de calomel. Le 5 mai 1821 à 17 h 49, Napoléon a été officiellement déclaré décédé à l'âge de 51 ans, au terme de 8 semaines d'agonie. Le lendemain, lors de l'autopsie, Francesco Antommarchi a conclu à une mort consécutive à un « ulcère cancéreux fort étendu qui occupait spécialement la partie supérieure de la face interne de l'estomac » avec un « trou » (une perforation) de 6 mm de diamètre.

Très rapidement, la mort de Napoléon sur un territoire britannique est apparue suspecte et nombreux ont été ceux qui ont soulevé la thèse de l'empoisonnement. La baignoire de l'empereur, dans sa résidence de

Longwood, étant en plomb, on évoqua le saturnisme. Le calomel à haute dose administré quelques jours avant sa mort a fait suspecter une intoxication au mercure. Mais nombreux ont été ceux qui ont avancé l'hypothèse de l'empoisonnement à l'arsenic, alors que l'empereur ne présentait aucun des signes cliniques qui traduisent l'intoxication arsenicale.

La thèse de l'empoisonnement est revenue sur le devant de l'actualité, en 1964, avec la mise en évidence de traces d'arsenic dans une mèche de cheveux de Napoléon, au centre atomique d'Harwell au Royaume-Uni. L'étude isotopique affirme même que 40 doses successives de poison ont été administrées au génie corse. D'autres études ont été réalisées depuis, exposées dans des colloques au cours desquels les spécialistes s'opposent, leurs résultats étant discordants.

S'agit-il des cheveux de l'empereur ? Des doutes persistent. Dans l'état actuel des connaissances, il est impossible d'affirmer (ou d'infirmer) que Napoléon Ier a été la victime d'un empoisonnement, car les concentrations d'arsenic varient considérablement selon l'alimentation, les traitements, voire la pollution atmosphérique... On peut se demander si l'épilogue de ce mystère n'a pas été résolu par le professeur Alessandro Lufli de l'Institut de pathologie de l'université de Berne. Ce dernier a estimé en étudiant les pantalons de Napoléon que son poids était passé de 67 à 90 kg entre 1800 et 1820 et qu'il avait perdu 11 kg durant sa dernière année, ce qui plaide en faveur d'un cancer gastrique.

L'hypertension de Roosevelt au moment de la conférence de Yalta

La conférence de Yalta s'est déroulée du 4 au 11 février 1945, dans la petite ville de Livadia, à 3 km au sud de Yalta, sur la côte méridionale de Crimée en bordure de la mer Noire. Les trois grands futurs vainqueurs de la Seconde Guerre mondiale – Churchill (âgé de 70 ans), Roosevelt (âgé de 63 ans) et Staline (âgé de 66 ans) – s'y sont retrouvés afin d'envisager le devenir du monde au lendemain de ce qui était considéré comme acquis : la défaite de l'Allemagne. Franklin Delano Roosevelt (1882 – 1945) était physiquement diminué par la poliomyélite, contractée en 1921, qui le condamnait à se déplacer en chaise roulante. Mais, surtout, il souffrait d'une hypertension artérielle qui s'était aggravée à partir de 1941.

Au début du printemps 1944, à un moment crucial de la guerre, le président Roosevelt a commencé à se plaindre des premiers signes cliniques de l'insuffisance cardiaque. Un cardiologue, Howard G. Bruenn, a imposé des mesures hygiéno-diététiques avec un régime sans sel et hypocalorique, à 2 600 puis à 1 800 calories, et un traitement par digitaline. Les troubles de Roosevelt ont continué à s'aggraver au début de son quatrième mandat, en novembre 1944.

À l'ouverture de la conférence de Yalta, le 4 février 1945, tous les journalistes présents ont remarqué le mauvais état de santé du président américain.

Son affaiblissement ne lui a pas permis de résister aux desiderata de Staline, qui a obtenu que l'URSS conserve les territoires polonais et les pays baltes annexés en 1940 grâce au pacte germano-soviétique et aux accords Ribbentrop-Molotov. Roosevelt, 32e président des États-Unis, est mort le 12 avril 1945 à 15 h 35 d'une hémorragie cérébrale.

L'annonce du décès de Roosevelt a plongé les États-Unis dans la stupeur. Personne ne s'était douté de l'état gravissime de Roosevelt, d'autant que le dernier communiqué de l'amiral Mac Intyre signalait que le président était « en excellente santé, qu'il n'y avait aucun signe (clinique) précurseur d'un danger imminent »...

Chapitre 15

Dix artistes malades

. . . .

Dans ce chapitre :

▷ Quelques cas d'artistes malades parmi bien d'autres…

. . . .

A rt et médecine entretiennent des rapports incestueux. D'abord parce que certains grands écrivains ou artistes étaient eux-mêmes médecins… Ensuite parce que ceux-ci ont témoigné de la maladie, directement ou à travers leurs personnages, parfois d'une façon très documentée et utile à la science.

L'hypertension artérielle d'Honoré de Balzac

Honoré de Balzac (1799 – 1850) a écrit 91 romans dans lesquels il a décrit plus de 2 000 personnages, dont certains sont devenus des légendes littéraires, comme le Père Goriot, Rastignac ou César Birotteau.

Alors qu'il était âgé de 37 ans, il a présenté, lors d'un séjour en Touraine, ce qu'il a appelé son « coup de sang », qui s'est manifesté par une perte de connaissance brutale, qui correspondrait à une première poussée hypertensive. Après quelques jours de convalescence, il est retourné à Paris consulter son ami le docteur Jean-Baptiste Nacquart (1780 – 1854), qui lui a donné pour conseil de se reposer en Touraine.

En mai 1840, Balzac a commencé à se plaindre de céphalées sévères et tenaces qu'il a décrites sous le terme de « névralgies cérébrales ». Ces troubles étaient probablement la conséquence de l'hypertension artérielle. Le docteur Nacquart a évoqué « un engorgement des gros vaisseaux ». Au cours des huit années qui ont suivi, Balzac n'a pas arrêté de se plaindre de ne pas pouvoir dormir autrement qu'en position demi-assise, avec deux oreillers pour faciliter sa respiration. Pour traiter cette insuffisance cardiaque, on lui a appliqué des sangsues et on lui a administré des vésicatoires, des lavements et fait boire de l'eau de Seltz.

Balzac a relaté, dès 1848, la survenue de douleurs thoraciques violentes, en rapport avec des troubles coronariens. Le 29 novembre 1849, il a écrit une lettre à sa sœur, dans laquelle il expliquait :

« Il faut encore six ou huit mois de traitement pour que les valvules de mon cœur aient repris leur élasticité, leur force et leur jeunesse ; car la cause de ma maladie était le dépérissement du sang veineux ; les deux sangs ne s'infusaient plus facilement. »

L'état de santé de Balzac s'est dégradé progressivement malgré l'application de sangsues, la réalisation de ponction d'ascite et l'administration d'iodure de potassium, de jusquiame et de digitale. Honoré de Balzac est mort dans la nuit du dimanche 18 août 1850 en prononçant cette célèbre phrase :

« Il me faudrait Bianchon… Allez chercher Bianchon ! »

Bianchon était le célèbre médecin de la *Comédie humaine*, un personnage inspiré par le grand cardiologue Jean-Baptiste Bouillaud (1796 – 1881) que connaissait personnellement Balzac.

L'insuffisance aortique d'Alfred de Musset

À partir de 1841, Alfred de Musset (1810 – 1857) a présenté, à de multiples reprises, des épisodes de congestion pulmonaire hivernale. Il se plaignait de présenter un certain essoufflement à l'effort. En 1842, le frère de l'écrivain, Paul de Musset a noté :

« Un matin du mois de mars 1842, pendant le déjeuner, je m'aperçus que mon frère, à chaque battement de pouls, éprouvait un petit hochement de tête involontaire. Il nous demanda pourquoi nous le regardions étonnés, ma mère et moi… Nous lui fîmes part de notre observation. Je ne croyais pas, nous répondit-il que cela fût visible mais je vais vous rassurer. Il se pressa la nuque, je ne sais comment, avec l'index et le pouce et, au bout d'un moment la tête cessa de marquer les pulsations du sang. Vous voyez, nous dit-il ensuite, que cette épouvantable maladie se guérit par des moyens simples et peu coûteux. Nous nous rassurâmes par ignorance, car nous venions de remarquer le premier symptôme d'une affection grave, à laquelle il devait succomber quinze ans plus tard… »

Cette remarquable observation serait tombée dans l'oubli sans le docteur Delpeuch, un médecin de la Salpêtrière qui observa pour sa part deux malades atteints d'insuffisance aortique en 1900. Ils présentaient un trouble identique, qu'en mémoire du poète il baptisa « signe de Musset », vocable sous lequel il figure toujours dans les traités de médecine. Le lien de cause à effet qui unissait insuffisance aortique et troubles divers dus à sa syphilis contractée en 1834 semble hautement probable.

À partir de 1854, l'état de Musset s'est aggravé. Il a présenté des syncopes de plus en plus fréquentes et des accès de fièvre en rapport avec des poussées d'endocardite subaiguë (lente). Dans la nuit du 1ᵉʳ au 2 mai 1857, alors qu'il discutait paisiblement avec son frère, portant la main à son cœur, il a déclaré :

« Dormir, je vais enfin dormir ! »

Tels ont été ses derniers mots.

La syphilis de Charles Baudelaire

Il semble que Charles Baudelaire (1821 – 1867), âgé de 18 ans, a contracté en 1839 une urétrite, en même temps que la syphilis, après une relation sexuelle avec une prostituée. Il a bénéficié d'un traitement à base d'opiat balsamique par un pharmacien nommé Denis Alexandre Guérin. En 1846, Charles Baudelaire a demandé de l'argent à sa mère pour soigner ses « ulcères à la gorge et au larynx » (lettre du 10 octobre 1846), qui étaient probablement la conséquence du traitement mercuriel administré quelques mois auparavant par un syphiligraphe réputé, le docteur d'Orosko.

À partir de 1848, Baudelaire a présenté une alopécie sévère, qui a été rattachée à une complication de la syphilis. Pendant les émeutes de 1848, à Paris, il a évoqué la syphilis en déclarant :

« Quand on parle de révolution pour de bon, on les épouvante ; nous avons tous l'esprit républicain dans les veines comme la vérole dans les os. Nous sommes démocratisés et syphilisés. »

En 1857, il a publié dans *Les Fleurs du mal* un poème intitulé « À celle qui est trop gaie », qui a été interdit de parution par décision de justice sous prétexte que le mot « venin » qui y figure constituait une allusion à la syphilis. Baudelaire s'est insurgé contre cette interprétation et il a prétendu que le « venin » en question n'était rien d'autre que la mélancolie ou le spleen.

À partir de 1856, Baudelaire a commencé à présenter un cortège de troubles neurologiques comprenant des céphalées, des épisodes de déficits visuels et des acouphènes, qui ont été rattachés à une éventuelle neurosyphilis. Lui-même a évoqué ces problèmes en parlant d'une « espèce de voile obscur devant les yeux et d'un éternel tintouin dans les oreilles. Cela a duré assez longtemps, mais enfin, c'est fini » (lettre du 11 septembre 1856, à sa mère). Il a également présenté des paresthésies, responsables d'engourdissements, de fourmillements, essentiellement au niveau des membres inférieurs, mais surtout des vertiges nécessitant à une période le repos couché strict. Le 29 mars 1866, Baudelaire a été retrouvé inerte à la Taverne Royale de Bruxelles en état d'ébriété. Inconscient, il a été conduit à son hôtel où le docteur Léon Marcq a posé le diagnostic d'hémiplégie droite, associée à une aphasie complète. Il a été hospitalisé le 3 avril à la clinique Saint-Jean de Bruxelles dans un état d'agitation. Sa mère l'a ramené à Paris le 30 juin 1866 et l'hospitalisé à la clinique du docteur Duval, où Baudelaire était incapable de prononcer autre chose que « Non, cré nom, non ». Il meurt le 31 août 1867.

La cataracte de Claude Monet

Claude Monet (1840 – 1926) a commencé à se plaindre d'une baisse de sa vision en 1908, à l'occasion d'un voyage à Venise. Le diagnostic de cataracte a été porté vers 1912. Sa vision était floue et sa perception des couleurs était déformée, comme il est possible de s'en rendre compte sur ses tableaux. Le bleu, puis le vert, ont disparu pour faire place à des rouges et des jaunes. Les saules pleureurs se fanaient et les nymphéas se paraient de reflets dorés. Certains ponts japonais, exposés aujourd'hui au musée Marmottan, prenaient des teintes rouges et ambrées.

Le 7 septembre 1922, Claude Monet, âgé de 82 ans, a consulté le docteur Coutela sur les conseils de son ami Clemenceau. L'intervention chirurgicale visant l'extraction de la cataracte a eu lieu à la clinique de Neuilly en janvier 1923. Le docteur Coutela n'a pas demandé d'honoraires pour l'intervention. En revanche, il a eu la surprise de voir un coursier lui apporter un paquet plat de la part de Monet. À sa grande déception, alors qu'il pensait y trouver une toile, il a découvert une photographie dédicacée du peintre…

La cataracte permet de diviser l'œuvre de Monet en deux parties :

✔ celle d'avant sa maladie, qui fit sa gloire et le promut au rôle de porte-drapeau de l'impressionnisme. Comme tel, il se présente en peintre du XIXe siècle ;

✔ celle de sa maladie et de son absence de cristallin, où son œuvre devient plus complexe et préfigure l'art abstrait et l'art surréaliste. Son génie l'ayant amené au-delà de l'impressionnisme, Monet apparaît ainsi en peintre précurseur du XXe siècle.

La polyarthrite rhumatoïde d'Auguste Renoir

Auguste Renoir (1841 – 1919) a présenté une polyarthrite rhumatoïde, qui l'a fortement handicapé. En 1891, il a commencé à présenter des troubles rhumatologiques qui ont conduit des médecins à poser le diagnostic « d'arthritisme ». Ses troubles se sont considérablement aggravés à partir de 1898 et l'ont empêché de toucher un pinceau.

Son fils Jean a rappelé que son père absorbait des quantités importantes d'antipyrine, d'autant que les douleurs avaient évolué avec des poussées inflammatoires, entrecoupées de périodes de rémissions. Sous la menace d'une paralysie totale, Renoir redoublait d'activité. Il ne s'arrêtait de peindre qu'en cas de force majeure. Ses doigts n'étaient plus fonctionnels, mais il pouvait encore bouger les bras et les poignets. Son handicap était si important qu'il ne pouvait se rendre à son atelier qu'en utilisant deux cannes, à partir de 1902, puis un fauteuil roulant, à partir de 1910.

La maladie de Renoir a évolué à partir de cette période vers une polyarthrite très invalidante. Il a modifié son style pictural. Les couches de peinture sont devenues plus larges et ont perdu en épaisseur.

Des conservateurs de l'Institut d'art de Chicago ont montré, au moyen de sondes électroniques et d'autres techniques sophistiquées, qu'au début de sa carrière, Renoir appliquait la peinture avec des touches épaisses, sans attendre qu'elles soient sèches. Il peignait avec sûreté et habilité, sachant exactement obtenir un effet particulier. En revanche, les derniers tableaux se composent de minces traits de couleurs juxtaposées, sans mélange de pigments. Pour peindre, Renoir était obligé d'entourer ses mains de bandelettes de toile pour les protéger.

Malgré son handicap, il a continué à peindre inlassablement. Auguste Renoir est mort à 2 h du matin le 3 décembre 1919, à l'âge de 78 ans, après avoir réclamé dans son délire ses pinceaux pour faire une nature morte.

La syphilis de Guy de Maupassant

Guy de Maupassant (1850 – 1893) a contracté, à l'âge de 27 ans, la syphilis à la suite d'une relation avec une de ses compagnes de canotage, comme il l'a relaté dans une lettre écrite le 2 mars 1877 à son ami Pinchon :

« Tu ne devineras jamais la merveilleuse découverte que mon médecin vient de faire en moi – jamais, non jamais. Comme mes poils tout à fait tondus ne repoussaient pas, que mon père pleurait autour de moi et que les lamentations de ma mère venaient d'Étretat jusqu'ici, j'ai pris mon médecin au collet et je lui ai dit : "bougre, tu vas trouver ce que j'ai, ou je te casse." Il m'a répondu : "la vérole". J'avoue que je ne m'y attendais pas, j'ai été très turlupiné, enfin j'ai dit "quel remède ?"

Il m'a répondu : "mercure et iodure de potassium." J'allai voir un autre Esculape et lui ayant narré mon cas, lui demandai son avis. Il m'a répondu : "vieille syphilis datant de six à sept ans qui a dû être recommuniquée par une plaque muqueuse aujourd'hui disparue." […]

La vérole… J'ai la vérole ! Enfin ! La vraie ! Pas la méprisable "chaude-pisse", pas l'ecclésiastique cristalline, pas les bourgeoises crêtes de coq ou les légumineux choux-fleurs. Non, non, la grande vérole, celle dont est mort François Ier, la vérole majestueuse et simple, l'élégante syphilis. [...] J'ai la vérole [...] et j'en suis fier morbleu ! et je méprise par-dessus tous les bourgeois. Alléluia, j'ai la vérole, par conséquent je n'ai plus peur de l'attraper et je baise les putains des rues, les rouleuses de bornes, et après les avoir baisées, je leur dis : j'ai la vérole. Et elles ont peur et moi je ris... »

Le 11 mars 1877, Maupassant a bénéficié d'un traitement à base d'arsenic et d'iodure de potassium. Il semble qu'il ait reçu d'autres thérapeutiques antisyphilitiques alors en vogue, telles que le sirop de Gibert, des pilules de Ricord et de la liqueur de Van Swieten.

À partir de cette période, Maupassant s'est plaint, à de multiples reprises, de migraines tenaces qui lui broyaient la tête et qui l'empêchaient de lire plus d'une heure de suite. À partir de 1881, Maupassant a été handicapé par des troubles visuels, qui iront s'aggravant, comme il l'a écrit en 1890 :

« Cette impossibilité de me servir de mes yeux... fait de moi un martyr... Je souffre atrocement... certains chiens qui hurlent expriment très bien mon état... Je ne peux pas écrire, je n'y vois plus. C'est le désastre de ma vie. »

À partir de l'automne 1889, Maupassant a commencé à présenter les premiers troubles de paralysie générale et il est devenu sujet à des excentricités. On l'a retrouvé un jour sur le boulevard Haussmann en train de gesticuler et d'invectiver des passants imaginaires. Un autre jour, il s'est mis à expliquer au poète Dorchain que le lac Divonne débordait en plein été, qu'avec sa canne il s'était défendu de trois souteneurs par-devant et de trois chiens enragés par-derrière... Une autre fois, il s'est plaint d'être imprégné de sel, responsable selon lui d'intolérables douleurs gastriques et cérébrales. Signe d'une détérioration mentale majeure qui s'était considérablement aggravée, il a essayé de mettre fin à ses jours au cours de la nuit du 2 janvier 1892.

Le célèbre psychiatre Émile Blanche avait jugé nécessaire de le faire venir à Paris, puis de l'interner dans sa clinique de Passy. Maupassant a été hospitalisé dans la chambre 15, qui allait devenir son seul univers jusqu'à sa mort 18 mois plus tard. Ainsi finit Maupassant qui avait prophétisé :

« Je suis entré dans la vie littéraire comme un météore et j'en sortirai comme un coup de foudre. »

La maladie d'Henri de Toulouse-Lautrec

Henri de Toulouse-Lautrec (1864 – 1901), natif d'Albi, a présenté une série de fractures au cours de son enfance. Elles ont entraîné un infléchissement de sa croissance, ce qui lui a valu d'être surnommé au collège « petit bonhomme ».

En plus de sa petite taille, Henri de Toulouse-Lautrec a souffert tout au long de sa vie d'une disgrâce physique, liée à une dysmorphie craniofaciale. Son nez était volumineux, renflé au bout, tandis qu'il présentait une croissance insuffisante du maxillaire inférieur. Il présentait également une dysmorphie digitale des mains, lesquelles étaient courtes et trapues, avec des doigts raccourcis et boudinés. L'ensemble des troubles dont Henri Toulouse-Lautrec a souffert s'intègre dans un tableau de pycnodysostose (une maladie génétique rare), qui a eu des répercussions psychologiques indiscutables.

Son infirmité l'a sans doute contraint à s'abandonner avec délectation dans d'autres plaisirs : la bonne chère, l'alcool et les femmes. Henri de Toulouse-Lautrec est mort le 18 septembre 1901, victime de la syphilis et de l'alcoolisme.

Marcel Proust : l'asthme et l'écriture

Fils et frère de médecin, Marcel Proust (1871 – 1922) a décrit un certain nombre de maladies dans son œuvre. Son père, Adrien Proust (1834 – 1903), était un hygiéniste réputé, tandis que son frère Robert (1873 – 1935) était professeur d'urologie à la faculté de médecine de Paris.

L'asthme a perturbé la vie de Marcel Proust, bien que la plupart de ses amis n'aient jamais assisté à aucune crise. Il a souffert d'une première violente crise d'asthme dans son enfance. Il a ensuite présenté une rémission complète, de la puberté jusqu'à l'âge de 24 ans. La seconde crise d'asthme est survenue en octobre 1914, au retour de Cabourg, où il s'était réfugié après avoir fui la capitale lors de la percée de l'armée allemande en septembre.

Depuis 1909, Marcel Proust vivait reclus dans son appartement, prenant prétexte de sa maladie pour s'isoler complètement dans sa chambre dont les volets, les fenêtres et les rideaux devaient être constamment tenus fermés afin de lui permettre de se consacrer à la rédaction d'*À la Recherche du temps perdu*.

Partisan de l'automédication, il se préparait des mixtures thérapeutiques personnelles pour traiter à la fois son asthme, ses insomnies et son asthénie. Il traitait ses crises d'asthme en prenant de l'iode, en fumant des cigarettes Espic et en brûlant en permanence de la poudre Legra, dont la combustion dégageait une épaisse fumée dans sa chambre. Son arsenal thérapeutique était varié et important. Il prenait de la caféine et de l'adrénaline le soir, pour rester éveillé et écrire ; le matin, il prenait alternativement de la valériane, du trional, du véronal ou de l'opium pour dormir.

Quelle a été l'influence de l'asthme sur l'œuvre de Marcel Proust ? En 1945, le docteur Corganian de Corganoff a considéré que « le rythme de la phrase proustienne est celui de la dyspnée asthmatique ». Au fil du temps, l'état respiratoire de Marcel Proust s'est considérablement dégradé. En 1922, il a présenté une pneumonie à pneumocoque qui lui a été fatale. Il a refusé de se laisser soigner par son frère et par le docteur Bazire (son médecin traitant et ami). Marcel Proust a répété jusqu'à la fin :

« Je suis plus médecin que les médecins. »

La polyarthrite rhumatoïde de Raoul Dufy

La corticothérapie a fait l'objet d'une médiatisation, aussitôt après sa découverte, en grande partie en raison de son utilisation par Raoul Dufy (1877 – 1953), qui présentait une polyarthrite rhumatoïde dont les premiers symptômes étaient apparus en 1937, alors qu'il réalisait l'œuvre artistique majeure de sa carrière : *La Fée Électricité*.

Raoul Dufy avait bénéficié de traitements symptomatiques qui n'avaient pas amélioré sa polyarthrite, laquelle s'était aggravée au cours des années qui avaient suivi. L'invalidité de Dufy est devenue si importante qu'il ne pouvait se déplacer sans béquilles.

Le 12 décembre 1949, un bref article de *Life Magazine*, illustré par une photographie qui révélait les mains déformées du peintre, avait attiré l'attention du docteur F. Homburger. Ce dernier a proposé à l'artiste de venir à Boston, tous frais payés, afin de bénéficier d'un traitement expérimental du laboratoire Merck qui combinait cortisone et ACTH. Dufy a accepté aussitôt l'offre qui lui a été faite et, le 20 avril 1950, il a débarqué du paquebot *De Grasse* aux États-Unis. Il a alors été hospitalisé au *Jewish Memorial Hospital* de Boston, où il a été pris en charge par une équipe médicale qui avait déjà l'expérience de la corticothérapie chez des malades chroniques.

Dufy était le premier malade atteint de polyarthrite rhumatoïde sur lequel a été tenté un traitement par corticoïdes. L'équipe du docteur Homburger a débuté des injections de corticoïdes qui ont eu un effet miraculeux. Quasiment grabataire, Dufy retrouva en quelques semaines la plupart de ses performances physiques antérieures et bon nombre d'activités de la vie quotidienne redevinrent possibles. Il ne s'était jamais senti aussi bien depuis des années. Le coup de fouet dû à la cortisone lui a permis de pouvoir utiliser à nouveau son pinceau avec agilité et facilité. Il a écrit à ses médecins bostoniens :

« Je peins en ce moment des sujets que j'étudiais quand j'étais jeune et qui ne me satisfaisaient plus. Dans les œuvres construites à la manière de Cézanne, j'ai ajouté des couleurs pures et imaginaires que j'ai cherchées en vain pendant plus de trente ans. »

Il était conscient des limites du traitement en ajoutant quelques lignes plus loin :

> « Est-ce une renaissance ou un chant du cygne ? »

Dufy a présenté des effets secondaires à la suite de ce traitement, qui lui ont occasionné des brûlures épigastriques, des diarrhées, l'aggravation d'une ostéoporose préexistante et des abcès fessiers, secondaires aux multiples injections intramusculaires. Dufy a regagné la France où il a poursuivi son traitement par corticoïdes jusqu'à son décès brutal le 23 mars 1953, à l'âge de 78 ans, consécutif à une hémorragie digestive favorisée par la prise d'aspirine et masquée par la corticothérapie.

Guillaume Apollinaire victime de la grippe espagnole

La victime la plus célèbre de la grippe espagnole a été le poète Wilhelm Apollinaris de Kostrowitzky (1880 – 1918), plus connu sous le nom de Guillaume Apollinaire, qui s'était engagé dans l'armée afin d'être naturalisé français. Affecté à l'artillerie, puis à l'infanterie, il avait été grièvement blessé à la tempe par un éclat d'obus le 17 mars 1916 dans sa tranchée, puis trépané le 10 mai 1916. Une fois remis, Apollinaire a repris sa carrière littéraire, publiant articles, contes, pièces de théâtre (*Les Mamelles de Tirésias*, en 1917), nouvelles et romans, avant de mourir prématurément le 9 novembre 1918, à l'âge de 38 ans, lors d'une épidémie de grippe espagnole.

Nous connaissons les derniers jours du célèbre poète grâce à Blaise Cendrars, qui s'est rendu au domicile de son ami le 8 novembre 1918 pour lui remettre un exemplaire de son premier ouvrage. Il a été accueilli par le concierge qui lui hurlait du fond de sa loge de ne pas entrer dans l'immeuble, car il souffrait de la grippe espagnole comme Guillaume et Jacqueline Apollinaire. Blaise Cendrars a témoigné de cet épisode :

> « Je montais l'escalier quatre à quatre et me mis à sonner, sonner, puis à tambouriner à la porte. Au bout d'un long, très long moment, Jacqueline Apollinaire vint entrouvrir la porte. Elle était en robe de chambre et rouge comme une écrevisse. Elle calait la porte du pied. "Nous sommes couchés depuis dimanche. Nous avons la grippe. N'entrez pas Cendrars, me dit-elle. – Et Guillaume ? – Il est tout noir et ne bouge plus. N'entrez pas !" Je bousculai Jacqueline et courus au lit de Guillaume. Apollinaire était couché sur le dos. Il était tout noir. Il respirait difficilement. À mon appel, il ouvrit les yeux. Il ne me dit rien. Il referma les yeux. Au bout d'un moment, il se tourna sur le côté gauche, contre le mur. Je redescendis quatre à quatre l'escalier et courus au bistrot du coin téléphoner à un médecin. J'appelai le docteur Capmas, lui dis que c'était d'une extrême urgence,

qu'Apollinaire se congestionnait et lui demandai si je ne ferais pas bien de lui fendre le lobe des oreilles pour lui faire pisser du sang en attendant... Quand le docteur Capmas arriva, il me dit qu'on l'avait appelé trop tard, qu'il ne pouvait plus rien pour Guillaume. »

Deux jours plus tard, les Parisiens célébraient l'armistice.

Un autre homme de lettres, le poète Edmond Rostand, a été une victime de la grippe espagnole le 2 décembre 1918. Cette épidémie n'a pas connu de frontière. En Autriche, le peintre Egon Schiele décéda le 31 octobre 1918 à Vienne, peu de temps après que la grippe eut emporté son épouse, Édith, enceinte de six mois.

Annexes

Les Prix Nobel de 1901 à 2014

1901

Emil von Behring (Allemagne), pour ses travaux sur la sérothérapie antidiphtérique

1902

Sir Ronald Ross (Royaume-Uni), pour ses travaux sur le paludisme

1903

Niels R. Finsen (Danemark), pour ses travaux sur le traitement du lupus vulgaire

1904

Ivan P. Pavlov (Russie), pour ses travaux sur la physiologie de la digestion

1905

Robert Koch (Allemagne), pour ses travaux sur la tuberculose

1906

Camillo Golgi (Italie) et Santiago Ramón y Cajal (Espagne), pour leurs travaux sur la structure du système nerveux

1907

Charles Laveran (France), pour son travail sur le rôle des protozoaires dans le paludisme

1908

Paul Ehrlich (Allemagne) et Élie Metchnikoff (Russie), pour leurs travaux sur l'immunité

1909

Theodor Kocher (Suisse), pour ses travaux sur la glande thyroïde

1910

Albrecht Kossel (Allemagne), pour ses travaux sur la composition chimique de la cellule et sur la composition des acides nucléiques

1911

Allvar Gullstrand (Suède), pour ses travaux sur la dioptrie de l'œil

1912

Alexis Carrel (France), pour ses travaux sur la ligature vasculaire et les transplantations d'organes

1913

Charles Richet (France), pour ses travaux sur l'anaphylaxie

1914

Robert Bárány (Autriche-Hongrie), pour ses travaux sur la physiologie et la pathologie du système vestibulaire

1919

Jules Bordet (Belgique), pour ses travaux en immunologie

1920

August Krogh (Danemark), pour ses travaux sur le rôle physiologique des capillaires

1922

Archibald V. Hill (Royaume-Uni), pour ses travaux sur la contraction musculaire

Otto Meyerhof (Allemagne), pour ses travaux sur le métabolisme musculaire et en particulier sur la glycolyse

1923

Sir Frederick Banting (Canada) et John James Richard Macleod (Royaume-Uni), pour leur découverte de l'insuline

1924

Willem Einthoven (Pays-Bas), pour sa découverte de l'électrocardiogramme

1926

Johannes Fibiger (Danemark), pour ses recherches expérimentales sur le cancer

1927

Julius Wagner-Jauregg (Autriche), pour sa découverte du traitement de la paralysie générale syphilitique par l'inoculation du paludisme

1928

Charles Nicolle (France), pour ses travaux sur le typhus exanthématique

1929

Christiaan Eijkman (Pays-Bas), pour sa découverte des vitamines capables de traiter certaines polynévrites

Sir Frederick Hopkins (Royaume-Uni), pour sa découverte de vitamines favorisant la croissance

1930

Karl Landsteiner (États-Unis), pour sa découverte des groupes sanguins

1931

Otto Warburg (Allemagne), pour sa découverte de la nature et du fonctionnement des enzymes respiratoires

1932

Sir Charles Sherrington (Royaume-Uni) et Edgar D. Adrian (États-Unis), pour leurs travaux sur la fonction des neurones

1933

Thomas H. Morgan (États-Unis), pour ses travaux sur le rôle des chromosomes dans la transmission génétique

1934

George H. Whipple, George R. Minot, et William P. Murphy (États-Unis), pour leurs travaux sur l'utilisation thérapeutique des extraits hépatiques dans les anémies

1935

Hans Spemann (Allemagne), pour ses travaux sur le développement embryonnaire

1936

Sir Henry Dale (Royaume-Uni) et Otto Loewi (Allemagne), pour leurs travaux sur la transmission chimique de l'influx nerveux

1937

Albert Szent-Györgyi von Nagyrapolt (Hongrie), pour ses travaux sur l'auto-immunité

1938

Corneille Heymans (Belgique), pour ses travaux sur les mécanismes des sinus et de l'aorte dans la régulation respiratoire

1939

Gerhard Domagk (Allemagne), pour la découverte de l'effet antibactérien du prontocilate

1943

Henrik Dam (Danemark) et Edward A. Doisy (États-Unis), pour l'analyse de la vitamine K

1944

Joseph Erlanger (États-Unis) et Herbert Spencer Gasser (États-Unis), pour leurs travaux sur le fonctionnement des voies nerveuses

1945

Sir Alexander Fleming (Royaume-Uni), Ernst Boris Chain (Royaume-Uni) et Sir Howard Florey (Royaume-Uni), pour leur découverte de l'action de la pénicilline

1946

Herman J. Muller (États-Unis), pour ses études sur les conséquences mutagènes des rayons X

1947

Carl Ferdinand Cori (États-Unis) et Gerty Theresa Cori (États-Unis), pour leurs travaux sur le métabolisme du glycogène

Bernardo A. Houssay (Argentine), pour ses travaux sur l'hypophyse

1948

Paul Mueller (Suisse), pour sa découverte des propriétés insecticides du DDT

1949

Walter Rudolf Hess (Suisse), pour ses travaux sur le contrôle du cerveau par le corps

Antonio Caetano de Abreu Freire Egas Moniz (Portugal), pour la mise au point de la lobotomie frontale

1950

Philip S. Hench (États-Unis), Edward C. Kendall (États-Unis) et Tadeus Reichstein (Suisse), pour leur découverte des corticoïdes

1951

Max Theiler (Afrique du Sud), pour la mise au point du vaccin anti-fièvre jaune

1952

Selman Waksman (États-Unis), pour sa découverte de la streptomycine

1953

Fritz A. Lipmann (Allemagne, États-Unis) et Hans Adolf Krebs (Allemagne, Royaume-Uni), pour leurs travaux sur le métabolisme cellulaire humain

1954

John F. Enders (États-Unis), Thomas H. Weller (États-Unis) et Frederick C. Robbins (États-Unis), pour leur travail de culture du virus de la poliomyélite

1955

Hugo Theorell (Suède), pour ses travaux sur les enzymes d'oxydation

1956

Dickinson W. Richards (États-Unis), André F. Cournand (États-Unis) et Werner Forssmann (Allemagne), pour leur mise au point de nouvelles techniques de traitement des maladies cardio-vasculaires

1957

Daniel Bovet (Italie), pour ses découvertes des antihistaminiques et des curarisants de synthèse

1958

Joshua Lederberg (États-Unis), pour sa découverte de la recombinaison génétique

George W. Beadle (États-Unis) et Edward Tatum (États-Unis), pour l'élaboration du concept selon lequel un gène code pour la synthèse d'une enzyme

1959

Severo Ochoa (États-Unis) et Arthur Kornberg (États-Unis), pour leur découverte du mécanisme biologique de la synthèse de l'acide désoxyribonucléique

1960

Sir Frank Macfarlane Burnet (Australie) et Peter Brian Medawar (Royaume-Uni), pour leurs travaux sur la tolérance immunologique acquise

1961
Georg von Bekesy (États-Unis), pour ses travaux sur le rôle de la cochlée dans l'audition

1962
James D. Watson (États-Unis), Maurice Wilkins (Royaume-Uni) et Francis Crick (Royaume-Uni), pour leur découverte de la structure de l'acide désoxyribonucléique (ADN)

1963
Alan Lloyd Hodgkin (Royaume-Uni), Andrew Fielding Huxley (Royaume-Uni) et Sir John Carew Eccles (Australie), pour leurs recherches sur les cellules nerveuses

1964
Konrad E. Bloch (États-Unis) et Feodor Lynen (Allemagne), pour leurs travaux sur le métabolisme et la régulation du cholestérol et des acides gras

1965
François Jacob (France), André Lwoff (France) et Jacques Monod (France), pour leurs travaux sur le code génétique

1966
Charles Brenton Huggins (États-Unis), pour ses travaux sur le traitement hormonal du cancer de la prostate

Francis Peyton Rous (États-Unis), pour sa découverte des virus tumorigènes

1967
Haldan K. Hartline (États-Unis), George Wald (États-Unis) et Ragnar Granit (Suède), pour leurs travaux sur l'œil humain

1968
Robert W. Holley (États-Unis), Har Gobind Khorana (États-Unis) et Marshall W. Nirenberg (États-Unis), pour leurs études sur le code génétique

1969
Max Delbrück (États-Unis), Alfred D. Hershey (États-Unis) et Salvador Luria (États-Unis), pour leurs travaux sur le mécanisme de l'infection par le virus dans les cellules vivantes

1970
Julius Axelrod (États-Unis), Ulf von Euler (Suède) et Sir Bernard Katz (Royaume-Uni), pour leurs découvertes sur la transmission nerveuse

1971

Earl W. Sutherland, Jr. (États-Unis), pour ses travaux sur les actions des hormones

1972

Gerald M. Edelman (États-Unis) et Rodney R. Porter (Royaume-Uni), pour leurs découvertes sur la structure exacte des anticorps

1973

Karl von Frisch (Autriche), Konrad Lorenz (Autriche) et Nikolaas Tinbergen (Pays-Bas), pour leurs recherches sur les comportements individuels et sociaux des animaux

1974

George E. Palade (États-Unis), Christian de Duve (États-Unis) et Albert Claude (Belgique), pour leur contribution à la compréhension du fonctionnement des cellules vivantes

1975

David Baltimore (États-Unis), Howard Temin (États-Unis) et Renato Dulbecco (États-Unis), pour leurs travaux sur l'interaction entre les virus inducteurs de tumeurs et le patrimoine génétique des cellules

1976

Baruch S. Blumberg (États-Unis) et Carleton Gajdusek (États-Unis), pour la découverte du virus de l'hépatite et de l'agent responsable du kuru

1977

Rosalyn S. Yalow (États-Unis), Roger Guillemin (États-Unis) et Andrew V. Schally (États-Unis), pour le développement de la méthode de dosage radio-immunologique, technique très sensible qui permet de mesurer des quantités infimes de substances biologiquement actives

1978

Daniel Nathans (États-Unis), Hamilton Smith (États-Unis) et Werner Arber (Suisse), pour leur découverte des enzymes de restriction (endonucléases) et leur utilisation en biologie moléculaire

1979

Allan MacLeod Cormack (États-Unis) et Godfrey Newbold Hounsfiel (Royaume-Uni), pour l'ensemble de leurs travaux ayant permis la mise au point et le développement de la technique du scanner (tomodensitométrie axiale)

1980

Baruj Benacerraf (États-Unis), George D. Snell (États-Unis) et Jean Dausset (France), pour la découverte de gènes régulant les réponses immunitaires et pour la mise en évidence du rôle de certains de ces gènes dans les maladies auto-immunes

1981

Roger W. Sperry (États-Unis), David H. Hubel (États-Unis) et Torsten Wiesel (Suède), pour leurs travaux sur les mécanismes du cerveau visuel

1982

Sune Bergstrom (Suède), Bengt Samuelsson (Suède) et John R. Vane (Royaume-Uni), pour leurs travaux sur les hormones et la prostaglandine

1983

Barbara McClintock (États-Unis), pour sa découverte de la transposition génétique, ou la capacité des gènes de changer la position sur le chromosome

1984

Cesar Milstein (Royaume-Uni, Argentine), Georges J. F. Köhler (République fédérale d'Allemagne) et Niels K. Jerne (Royaume-Uni, Danemark), pour leurs travaux en immunologie et pour la mise au point d'anticorps monoclonaux

1985

Michael S. Brown (États-Unis) et Joseph L. Goldstein (États-Unis), pour leurs recherches sur le métabolisme du cholestérol et leur rôle dans l'athérosclérose

1986

Rita Levi-Montalcini (États-Unis, Italie) et Stanley Cohen (États-Unis), pour leurs découvertes concernant les structures génétiquement déterminées à la surface des cellules qui régulent les réactions immunologiques

1987

Susumu Tonegawa (Japon), pour ses travaux sur la structure des défenses immunitaires montrant comment le corps est capable de produire des milliers d'anticorps différents pour combattre une maladie

1988

Gertrude Elion (États-Unis), George H. Hitchings (États-Unis) et Sir James Black (Royaume-Uni), pour leurs recherches sur les médicaments destinés à soigner les maladies cardio-vasculaires, le sida, l'herpès, la leucémie et le paludisme

1989

J. Michael Bishop (États-Unis) et Harold E. Varmus (États-Unis), pour leur découverte de l'origine cellulaire des oncogènes rétroviraux et leur rôle dans le développement des cancers

1990

Joseph E. Murray (États-Unis) et E. Donnall Thomas (États-Unis), pour leurs travaux sur les transplantations de reins et de moelle osseuse, notamment leurs découvertes sur la maîtrise de la réaction de rejet

1991

Erwin Neher (Allemagne) et Bert Sakmann (Allemagne), pour leurs découvertes sur les canaux ioniques qui ont permis de mieux comprendre les mécanismes étiopathogéniques de plusieurs maladies.

1992

Edmond H. Fischer (États-Unis) et Edwin G. Krebs (États-Unis), pour leurs recherches sur le processus de phosphorylation réversible des protéines qui ont permis d'expliquer comment un déséquilibre à l'intérieur des cellules peut provoquer des maladies

1993

Phillip A. Sharp (États-Unis) et Richard J. Roberts (Royaume-Uni), pour leurs travaux sur les gènes divisés

1994

Alfred G. Gilman (États-Unis) et Martin Rodbell (États-Unis), pour leurs découvertes sur les protéines G

1995

Edward B. Lewis (États-Unis), Eric F. Wieschaus (États-Unis) et Christiane Nüsslein-Volhard (Allemagne), pour leurs découvertes concernant la maîtrise génétique du développement de l'embryon humain dans l'utérus

1996

Peter C. Doherty (Australie) et Rolf M. Zinkernagel (Suisse), pour leur découverte concernant la spécificité de la défense immunitaire cellulaire

1997

Stanley B. Prusiner (États-Unis), pour sa découverte des prions et leur rôle dans plusieurs maladies neuro-dégénératives

1998

Robert F. Furchgot (États-Unis), Louis J. Ignarro (États-Unis) et Ferid Murad (États-Unis), pour leurs découvertes sur la façon dont l'oxyde nitrique joue le rôle de signal dans la molécule

1999

Günter Blobel (Allemagne, États-Unis), pour ses recherches sur les signaux intrinsèques aux protéines qui gouvernent leur transport et leur localisation dans les cellules

2000

Arvid Carlsson (Suède), Paul Greengard (États-Unis) et Eric Kandel (États-Unis), pour leurs découvertes fondamentales sur la transmission du signal dans le système nerveux

2001

Leland H. Hartwell (États-Unis), R. Timothy Hunt (Royaume-Uni) et Paul M. Nurse (Royaume-Uni), pour leur découverte de la cycline et des enzymes kinases dépendantes de la cycline, des molécules fondamentales de la régulation du cycle de vie cellulaire permettant notamment de comprendre le développement des cellules cancéreuses

2002

Sydney Brenner (Royaume-Uni), H. Robert Horvitz (États-Unis) et John E. Sulston (Royaume-Uni), pour leurs travaux sur la régulation génétique du développement des organes et le processus de mort cellulaire programmée ou apoptose

2003

Paul C. Lauterbur (États-Unis) et Sir Peter Mansfield (Royaume-Uni), pour leurs découvertes de l'imagerie par résonance magnétique

2004

Richard Axel (États-Unis) et Linda Buck (États-Unis), pour leurs travaux sur le système olfactif et les récepteurs olfactifs

2005

Barry J. Marshall (Australie) et J. Robin Warren (Australie), pour avoir démontré la responsabilité de la bactérie *Helicobacter pylori* dans les ulcères de l'estomac

2006

Andrew Z. Fire (États-Unis) et Craig C. Mello (États-Unis), pour avoir découvert un mécanisme fondamental pour le contrôle des flux d'informations génétiques : l'interférence par ARN

2007

Mario R. Capecchi (États-Unis), Sir Martin J. Evans (Royaume-Uni) et Oliver Smithies (États-Unis), pour leur travail sur les modifications génétiques provoquées chez des souris au moyen de cellules souches embryonnaires

2008

Harald zur Hausen (Allemagne), pour sa découverte du rôle des virus du papillome humain (VPH) dans la pathogénie du cancer du col utérin

Françoise Barré-Sinoussi (France) et Luc Montagnier (France), pour leur découverte du virus de l'immunodéficience humaine (VIH)

2009

Elizabeth H. Blackburn (États-Unis), Carol W. Greider (États-Unis) et Jack Szostak (États-Unis), pour la découverte de la façon dont les chromosomes sont protégés par les télomères, extrémités des chromosomes, et une enzyme appelée la télomérase

2010

Robert G. Edwards (Royaume-Uni), pour la mise au point de la fécondation *in vitro*

2011

Bruce A. Beutler (États-Unis) et Jules Hoffmann (Luxembourg), pour leurs travaux sur l'activation du système immunitaire inné

Ralph M. Steinman (Canada), pour sa découverte des cellules dendritiques et de leur rôle dans l'immunité adaptative

2012

Sir John B. Gurdon (Royaume-Uni) et Shinya Yamanaka (Japon), pour leurs travaux sur les cellules souches

2013

James E. Rothman (États-Unis), Randy W. Schekman (États-Unis) et Thomas C. Südhof (Allemagne), pour leurs travaux sur le trafic membranaire intracellulaire

2014

Mai-Britt Moser (Norvège), Edvard Moser (Norvège) et John O'Keefe (États-Unis, Royaume-Uni), pour leur découverte d'un circuit neuronal cérébral spécialisé dans la géolocalisation

Annexe B

Serments et codes médicaux

Serment médical d'Assaph (VIIᵉ siècle)

Voici l'alliance qu'Assaph, fils de Berakyahou et Yohanan, fils de Zabda, ont conclue avec leurs disciples qu'ils ont adjuré en ces termes :

« Ne vous avisez pas de tuer quiconque par des sucs de racines et ne faites pas boire une potion abortive à une femme enceinte par adultère.

Ne vous laissez pas tenter par la beauté d'une femme et ne commettez pas un adultère avec elle.

Vous ne divulguerez aucun des secrets qu'on vous a confiés et n'accepterez à aucun prix de nuire ou de détruire.

Vous ne fermerez pas votre cœur à la pitié envers les pauvres et les déshérités, pour les soigner, et vous ne direz pas que le bien est mal et que le mal est bien.

Vous ne devez pas vous engager dans la voie des charlatans qui charment, exorcisent et ensorcellent, afin de séparer le mari de sa chère épouse, et celle-ci du mari qu'elle a choisi dans sa jeunesse.

Vous ne vous laisserez tenter par aucune richesse et par aucune rançon pour favoriser un acte de débauche.

N'ayez jamais recours à l'art des idolâtres pour soigner quiconque et n'ayez aucune confiance dans leurs méthodes thérapeutiques. Plus encore, vous aurez en horreur et vous détesterez et haïrez tous les serviteurs et ceux qui croient en eux, et aussi ceux à qui ils inspirent confiance. Toutes leurs idoles sont vaines et inutiles, elles ne sont que du néant, que des esprits morts, qui sont incapables d'aider des cadavres. Comment donc pourraient-elles venir en aide à des êtres vivants ?

C'est pourquoi vous n'aurez confiance qu'en votre Dieu, le Dieu de la Vérité et de la Vie, car il donne la mort et la vie ; il frappe et il guérit. Il enseigne à l'homme la science et la sagesse de guérir. Il frappe loyalement et avec justice et il guérit avec amour et miséricorde.

Vous ne pourrez lui cacher aucune mauvaise intention ni ruse, car rien n'échappe à ses yeux. Il fait pousser les plantes médicinales, et par sa bonté infinie il prête aux sages le pouvoir de guérir, afin qu'ils puissent proclamer, dans toutes les assemblées, ses merveilles et sa grande miséricorde, pour que tous les êtres vivants sachent qu'Il est le Créateur, et qu'en dehors de Lui nul n'a le pouvoir de guérir.

Car les peuples (étrangers) ont confiance dans leurs idoles, bien qu'elles soient incapables de les aider dans leur détresse ou de les sauver de leurs ennuis, car ils adressent leurs vœux et espérance à des morts.

C'est pourquoi il conviendra de vous séparer d'eux, de vous écarter et de vous éloigner de leurs idoles détestables, pour vous attacher au nom de l'Éternel, votre Dieu, le Dieu des esprits de toute créature, car il tient dans ses mains l'âme de tous les êtres vivants, qu'il peut faire mourir ou ressusciter, et personne n'échappe à sa puissance.

Pensez tout le temps à Lui et suivez-Le dans la vérité, la droiture et la perfection, afin que vous réussissiez dans toutes vos entreprises. Il vous donnera son aide pour (assurer) votre succès, afin que vous soyez estimés par toutes les créatures.

Alors les peuples abandonneront leurs idoles et désireront, ardemment servir Dieu comme vous, car ils s'apercevront que leur confiance n'était que vanité, et vains leurs efforts, car ils se sont voués au service de dieux incapables de les aider.

Soyez forts et ne vous laissez pas décourager, car vos efforts seront récompensés : Dieu sera avec vous si vous êtes avec Lui, si vous gardez son alliance et si vous suivez ses lois et si vous lui restez fidèles. Alors vous serez considérés comme des Saints aux yeux de tous les hommes et ils diront : Heureux le peuple à qui cela arrive ; Heureux le peuple dont l'Éternel est le Dieu.

Les disciples répondirent alors en disant : Tout ce que vous nous avez ordonné nous le ferons, car ce sont les commandements de la Torah et nous devons les accomplir de tout notre cœur, de toute notre âme et de tout notre pouvoir ; nous devons agir et obéir sans nous écarter, ni dévier, ni à droite, ni à gauche.

Ils bénirent ensuite leurs disciples au nom du Tout-Puisant, à qui appartiennent le ciel et la terre.

Ils continuèrent encore à adjurer leurs disciples en disant :
Voilà ; Dieu, ses saints et sa Torah en sont témoins que vous Le craindrez, et que vous ne vous écarterez pas de ses commandements et que vous marcherez dans ses voies, avec droiture.

L'âpreté du gain ne devra jamais vous inciter à aider quiconque à souiller une âme innocente.

Vous ne préparerez pas de poison à un homme ou à une femme qui voudraient tuer leur prochain. Vous ne direz pas non plus la composition de tel poison, et vous n'en remettrez à personne ; vous n'en parlerez pas du tout.

Vous ne vous chargerez pas de sang (de crime) dans la pratique de la profession médicale.

Vous ne provoquerez pas, intentionnellement, une maladie à un être humain.

Vous ne provoquerez pas davantage une infirmité à l'homme.

Ne vous hâtez pas non plus à couper la chair humaine avec des instruments de fer ou avec le cautère, et ne prenez jamais de décision sans avoir, au préalable, deux ou trois fois, bien examiné les faits.

Ne vous laissez pas dominer par un esprit hautain, élevez, au contraire, votre cœur.

Ne gardez pas de rancune ni d'animosité vengeresse envers un malade ; et n'échangez pas de propos qui seraient détestables à Dieu.

Observez, au contraire, ses prescriptions et ses commandements et marchez dans ses voies, pour que vous trouviez grâce à ses yeux et que vous soyez purs, sincères et justes.

C'est ainsi qu'Assaph et Yohanan ont exhorté et adjuré leurs disciples. »

Première traduction en français d'après le texte hébreu par I. Simon, extrait de la *Revue d'Histoire de la médecine hébraïque*, n° 9, juillet 1951.

Prière médicale de Maïmonide (XIIᵉ siècle)

« Ô Dieu, remplis mon âme d'amour pour l'Art et pour toutes les créatures.

N'admets pas que la soif du gain et la recherche de la gloire m'influencent dans l'exercice de mon art, car les ennemis de la vérité et l'amour des hommes pourraient facilement m'abuser et m'éloigner du noble devoir de faire du bien à tes enfants.

Soutiens la force de mon cœur pour qu'il soit toujours près de servir le pauvre et le riche, l'ami et l'ennemi, le bon et le mauvais. Fais que je ne voie que l'homme dans celui qui souffre.

Que mon esprit reste clair près du lit du malade, qu'il ne soit distrait par aucune pensée étrangère, afin qu'il présente tout ce que l'expérience et la science lui ont enseigné ; car grandes et sublimes sont les recherches scientifiques, qui ont pour but de conserver la santé et la vie de toutes créatures, fais que mes malades aient confiance en moi et mon art, qu'ils suivent mes conseils et mes prescriptions.

Éloigne de leur lit les charlatans, l'armée des parents aux mille conseils et les gardes qui savent toujours tout, car c'est une engeance dangereuse qui, par vanité, fait échouer les meilleures intentions de mon art et conduit souvent les créatures à la mort. Si les ignorants me blâment et me raillent, fais que l'amour de mon Art, comme une cuirasse, me rende invulnérable, pour que je puisse persévérer dans le vrai, sans égard au prestige, au renom et à l'âge de mes ennemis.

Prête-moi, mon Dieu, l'indulgence et la patience auprès des malades entêtés et grossiers. Fais que je sois modéré en tout, mais insatiable dans mon amour de la science. Éloigne de moi l'idée que je peux tout. Donne-moi la force, la volonté et l'occasion d'élargir de plus en plus mes connaissances. Je peux aujourd'hui découvrir dans mon savoir des choses que je ne soupçonnais pas hier, car l'Art est grand, mais l'esprit de l'homme pénètre toujours plus avant. »

Le serment d'Hippocrate (IVe siècle)

« Je jure par Apollon, médecin, par Esculape, par Hygie et Panacée, par tous les dieux et toutes les déesses, les prenant à témoin que je remplirai, suivant mes forces et ma capacité, le serment et l'engagement suivants :

Je mettrai mon maître de médecine au même rang que les auteurs de mes jours, je partagerai avec lui mon avoir, et, le cas échéant, je pourvoirai à ses besoins ; je tiendrai ses enfants pour des frères, et, s'ils désirent apprendre la médecine, je la leur enseignerai sans salaire ni engagement. Je ferai part des préceptes, des leçons orales et du reste de l'enseignement à mes fils, à ceux de mon maître, et aux disciples liés par un engagement et un serment suivant la loi médicale, mais à nul autre. Je dirigerai le régime des malades à leur avantage, suivant mes forces et mon jugement, et je m'abstiendrai de tout mal et de toute injustice. Je ne remettrai à personne du poison, si on m'en demande, ni ne prendrai l'initiative d'une pareille suggestion ; semblablement, je ne remettrai à aucune femme un pessaire abortif. Je passerai ma vie et j'exercerai mon art dans l'innocence et la pureté. Je ne pratiquerai pas l'opération de la taille, je la laisserai aux gens qui s'en occupent. Dans quelque maison que j'entre, j'y entrerai pour l'utilité des malades, me préservant de tout méfait volontaire et corrupteur, et surtout de la séduction des femmes et des garçons, libres ou esclaves. Quoi que je voie ou entende dans la société pendant l'exercice ou même hors de l'exercice de ma profession, je tairai ce qui n'a jamais besoin d'être divulgué, regardant la discrétion comme un devoir en pareil cas. Si je remplis ce serment sans l'enfreindre, qu'il me soit donné de jouir heureusement de la vie et de ma profession, honoré à jamais parmi les hommes ; si je le viole et que je me parjure, puissé-je avoir un sort contraire. »

Traduction par Émile Littré, 1844.

Version moderne du serment d'Hippocrate (1996)

« Au moment d'être admis(e) à exercer la médecine, je promets et je jure d'être fidèle aux lois de l'honneur et de la probité.

Mon premier souci sera de rétablir, de préserver ou de promouvoir la santé dans tous ses éléments, physiques et mentaux, individuels et sociaux.

Je respecterai toutes les personnes, leur autonomie et leur volonté, sans aucune discrimination selon leur état ou leurs convictions. J'interviendrai pour les protéger si elles sont affaiblies, vulnérables ou menacées dans leur intégrité ou leur dignité. Même sous la contrainte, je ne ferai pas usage de mes connaissances contre les lois de l'humanité.

J'informerai les patients des décisions envisagées, de leurs raisons et de leurs conséquences.

Je ne tromperai jamais leur confiance et n'exploiterai pas le pouvoir hérité des circonstances pour forcer les consciences.

Je donnerai mes soins à l'indigent et à quiconque me les demandera. Je ne me laisserai pas influencer par la soif du gain ou la recherche de la gloire.

Admis(e) dans l'intimité des personnes, je tairai les secrets qui me seront confiés. Reçu(e) à l'intérieur des maisons, je respecterai les secrets des foyers et ma conduite ne servira pas à corrompre les mœurs.

Je ferai tout pour soulager les souffrances. Je ne prolongerai pas abusivement les agonies. Je ne provoquerai jamais la mort délibérément.

Je préserverai l'indépendance nécessaire à l'accomplissement de ma mission. Je n'entreprendrai rien qui dépasse mes compétences. Je les entretiendrai et les perfectionnerai pour assurer au mieux les services qui me seront demandés.

J'apporterai mon aide à mes confrères ainsi qu'à leurs familles dans l'adversité.

Que les hommes et mes confrères m'accordent leur estime si je suis fidèle à mes promesses ; que je sois déshonoré(e) et méprisé(e) si j'y manque. »

Version réactualisée par le Pr Bernard Hoerni, publiée dans le *Bulletin de l'Ordre des médecins*, 1996, n° 4.

Code de Nuremberg (1947)

1.   — Le consentement volontaire du sujet humain est absolument essentiel. Cela veut dire que la personne intéressée doit jouir de capacité légale pour consentir : qu'elle doit être laissée libre de décider, sans intervention de quelque élément de force, de fraude, de contrainte, de supercherie, de duperie ou d'autres formes de contrainte ou de coercition. Il faut aussi qu'elle soit suffisamment renseignée, et connaisse toute la portée de l'expérience pratiquée sur elle, afin d'être capable de mesurer l'effet de sa décision. Avant que le sujet expérimental accepte, il faut donc le renseigner exactement sur la nature, la durée, et le but de l'expérience, ainsi que sur les méthodes et moyens employés, les dangers et les risques encourus, et les conséquences pour sa santé ou sa personne, qui peuvent résulter de sa participation à cette expérience.

   L'obligation et la responsabilité d'apprécier les conditions dans lesquelles le sujet donne son consentement incombent à la personne qui prend l'initiative et la direction de ces expériences ou qui y travaille. Cette obligation et cette responsabilité s'attachent à cette personne, qui ne peut les transmettre à nulle autre, sans être poursuivie.

2.   — L'expérience doit avoir des résultats pratiques pour le bien de la société, impossibles à obtenir par d'autres moyens : elle ne doit pas être pratiquée au hasard, et sans nécessité.

3.   — Les fondements de l'expérience doivent résider dans les résultats d'expériences antérieures faites sur des animaux, et dans la connaissance de la genèse de la maladie ou des questions à l'étude, de façon à justifier par les résultats attendus l'exécution de l'expérience.

4.   — L'expérience doit être pratiquée de façon à éviter toute souffrance et tout dommage physique ou mental, non nécessaires.

5.   — L'expérience ne doit pas être tentée lorsqu'il y a une raison a priori de croire qu'elle entraînera la mort ou l'invalidité du sujet, à l'exception des cas où les médecins qui font les recherches servent eux-mêmes de sujets à l'expérience.

6.   — Les risques encourus ne devront jamais excéder l'importance humanitaire du problème que doit résoudre l'expérience envisagée.

7.   — On doit faire en sorte d'écarter du sujet expérimental toute éventualité, si mince soit-elle, susceptible de provoquer des blessures, l'invalidité ou la mort.

8.   — Les expériences ne doivent être pratiquées que par des personnes qualifiées. La plus grande aptitude et une extrême attention sont exigées tout au long de l'expérience, de tous ceux qui la dirigent ou y participent.

9.   — Le sujet humain doit être libre, pendant l'expérience, de faire interrompre l'expérience, s'il estime avoir atteint le seuil de résistance, mentale ou physique, au-delà duquel il ne peut aller.

10.   — Le scientifique chargé de l'expérience doit être prêt à l'interrompre à tout moment, s'il a une raison de croire que la continuation pourrait entraîner des blessures, l'invalidité ou la mort pour le sujet expérimental.

Extrait du jugement du tribunal américain de Nuremberg, 1947.

Code international d'éthique médicale de l'Association médicale mondiale

Adopté par la 3e Assemblée générale de l'AMM (Londres, Grande-Bretagne, octobre 1949), amendé par la 22e Assemblée médicale mondiale (Sydney, Australie, août 1968) et la 35e Assemblée médicale mondiale (Venise, Italie, octobre 1983).

Devoirs généraux des médecins

LE MÉDECIN DEVRA toujours avoir une attitude professionnelle exemplaire.

LE MÉDECIN NE DEVRA JAMAIS laisser le profit influencer son jugement professionnel libre et indépendant, et ce au plus grand bénéfice de son patient.

LE MÉDECIN DEVRA, quelles que soient ses conditions d'exercice, se consacrer en toute indépendance technique et morale à la prestation de soins de qualité avec compassion et respect pour la dignité humaine.

LE MÉDECIN DEVRA être honnête envers ses patients et ses collègues, et il s'efforcera de dénoncer les médecins qui manquent de caractère et de compétence, ou qui ont recours à la fraude et à la tromperie.

Les pratiques suivantes sont contraires à l'éthique :

a) la publicité faite par les médecins pour eux-mêmes, à moins qu'elle ne soit autorisée par la loi du pays concerné et par le code d'éthique de l'Association médicale nationale ;

b) le versement ou l'acceptation d'honoraires ou autres avantages dans le seul but de fournir un client à un confrère, une prescription à un pharmacien ou de faire acquérir tout appareillage médical.

LE MÉDECIN DEVRA respecter les droits des patients, des collègues et des autres professionnels de santé, et préservera les confidences de son patient.

LE MÉDECIN DEVRA agir uniquement dans l'intérêt de son patient lorsqu'il lui procurera des soins qui peuvent avoir pour conséquence un affaiblissement de sa condition physique ou mentale.

LE MÉDECIN DEVRA faire preuve de beaucoup de prudence lorsqu'il divulguera des découvertes ou des techniques nouvelles par des voies non professionnelles.

LE MÉDECIN NE DEVRA certifier que ce qu'il aura personnellement vérifié.

Devoirs des médecins envers les malades

LE MÉDECIN DEVRA toujours avoir à l'esprit le souci de conserver la vie humaine.

LE MÉDECIN DEVRA à ses patients la plus complète loyauté, ainsi que toutes les ressources de sa science. Lorsqu'un examen ou traitement dépasse ses capacités, le médecin devrait faire appel un collègue qui dispose des compétences nécessaires.

LE MÉDECIN DEVRA préserver le secret absolu sur tout ce qu'il sait de son patient, et ce même après la mort de ce dernier.

LE MÉDECIN DEVRA considérer les soins d'urgence comme un devoir humanitaire à moins qu'il soit assuré que d'autres désirent apporter ces soins et en sont capables.

Devoirs des médecins envers leurs collègues

LE MÉDECIN DEVRA traiter ses confrères comme il souhaiterait être traité par eux.

LE MÉDECIN NE DEVRA PAS attirer les patients de ses confrères.

LE MÉDECIN DEVRA observer les principes du Serment de Genève approuvé par l'Association médicale mondiale.

Serment de Genève

Adopté par la 2e Assemblée générale de l'Association médicale mondiale (Genève, Suisse, septembre 1948) et amendé par la 22e Assemblée médicale mondiale (Sydney, Australie, août 1968), la 35e Assemblée médicale mondiale (Venise, Italie, octobre 1983), la 46e Assemblée générale (Stockholm, Suède, septembre 1994).

« AU MOMENT D'ÊTRE ADMIS AU NOMBRE DES MEMBRES DE LA PROFESSION MÉDICALE :

JE PRENDS L'ENGAGEMENT SOLENNEL de consacrer ma vie au service de l'humanité ;

JE GARDERAI pour mes maîtres le respect et la reconnaissance qui leur sont dus ;

J'EXERCERAI mon art avec conscience et dignité ;

JE CONSIDÉRERAI la santé de mon patient comme mon premier souci ;

JE RESPECTERAI le secret de celui qui se sera confié à moi, même après la mort du patient ;

JE MAINTIENDRAI, dans toute la mesure de mes moyens, l'honneur et les nobles traditions de la profession médicale ;

MES COLLÈGUES seront mes sœurs et mes frères ;

JE NE PERMETTRAI PAS que des considérations d'affiliation politique, d'âge, de croyance, de maladie ou d'infirmité, de nationalité, d'origine ethnique, de race, de sexe, de statut social ou de tendance sexuelle viennent s'interposer entre mon devoir et mon patient ;

JE GARDERAI le respect absolu de la vie humaine dès son commencement, même sous la menace et je n'utiliserai pas mes connaissances médicales contre les lois de l'humanité ;

JE FAIS CES PROMESSES solennellement, librement, sur l'honneur. »

Convention de l'Europe et de la médecine (Conseil de l'Europe, Oviedo, 4 avril 1997)

Convention pour la protection des droits de l'homme et de la dignité de l'être humain à l'égard des applications de la biologie et de la médecine : convention sur les droits de l'homme et la biomédecine (Conseil de l'Europe, Oviedo, 4 avril 1997).

Préambule

Les États membres du Conseil de l'Europe, les autres États et la Communauté européenne signataires de la présente Convention,

Considérant la Déclaration universelle des Droits de l'Homme, proclamée par l'Assemblée générale des Nations Unies le 10 décembre 1948 ;

Considérant la Convention de sauvegarde des Droits de l'Homme et des Libertés fondamentales du 4 novembre 1950 ;

Considérant la Charte sociale européenne du 18 octobre 1961 ;

Considérant le Pacte international sur les droits civils et politiques et le Pacte international relatif aux droits économiques, sociaux et culturels du 16 décembre 1966 ;

Considérant la Convention pour la protection de l'individu à l'égard du traitement automatisé des données à caractère personnel du 28 janvier 1981 ;

Considérant également la Convention relative aux droits de l'enfant du 20 novembre 1989 ;

Considérant que le but du Conseil de l'Europe est de réaliser une union plus étroite entre ses membres, et que l'un des moyens d'atteindre ce but est la sauvegarde et le développement des droits de l'homme et des libertés fondamentales ;

Conscients des rapides développements de la biologie et de la médecine ;

Convaincus de la nécessité de respecter l'être humain à la fois comme individu et dans son appartenance à l'espèce humaine et reconnaissant l'importance d'assurer sa dignité ;

Conscients des actes qui pourraient mettre en danger la dignité humaine par un usage impropre de la biologie et de la médecine ;

Affirmant que les progrès de la biologie et de la médecine doivent être utilisés pour le bénéfice des générations présentes et futures ;

Soulignant la nécessité d'une coopération internationale pour que l'Humanité tout entière bénéficie de l'apport de la biologie et de la médecine ;

Reconnaissant l'importance de promouvoir un débat public sur les questions posées par l'application de la biologie et de la médecine, et sur les réponses à y apporter ;

Désireux de rappeler à chaque membre du corps social ses droits et ses responsabilités ;

Prenant en considération les travaux de l'Assemblée parlementaire dans ce domaine, y compris la Recommandation 1160 (1991) sur l'élaboration d'une convention de bioéthique ;

Résolus à prendre, dans le domaine des applications de la biologie et de la médecine, les mesures propres à garantir la dignité de l'être humain et les droits et libertés fondamentaux de la personne,

Sont convenus de ce qui suit :

Chapitre I — Dispositions générales

Article 1. — Objet et finalité

Les Parties à la présente Convention protègent l'être humain dans sa dignité et son identité et garantissent à toute personne, sans discrimination, le respect de son intégrité et de ses autres droits et libertés fondamentales à l'égard des applications de la biologie et de la médecine.

Chaque Partie prend dans son droit interne les mesures nécessaires pour donner effet aux dispositions de la présente Convention.

Article 2. — Primauté de l'être humain

L'intérêt et le bien de l'être humain doivent prévaloir sur le seul intérêt de la société ou de la science.

Article 3. — Accès équitable aux soins de santé

Les Parties prennent, compte tenu des besoins de santé et des ressources disponibles, les mesures appropriées en vue d'assurer, dans leur sphère de juridiction, un accès équitable à des soins de santé de qualité appropriée.

Article 4. — Obligations professionnelles et règles de conduite

Toute intervention dans le domaine de la santé, y compris la recherche, doit être effectuée dans le respect des normes et obligations professionnelles, ainsi que des règles de conduite applicables en l'espèce.

Chapitre II — Consentement

Article 5. — Règle générale

Une intervention dans le domaine de la santé ne peut être effectuée qu'après que la personne concernée y a donné son consentement libre et éclairé.

Cette personne reçoit préalablement une information adéquate quant au but et à la nature de l'intervention ainsi que quant à ses conséquences et ses risques.

La personne concernée peut, à tout moment, librement retirer son consentement.

Article 6. — Protection des personnes n'ayant pas la capacité de consentir

1. Sous réserve des articles 17 et 20, une intervention ne peut être effectuée sur une personne n'ayant pas la capacité de consentir, que pour son bénéfice direct.

2. Lorsque, selon la loi, un mineur n'a pas la capacité de consentir à une intervention, celle-ci ne peut être effectuée sans l'autorisation de son représentant, d'une autorité ou d'une personne ou instance désignée par la loi.

    L'avis du mineur est pris en considération comme un facteur de plus en plus déterminant, en fonction de son âge et de son degré de maturité.

3. Lorsque, selon la loi, un majeur n'a pas, en raison d'un handicap mental, d'une maladie ou pour un motif similaire, la capacité de consentir à une intervention, celle-ci ne peut être effectuée sans l'autorisation de son représentant, d'une autorité ou d'une personne ou instance désignée par la loi.

    La personne concernée doit dans la mesure du possible être associée à la procédure d'autorisation.

4. Le représentant, l'autorité, la personne ou l'instance mentionnés aux paragraphes 2 et 3 reçoivent, dans les mêmes conditions, l'information visée à l'article 5.

5. L'autorisation visée aux paragraphes 2 et 3 peut, à tout moment, être retirée dans l'intérêt de la personne concernée.

Article 7. — Protection des personnes souffrant d'un trouble mental

La personne qui souffre d'un trouble mental grave ne peut être soumise, sans son consentement, à une intervention ayant pour objet de traiter ce trouble que lorsque l'absence d'un tel traitement risque d'être gravement préjudiciable à sa santé et sous réserve des conditions de protection prévues par la loi comprenant des procédures de surveillance et de contrôle ainsi que des voies de recours.

Article 8. — Situations d'urgence

Lorsqu'en raison d'une situation d'urgence le consentement approprié ne peut être obtenu, il pourra être procédé immédiatement à toute intervention médicalement indispensable pour le bénéfice de la santé de la personne concernée.

Article 9. — Souhaits précédemment exprimés

Les souhaits précédemment exprimés au sujet d'une intervention médicale par un patient qui, au moment de l'intervention, n'est pas en état d'exprimer sa volonté seront pris en compte.

Chapitre III — Vie privée et droit à l'information

Article 10. — Vie privée et droit à l'information

1. Toute personne a droit au respect de sa vie privée s'agissant des informations relatives à sa santé.

2. Toute personne a le droit de connaître toute information recueillie sur sa santé. Cependant, la volonté d'une personne de ne pas être informée doit être respectée.

3. À titre exceptionnel, la loi peut prévoir, dans l'intérêt du patient, des restrictions à l'exercice des droits mentionnés au paragraphe 2.

Chapitre IV — Génome humain

Article 11. — Non-discrimination

Toute forme de discrimination à l'encontre d'une personne en raison de son patrimoine génétique est interdite.

Article 12. — Tests génétiques prédictifs

Il ne pourra être procédé à des tests prédictifs de maladies génétiques ou permettant soit d'identifier le sujet comme porteur d'un gène responsable d'une maladie soit de détecter une prédisposition ou une susceptibilité génétique à une maladie qu'à des fins médicales ou de recherche médicale, et sous réserve d'un conseil génétique approprié.

Article 13. — Interventions sur le génome humain

Une intervention ayant pour objet de modifier le génome humain ne peut être entreprise que pour des raisons préventives, diagnostiques ou thérapeutiques et seulement si elle n'a pas pour but d'introduire une modification dans le génome de la descendance.

Article 14. — Non-sélection du sexe

L'utilisation des techniques d'assistance médicale à la procréation n'est pas admise pour choisir le sexe de l'enfant à naître, sauf en vue d'éviter une maladie héréditaire grave liée au sexe.

Chapitre V — Recherche scientifique

Article 15. — Règle générale

La recherche scientifique dans le domaine de la biologie et de la médecine s'exerce librement sous réserve des dispositions de la présente Convention et des autres dispositions juridiques qui assurent la protection de l'être humain.

Article 16. — Protection des personnes se prêtant à une recherche

Aucune recherche ne peut être entreprise sur une personne à moins que les conditions suivantes ne soient réunies :

  i. il n'existe pas de méthode alternative à la recherche sur des êtres humains, d'efficacité comparable ;
  ii. les risques qui peuvent être encourus par la personne ne sont pas disproportionnés par rapport aux bénéfices potentiels de la recherche ;
  iii. le projet de recherche a été approuvé par l'instance compétente, après avoir fait l'objet d'un examen indépendant sur le plan de sa pertinence scientifique, y compris une évaluation de l'importance de l'objectif de la recherche, ainsi que d'un examen pluridisciplinaire de son acceptabilité sur le plan éthique ;
  iv. la personne se prêtant à une recherche est informée de ses droits et des garanties prévues par la loi pour sa protection ;
  v. le consentement visé à l'article 5 a été donné expressément, spécifiquement, et est consigné par écrit. Ce consentement peut, à tout moment, être librement retiré.

Article 17 — Protection des personnes qui n'ont pas la capacité de consentir à une recherche

1. Une recherche ne peut être entreprise sur une personne n'ayant pas, conformément à l'article 5, la capacité d'y consentir que si les conditions suivantes sont réunies :

  i. les conditions énoncées à l'article 16, alinéas i à iv, sont remplies ;
  ii. les résultats attendus de la recherche comportent un bénéfice réel et direct pour sa santé ;
  iii. la recherche ne peut s'effectuer avec une efficacité comparable sur des sujets capables d'y consentir ;
  iv. l'autorisation prévue à l'article 6 a été donnée spécifiquement et par écrit ;
  v. et la personne n'y oppose pas de refus.

2. À titre exceptionnel et dans les conditions de protection prévues par la loi, une recherche dont les résultats attendus ne comportent pas de bénéfice direct pour la santé de la personne peut être autorisée si les conditions énoncées aux alinéas i, iii, iv et v du paragraphe 1 ci-dessus ainsi que les conditions supplémentaires suivantes sont réunies :

    i. la recherche a pour objet de contribuer, par une amélioration significative de la connaissance scientifique de l'état de la personne, de sa maladie ou de son trouble, à l'obtention, à terme, de résultats permettant un bénéfice pour la personne concernée ou pour d'autres personnes dans la même catégorie d'âge ou souffrant de la même maladie ou trouble ou présentant les mêmes caractéristiques ;

    ii. la recherche ne présente pour la personne qu'un risque minimal et une contrainte minimale.

Article 18 — Recherche sur les embryons *in vitro*

1. Lorsque la recherche sur les embryons *in vitro* est admise par la loi, celle-ci assure une protection adéquate de l'embryon.

2. La constitution d'embryons humains aux fins de recherche est interdite.

Chapitre VI — Prélèvement d'organes et de tissus sur des donneurs vivants à des fins de transplantation

Article 19. — Règle générale

1. Le prélèvement d'organes ou de tissus aux fins de transplantation ne peut être effectué sur un donneur vivant que dans l'intérêt thérapeutique du receveur et lorsque l'on ne dispose pas d'organe ou de tissu appropriés d'une personne décédée ni de méthode thérapeutique alternative d'efficacité comparable.

2. Le consentement visé à l'article 5 doit avoir été donné expressément et spécifiquement, soit par écrit soit devant une instance officielle.

Article 20. — Protection des personnes qui n'ont pas la capacité de consentir au prélèvement d'organe

1. Aucun prélèvement d'organe ou de tissu ne peut être effectué sur une personne n'ayant pas la capacité de consentir conformément à l'article 5.

2. À titre exceptionnel et dans les conditions de protection prévues par la loi, le prélèvement de tissus régénérables sur une personne qui n'a pas la capacité de consentir peut être autorisé si les conditions suivantes sont réunies :

    i. on ne dispose pas d'un donneur compatible jouissant de la capacité de consentir ;

    ii. le receveur est un frère ou une sœur du donneur ;

    iii. le don doit être de nature à préserver la vie du receveur ;

iv. l'autorisation prévue aux paragraphes 2 et 3 de l'article 6 a été donnée spécifiquement et par écrit, selon la loi et en accord avec l'instance compétente ;

v. le donneur potentiel n'y oppose pas de refus.

Chapitre VII — Interdiction du profit et utilisation d'une partie du corps humain

Article 21. — Interdiction du profit

Le corps humain et ses parties ne doivent pas être, en tant que tels, source de profit.

Article 22. — Utilisation d'une partie du corps humain prélevée

Lorsqu'une partie du corps humain a été prélevée au cours d'une intervention, elle ne peut être conservée et utilisée dans un but autre que celui pour lequel elle a été prélevée que conformément aux procédures d'information et de consentement appropriées.

Chapitre VIII — Atteinte aux dispositions de la Convention

Article 23. — Atteinte aux droits ou principes

Les Parties assurent une protection juridictionnelle appropriée afin d'empêcher ou faire cesser à bref délai une atteinte illicite aux droits et principes reconnus dans la présente Convention.

Article 24. — Réparation d'un dommage injustifié

La personne ayant subi un dommage injustifié résultant d'une intervention a droit à une réparation équitable dans les conditions et selon les modalités prévues par la loi.

Article 25. — Sanctions

Les Parties prévoient des sanctions appropriées dans les cas de manquement aux dispositions de la présente Convention.

Chapitre IX — Relation de la présente Convention avec d'autres dispositions

Article 26. — Restrictions à l'exercice des droits

1. L'exercice des droits et les dispositions de protection contenus dans la présente Convention ne peuvent faire l'objet d'autres restrictions que celles qui, prévues par la loi, constituent des mesures nécessaires, dans une société démocratique, à la sûreté publique, à la prévention

des infractions pénales, à la protection de la santé publique ou à la protection des droits et libertés d'autrui.

2. Les restrictions visées à l'alinéa précédent ne peuvent être appliquées aux articles 11, 13, 14, 16, 17, 19, 20 et 21.

Article 27. — Protection plus étendue

Aucune des dispositions de la présente Convention ne sera interprétée comme limitant ou portant atteinte à la faculté pour chaque Partie d'accorder une protection plus étendue à l'égard des applications de la biologie et de la médecine que celle prévue par la présente Convention.

Chapitre X — Débat public

Article 28. — Débat public

Les Parties à la présente Convention veillent à ce que les questions fondamentales posées par les développements de la biologie et de la médecine fassent l'objet d'un débat public approprié à la lumière, en particulier, des implications médicales, sociales, économiques, éthiques et juridiques pertinentes, et que leurs possibles applications fassent l'objet de consultations appropriées.

Chapitre XI — Interprétation et suivi de la Convention

Article 29. — Interprétation de la Convention

La Cour européenne des Droits de l'Homme peut donner, en dehors de tout litige concret se déroulant devant une juridiction, des avis consultatifs sur des questions juridiques concernant l'interprétation de la présente Convention à la demande :

– du Gouvernement d'une Partie, après en avoir informé les autres Parties ;

– du Comité institué par l'article 32, dans sa composition restreinte aux Représentants des Parties à la présente Convention, par décision prise à la majorité des deux tiers des voix exprimées.

Article 30 — Rapports sur l'application de la Convention

Toute Partie fournira, sur demande du Secrétaire général du Conseil de l'Europe, les explications requises sur la manière dont son droit interne assure l'application effective de toutes les dispositions de cette Convention.

[...]

Déclaration sur les droits du patient (Association médicale mondiale, 1981, 1995)

Préambule.

[...] Dans le cadre de la recherche biomédicale portant sur des personnes humaines – y compris la recherche biomédicale non thérapeutique –, le sujet peut prétendre aux mêmes droits et à la même attention qu'un patient dans une situation thérapeutique normale.

- **1. Le droit à des soins médicaux de qualité.**
- **2. Le droit à la liberté de choix.**
- **3. Le droit de décision.**
- **4. Le patient inconscient.**
- **5. Le patient légalement incapable.**
- **6. L'emploi de méthodes contraires à la volonté du patient.**
- **7. Le droit à l'information.**

a — Le patient a le droit de recevoir l'information le concernant contenue dans le dossier médical et d'être pleinement informé sur son état de santé, y compris des données médicales se rapportant à son état. Cependant, les informations confidentielles concernant un tiers ne seront pas révélées sans le consentement de ce dernier.

b — Exceptionnellement, l'information pourra ne pas être communiquée au patient lorsqu'il y a de bonnes raisons de croire qu'elle constitue un danger pour sa vie et sa santé.

c — L'information doit être donnée de manière à respecter la culture locale et à être comprise par le patient.

d — Le patient a, sur sa demande expresse, le droit de ne pas être informé, à moins que la protection de la vie d'une autre personne l'exige.

e. — Le patient a, le cas échéant, le droit de choisir la personne qui devra être informée sur son sujet.

- **8. Le droit au secret professionnel.**
- **9. Le droit à l'information sur l'éducation à la santé.**
- **10. Le droit à la dignité.**

a — La dignité et le droit à la vie privée du patient, en matière de soins comme d'enseignement, seront à tout moment respectés. [...]

- **11. Le droit à l'assistance religieuse.**

Déclaration universelle sur la bioéthique et les droits de l'homme (UNESCO, 19 octobre 2005)

La Conférence générale,

Consciente de la capacité propre aux êtres humains de réfléchir à leur existence et à leur environnement, de ressentir l'injustice, d'éviter le danger, d'assumer des responsabilités, de rechercher la coopération et de faire montre d'un sens moral qui donne expression à des principes éthiques,

Considérant les progrès rapides des sciences et des technologies, qui influencent de plus en plus l'idée que nous avons de la vie et la vie elle-même, et suscitent donc une forte demande de réponse universelle à leurs enjeux éthiques,

Reconnaissant que les questions éthiques que posent les progrès rapides des sciences et leurs applications technologiques devraient être examinées compte dûment tenu de la dignité de la personne humaine et du respect universel et effectif des droits de l'homme et des libertés fondamentales,

Persuadée qu'il est nécessaire et qu'il est temps que la communauté internationale énonce des principes universels sur la base desquels l'humanité pourra répondre aux dilemmes et controverses de plus en plus nombreux que la science et la technologie suscitent pour l'humanité et l'environnement,

Rappelant la Déclaration universelle des droits de l'homme du 10 décembre 1948, la Déclaration universelle sur le génome humain et les droits de l'homme adoptée par la Conférence générale de l'UNESCO le 11 novembre 1997 et la Déclaration internationale sur les données génétiques humaines adoptée par la Conférence générale de l'UNESCO le 16 octobre 2003,

[...]

Rappelant l'Acte constitutif de l'UNESCO adopté le 16 novembre 1945,

Considérant que l'UNESCO a son rôle à jouer dans la mise en évidence de principes universels fondés sur des valeurs éthiques communes afin de guider le développement scientifique et technologique ainsi que les transformations sociales, en vue de recenser les défis qui se font jour dans le domaine de la science et de la technologie en tenant compte de la responsabilité des générations présentes envers les générations futures, et qu'il faudrait traiter les questions de bioéthique, qui ont nécessairement une dimension internationale, dans leur ensemble, en se nourrissant des principes déjà énoncés dans la Déclaration universelle sur le génome humain et les droits de l'homme et la Déclaration internationale sur les données génétiques humaines, et en tenant compte non seulement du contexte scientifique actuel mais aussi des perspectives à venir,

Consciente que les êtres humains font partie intégrante de la biosphère et qu'ils ont un rôle important à jouer en se protégeant les uns les autres et en protégeant les autres formes de vie, en particulier les animaux,

Reconnaissant que, fondés sur la liberté de la science et de la recherche, les progrès des sciences et des technologies ont été, et peuvent être, à l'origine de grands bienfaits pour l'humanité, notamment en augmentant l'espérance de vie et en améliorant la qualité de la vie, et *soulignant* que ces progrès devraient toujours tendre à promouvoir le bien-être des individus, des familles, des groupes ou communautés et de l'humanité dans son ensemble, dans la reconnaissance de la dignité de la personne humaine et dans le respect universel et effectif des droits de l'homme et des libertés fondamentales,

Reconnaissant que la santé ne dépend pas uniquement des progrès de la recherche scientifique et technologique, mais également de facteurs psycho-sociaux et culturels,

Reconnaissant aussi que les décisions portant sur les questions éthiques que posent la médecine, les sciences de la vie et les technologies qui leur sont associées peuvent avoir un impact sur les individus, les familles, les groupes ou communautés et sur l'humanité tout entière,

Ayant à l'esprit que la diversité culturelle, source d'échanges, d'innovation et de créativité, est nécessaire à l'humanité et, en ce sens, constitue le patri-moine commun de l'humanité, mais *soulignant* qu'elle ne peut être invoquée aux dépens des droits de l'homme et des libertés fondamentales,

Ayant également à l'esprit que l'identité de la personne a des dimensions biologiques, psychologiques, sociales, culturelles et spirituelles,

Reconnaissant que des comportements scientifiques et technologiques contraires à l'éthique ont eu un impact particulier sur des communautés autochtones et locales,

Convaincue que la sensibilité morale et la réflexion éthique devraient faire partie intégrante du processus de développement scientifique et technolo-gique et que la bioéthique devrait jouer un rôle capital dans les choix qu'il convient de faire, face aux problèmes qu'entraîne ce développement,

Considérant qu'il est souhaitable de développer de nouvelles approches de la responsabilité sociale pour faire en sorte que le progrès scientifique et technologique aille dans le sens de la justice, de l'équité et de l'intérêt de l'humanité,

Reconnaissant qu'un moyen important de prendre la mesure des réalités sociales et de parvenir à l'équité est de prêter attention à la situation des femmes,

Soulignant la nécessité de renforcer la coopération internationale dans le domaine de la bioéthique, en tenant particulièrement compte des besoins spécifiques des pays en développement, des communautés autochtones et des populations vulnérables,

Considérant que tous les êtres humains, sans distinction, devraient bénéficier des mêmes normes éthiques élevées dans le domaine de la médecine et de la recherche en sciences de la vie,

Proclame les principes qui suivent et adopte la présente Déclaration.

Dispositions générales

Article premier. — Portée

1. La présente Déclaration traite des questions d'éthique posées par la médecine, les sciences de la vie et les technologies qui leur sont associées, appliquées aux êtres humains, en tenant compte de leurs dimensions sociale, juridique et environnementale.

2. La présente Déclaration s'adresse aux États. Elle permet aussi, dans la mesure appropriée et pertinente, de guider les décisions ou pratiques des individus, des groupes, des communautés, des institutions et des sociétés, publiques et privées.

Article 2. — Objectifs

La présente Déclaration a pour objectifs :

(a) d'offrir un cadre universel de principes et de procédures pour guider les États dans la formulation de leur législation, de leurs politiques ou d'autres instruments en matière de bioéthique ;

(b) de guider les actions des individus, des groupes, des communautés, des institutions et des sociétés, publiques et privées ;

(c) de contribuer au respect de la dignité humaine et de protéger les droits de l'homme, en assurant le respect de la vie des êtres humains, et les libertés fondamentales, d'une manière compatible avec le droit international des droits de l'homme ;

(d) de reconnaître l'importance de la liberté de la recherche scientifique et des bienfaits découlant des progrès des sciences et des technologies, tout en insistant sur la nécessité pour cette recherche et ces progrès de s'inscrire dans le cadre des principes éthiques énoncés dans la présente

Déclaration et de respecter la dignité humaine, les droits de l'homme et les libertés fondamentales ;

(e) d'encourager un dialogue pluridisciplinaire et pluraliste sur les questions de bioéthique entre toutes les parties intéressées et au sein de la société dans son ensemble ;

(f) de promouvoir un accès équitable aux progrès de la médecine, des sciences et des technologies, ainsi que la plus large circulation possible et un partage rapide des connaissances concernant ces progrès et le partage des bienfaits qui en découlent, en accordant une attention particulière aux besoins des pays en développement ;

(g) de sauvegarder et défendre les intérêts des générations présentes et futures ;

(h) de souligner l'importance de la biodiversité et de sa préservation en tant que préoccupation commune à l'humanité.

Principes

À l'intérieur du champ d'application de la présente Déclaration, les principes ci-après doivent être respectés par ceux à qui elle s'adresse, dans les décisions qu'ils prennent ou dans les pratiques qu'ils mettent en œuvre.

Article 3. — Dignité humaine et droits de l'homme

1. La dignité humaine, les droits de l'homme et les libertés fondamentales doivent être pleinement respectés.

2. Les intérêts et le bien-être de l'individu devraient l'emporter sur le seul intérêt de la science ou de la société.

Article 4. — Effets bénéfiques et effets nocifs

Dans l'application et l'avancement des connaissances scientifiques, de la pratique médicale et des technologies qui leur sont associées, les effets bénéfiques directs et indirects pour les patients, les participants à des recherches et les autres individus concernés, devraient être maximisés et tout effet nocif susceptible d'affecter ces individus devrait être réduit au minimum.

Article 5. — Autonomie et responsabilité individuelle

L'autonomie des personnes pour ce qui est de prendre des décisions, tout en en assumant la responsabilité et en respectant l'autonomie d'autrui, doit être respectée. Pour les personnes incapables d'exercer leur autonomie, des mesures particulières doivent être prises pour protéger leurs droits et intérêts.

Article 6. — Consentement

1. Toute intervention médicale de caractère préventif, diagnostique ou thérapeutique ne doit être mise en œuvre qu'avec le consentement préalable, libre et éclairé de la personne concernée, fondé sur des informations suffisantes. Le cas échéant, le consentement devrait être exprès et la personne concernée peut le retirer à tout moment et pour toute raison sans qu'il en résulte pour elle aucun désavantage ni préjudice.

2. Des recherches scientifiques ne devraient être menées qu'avec le consentement préalable, libre, exprès et éclairé de la personne concernée. L'information devrait être suffisante, fournie sous une forme compréhensible et indiquer les modalités de retrait du consentement. La personne concernée peut retirer son consentement à tout moment et pour toute raison sans qu'il en résulte pour elle aucun désavantage ni préjudice. Des exceptions à ce principe devraient n'être faites qu'en accord avec les normes éthiques et juridiques adoptées par les États et être compatibles avec les principes et dispositions énoncés dans la présente Déclaration, en particulier à l'article 27, et avec le droit international des droits de l'homme.

3. Dans les cas pertinents de recherches menées sur un groupe de personnes ou une communauté, l'accord des représentants légaux du groupe ou de la communauté concerné peut devoir aussi être sollicité. En aucun cas, l'accord collectif ou le consentement d'un dirigeant de la communauté ou d'une autre autorité ne devrait se substituer au consentement éclairé de l'individu.

Article 7. — Personnes incapables d'exprimer leur consentement

En conformité avec le droit interne, une protection spéciale doit être accordée aux personnes qui sont incapables d'exprimer leur consentement :

(a) l'autorisation d'une recherche ou d'une pratique médicale devrait être obtenue conformément à l'intérêt supérieur de la personne concernée et au droit interne. Cependant, la personne concernée devrait être associée dans toute la mesure du possible au processus de décision conduisant au consentement ainsi qu'à celui conduisant à son retrait ;

(b) une recherche ne devrait être menée qu'au bénéfice direct de la santé de la personne concernée, sous réserve des autorisations et des mesures de protection prescrites par la loi et s'il n'y a pas d'autre option de recherche d'efficacité comparable faisant appel à des participants capables d'exprimer leur consentement. Une recherche ne permettant pas d'escompter un bénéfice direct pour la santé ne devrait être entreprise qu'à titre exceptionnel, avec la plus grande retenue, en veillant à n'exposer la personne qu'à un risque et une contrainte minimum et si cette recherche est effectuée dans l'intérêt de la santé d'autres personnes appartenant à la même catégorie, et sous réserve qu'elle se fasse dans les conditions prévues par la loi et soit compatible avec la protection des droits individuels de la personne concernée. Le refus de ces personnes de participer à la recherche devrait être respecté.

Article 8. — Respect de la vulnérabilité humaine et de l'intégrité personnelle

Dans l'application et l'avancement des connaissances scientifiques, de la pratique médicale et des technologies qui leur sont associées, la vulnérabilité humaine devrait être prise en compte. Les individus et les groupes particulièrement vulnérables devraient être protégés et l'intégrité personnelle des individus concernés devrait être respectée.

Article 9 — Vie privée et confidentialité

La vie privée des personnes concernées et la confidentialité des informations les touchant personnellement devraient être respectées. Dans toute la mesure du possible, ces informations ne devraient pas être utilisées ou diffusées à des fins autres que celles pour lesquelles elles ont été collectées ou pour lesquelles un consentement a été donné, en conformité avec le droit international, et notamment avec le droit international des droits de l'homme.

Article 10. — Égalité, justice et équité

L'égalité fondamentale de tous les êtres humains en dignité et en droit doit être respectée de manière à ce qu'ils soient traités de façon juste et équitable.

Article 11. — Non-discrimination et non-stigmatisation

Aucun individu ou groupe ne devrait être soumis, en violation de la dignité humaine, des droits de l'homme et des libertés fondamentales, à une discrimination ou à une stigmatisation pour quelque motif que ce soit.

Article 12. — Respect de la diversité culturelle et du pluralisme

Il devrait être tenu dûment compte de l'importance de la diversité culturelle et du pluralisme. Toutefois, ces considérations ne doivent pas être invoquées pour porter atteinte à la dignité humaine, aux droits de l'homme et aux libertés fondamentales ou aux principes énoncés dans la présente Déclaration, ni pour en limiter la portée.

Article 13. — Solidarité et coopération

La solidarité entre les êtres humains ainsi que la coopération internationale à cette fin doivent être encouragées.

Article 14. — Responsabilité sociale et santé

1. La promotion de la santé et du développement social au bénéfice de leurs peuples est un objectif fondamental des gouvernements que partagent tous les secteurs de la société.

2. Compte tenu du fait que la possession du meilleur état de santé qu'il est capable d'atteindre constitue l'un des droits fondamentaux de tout être humain, quelles que soient sa race, sa religion, ses opinions politiques ou sa condition économique ou sociale, le progrès des sciences et des technologies devrait favoriser :

    (a) l'accès à des soins de santé de qualité et aux médicaments essentiels, notamment dans l'intérêt de la santé des femmes et des enfants, car la santé est essentielle à la vie même et doit être considérée comme un bien social et humain ;

    (b) l'accès à une alimentation et à une eau adéquates ;

    (c) l'amélioration des conditions de vie et de l'environnement ;

    (d) l'élimination de la marginalisation et de l'exclusion fondées sur quelque motif que ce soit ;

    (e) la réduction de la pauvreté et de l'analphabétisme.

Article 15. — Partage des bienfaits

1. Les bienfaits résultant de toute recherche scientifique et de ses applications devraient être partagés avec la société dans son ensemble ainsi qu'au sein de la communauté internationale, en particulier avec les pays en développement. Aux fins de donner effet à ce principe, ces bienfaits peuvent prendre les formes suivantes :

    (a) assistance spéciale et durable et expression de reconnaissance aux personnes et groupes ayant participé à la recherche ;

    (b) accès à des soins de santé de qualité ;

    (c) fourniture de nouveaux produits et moyens thérapeutiques ou diagnostiques, issus de la recherche ;

    (d) soutien aux services de santé ;

    (e) accès aux connaissances scientifiques et technologiques ;

    (f) installations et services destinés à renforcer les capacités de recherche ;

    (g) autres formes de bienfaits compatibles avec les principes énoncés dans la présente Déclaration.

2. Les bienfaits ne devraient pas constituer des incitations inappropriées à participer à la recherche.

Article 16. — Protection des générations futures

L'incidence des sciences de la vie sur les générations futures, y compris sur leur constitution génétique, devrait être dûment prise en considération.

Article 17. — Protection de l'environnement, de la biosphère et de la biodiversité

Il convient de prendre dûment en considération l'interaction entre les êtres humains et les autres formes de vie, de même que l'importance d'un accès approprié aux ressources biologiques et génétiques et d'une utilisation appropriée de ces ressources, le respect des savoirs traditionnels, ainsi que le rôle des êtres humains dans la protection de l'environnement, de la biosphère et de la biodiversité.

Application des principes

Article 18. — Prise de décisions et traitement des questions de bioéthique

1. Le professionnalisme, l'honnêteté, l'intégrité et la transparence dans la prise de décisions devraient être encouragés, en particulier la déclaration de tout conflit d'intérêts et un partage approprié des connaissances. Tout devrait être fait pour utiliser les meilleures connaissances scientifiques et méthodologies disponibles en vue du traitement et de l'examen périodique des questions de bioéthique.

2. Un dialogue devrait être engagé de manière régulière entre les personnes et les professionnels concernés ainsi que la société dans son ensemble.

3. Des possibilités de débat public pluraliste et éclairé, permettant l'expression de toutes les opinions pertinentes, devraient être favorisées.

Article 19. — Comités d'éthique

Des comités d'éthique indépendants, pluridisciplinaires et pluralistes devraient être mis en place, encouragés et soutenus, au niveau approprié, pour :

a) évaluer les problèmes éthiques, juridiques, scientifiques et sociaux pertinents relatifs aux projets de recherche concernant des êtres humains ;

b) fournir des avis sur les problèmes éthiques qui se posent dans des contextes cliniques ;

c) évaluer les progrès scientifiques et technologiques, formuler des recommandations et contribuer à l'élaboration de principes directeurs sur les questions relevant de la présente Déclaration ;

d) favoriser le débat, l'éducation ainsi que la sensibilisation et la mobilisation du public en matière de bioéthique.

Article 20. — Évaluation et gestion des risques

Il conviendrait de promouvoir une gestion appropriée et une évaluation adéquate des risques relatifs à la médecine, aux sciences de la vie et aux technologies qui leur sont associées.

Article 21. — Pratiques transnationales

1. Les États, les institutions publiques et privées et les professionnels associés aux activités transnationales devraient s'employer à faire en sorte que toute activité relevant de la présente Déclaration, entreprise, financée ou menée d'une autre façon, en totalité ou en partie, dans différents États, soit compatible avec les principes énoncés dans la présente Déclaration.

2. Lorsqu'une activité de recherche est entreprise ou menée d'une autre façon dans un ou plusieurs États (État (s) hôte (s)) et financée par des ressources provenant d'un autre État, cette activité de recherche devrait faire l'objet d'un examen éthique d'un niveau approprié dans l'État hôte et dans l'État dans lequel la source de financement est située. Cet examen devrait être fondé sur des normes éthiques et juridiques compatibles avec les principes énoncés dans la présente Déclaration.

3. La recherche transnationale en matière de santé devrait répondre aux besoins des pays hôtes et il faudrait reconnaître qu'il importe que la recherche contribue à soulager les problèmes de santé urgents dans le monde.

4. Lors de la négociation d'un accord de recherche, les conditions de la collaboration et l'accord sur les bienfaits de la recherche devraient être établis avec une participation égale des parties à la négociation.

5. Les États devraient prendre des mesures appropriées, aux niveaux tant national qu'international, pour combattre le bioterrorisme et le trafic illicite d'organes, de tissus, d'échantillons et de ressources et matériels génétiques.

[...]

Code de déontologie médicale

Mentionné dans le Code de la santé publique sous les numéros R.4127-1 à R.4127-112 (mise à jour du 14 décembre 2006).

Extraits

TITRE I

Devoirs généraux des médecins

Art. 2 (art. R.4127-2 du Code de la santé publique)

Le médecin, au service de l'individu et de la santé publique, exerce sa mission dans le respect de la vie humaine, de la personne et de sa dignité.

Le respect dû à la personne ne cesse pas de s'imposer après la mort.

Art. 3 (art. R.4127-3 du Code de la santé publique)

Le médecin doit, en toutes circonstances, respecter les principes de moralité, de probité et de dévouement indispensables à l'exercice de la médecine.

Art. 4 (art. R.4127-4 du Code de la santé publique)

Le secret professionnel, institué dans l'intérêt des patients, s'impose à tout médecin dans les conditions établies par la loi. Le secret couvre tout ce qui est venu à la connaissance du médecin dans l'exercice de sa profession, c'est-à-dire non seulement ce qui lui a été confié, mais aussi ce qu'il a vu, entendu ou compris.

Art. 5 (art. R.4127-5 du Code de la santé publique)

Le médecin ne peut aliéner son indépendance professionnelle sous quelque forme que ce soit.

Art. 6 (art. R.4127-6 du Code de la santé publique)

Le médecin doit respecter le droit que possède toute personne de choisir librement son médecin. Il doit lui faciliter l'exercice de ce droit.

Art. 7 (art. R.4127-7 du Code de la santé publique)

Le médecin doit écouter, examiner, conseiller ou soigner avec la même conscience toutes les personnes quels que soient leur origine, leurs mœurs et leur situation de famille, leur appartenance ou leur non-appartenance à une ethnie, une nation ou une religion déterminée, leur handicap ou leur état de santé, leur réputation ou les sentiments qu'il peut éprouver à leur égard. Il doit leur apporter son concours en toutes circonstances. Il ne doit jamais se départir d'une attitude correcte et attentive envers la personne examinée.

Art. 8 (art. R.4127-8 du Code de la santé publique)

Dans les limites fixées par la loi, le médecin est libre de ses prescriptions qui seront celles qu'il estime les plus appropriées en la circonstance. Il doit, sans négliger son devoir d'assistance morale, limiter ses prescriptions et ses actes à ce qui est nécessaire à la qualité, à la sécurité et à l'efficacité des soins. Il doit tenir compte des avantages, des inconvénients et des conséquences des différentes investigations et thérapeutiques possibles.

Art. 9 (art. R.4127-9 du Code de la santé publique)

Tout médecin qui se trouve en présence d'un malade ou d'un blessé en péril ou, informé qu'un malade ou un blessé est en péril, doit lui porter assistance ou s'assurer qu'il reçoit les soins nécessaires.

Art. 10 (art. R.4127-10 du Code de la santé publique)

Un médecin amené à examiner une personne privée de liberté ou à lui donner des soins ne peut, directement ou indirectement, serait-ce par sa seule présence, favoriser ou cautionner une atteinte à l'intégrité physique ou mentale de cette personne ou à sa dignité. S'il constate que cette personne a subi des sévices ou des mauvais traitements, il doit, sous réserve de l'accord de l'intéressé, en informer l'autorité judiciaire. Toutefois, s'il s'agit des personnes mentionnées au deuxième alinéa de l'article 44, l'accord des intéressés n'est pas nécessaire.

Art. 11 (art. R.4127-11 du Code de la santé publique)

Tout médecin doit entretenir et perfectionner ses connaissances ; il doit prendre toutes dispositions nécessaires pour participer à des actions de formation continue. Tout médecin participe à l'évaluation des pratiques professionnelles.

Art. 12 (art. R.4127-12 du Code de la santé publique)

Le médecin doit apporter son concours à l'action entreprise par les autorités compétentes en vue de la protection de la santé et de l'éducation sanitaire. La collecte, l'enregistrement, le traitement et la transmission d'informations nominatives ou indirectement nominatives sont autorisés dans les conditions prévues par la loi.

Art. 13 (art. R.4127-13 du Code de la santé publique)

Lorsque le médecin participe à une action d'information du public de caractère éducatif et sanitaire, quel qu'en soit le moyen de diffusion, il doit ne faire état que de données confirmées, faire preuve de prudence et avoir le souci des répercussions de ses propos auprès du public. Il doit se garder à cette occasion de toute attitude publicitaire, soit personnelle, soit en faveur des organismes où il exerce ou auxquels il prête son concours, soit en faveur d'une cause qui ne soit pas d'intérêt général.

Art. 14 (art. R.4127-14 du Code de la santé publique)

Les médecins ne doivent pas divulguer dans les milieux médicaux un procédé nouveau de diagnostic ou de traitement insuffisamment éprouvé sans accompagner leur communication des réserves qui s'imposent. Ils ne doivent pas faire une telle divulgation dans le public non médical.

Art. 15 (art. R.4127-15 du Code de la santé publique)

Le médecin ne peut participer à des recherches biomédicales sur les personnes que dans les conditions prévues par la loi ; il doit s'assurer de la régularité et de la pertinence de ces recherches ainsi que de l'objectivité de leurs conclusions. Le médecin traitant qui participe à une recherche biomédicale en tant qu'investigateur doit veiller à ce que la réalisation de l'étude n'altère ni la relation de confiance qui le lie au patient ni la continuité des soins.

Art. 16 (art. R.4127-16 du Code de la santé publique)

La collecte de sang ainsi que les prélèvements d'organes, de tissus, de cellules ou d'autres produits du corps humain sur la personne vivante ou décédée ne peuvent être pratiqués que dans les cas et les conditions définis par la loi.

Art. 17 (art. R.4127-17 du Code de la santé publique)

Le médecin ne peut pratiquer un acte d'assistance médicale à la procréation que dans les cas et les conditions prévus par la loi.

Art. 18 (art. R.4127-18 du Code de la santé publique)

Un médecin ne peut pratiquer une interruption volontaire de grossesse que dans les cas et les conditions prévus par la loi ; il est toujours libre de s'y refuser et doit en informer l'intéressée dans les conditions et délais prévus par la loi.

[...]

TITRE II

Devoirs envers les patients

Art. 32 (art. R.4127-32 du Code de la santé publique)

Dès lors qu'il a accepté de répondre à une demande, le médecin s'engage à assurer personnellement au patient des soins consciencieux, dévoués et fondés sur les données acquises de la science, en faisant appel, s'il y a lieu, à l'aide de tiers compétents.

Art. 33 (art. R.4127-33 du Code de la santé publique)

Le médecin doit toujours élaborer son diagnostic avec le plus grand soin, en y consacrant le temps nécessaire, en s'aidant dans toute la mesure du possible des méthodes scientifiques les mieux adaptées et, s'il y a lieu, de concours appropriés.

Art. 34 (art. R.4127-34 du Code de la santé publique)

Le médecin doit formuler ses prescriptions avec toute la clarté indispensable, veiller à leur compréhension par le patient et son entourage et s'efforcer d'en obtenir la bonne exécution.

Art. 35 (art. R.4127-35 du Code de la santé publique)

Le médecin doit à la personne qu'il examine, qu'il soigne ou qu'il conseille une information loyale, claire et appropriée sur son état, les investigations et les soins qu'il lui propose. Tout au long de la maladie, il tient compte de la personnalité du patient dans ses explications et veille à leur compréhension.

Toutefois, sous réserve des dispositions de l'article L. 1111-7, dans l'intérêt du malade et pour des raisons légitimes que le praticien apprécie en conscience, un malade peut être tenu dans l'ignorance d'un diagnostic ou d'un pronostic graves, sauf dans les cas où l'affection dont il est atteint expose les tiers à un risque de contamination. Un pronostic fatal ne doit être révélé qu'avec circonspection, mais les proches doivent en être prévenus, sauf exception ou si le malade a préalablement interdit cette révélation ou désigné les tiers auxquels elle doit être faite.

Art. 36 (art. R.4127-36 du Code de la santé publique)

Le consentement de la personne examinée ou soignée doit être recherché dans tous les cas. Lorsque le malade, en état d'exprimer sa volonté, refuse les investigations ou le traitement proposés, le médecin doit respecter ce refus après avoir informé le malade de ses conséquences. Si le malade est hors d'état d'exprimer sa volonté, le médecin ne peut intervenir sans que ses proches aient été prévenus et informés, sauf urgence ou impossibilité. Les obligations du médecin à l'égard du patient lorsque celui-ci est un mineur ou un majeur protégé sont définies à l'article 42.

Art. 37 (art. R.4127-37 du Code de la santé publique)

— En toutes circonstances, le médecin doit s'efforcer de soulager les souffrances du malade par des moyens appropriés à son état et l'assister moralement. Il doit s'abstenir de toute obstination déraisonnable dans les investigations ou la thérapeutique et peut renoncer à entreprendre ou poursuivre des traitements qui apparaissent inutiles, disproportionnés ou qui n'ont d'autre objet ou effet que le maintien artificiel de la vie.

— Dans les cas prévus aux articles L. 1111-4 et L. 1111-13, lorsque le patient est hors d'état d'exprimer sa volonté, le médecin ne peut décider de limiter ou d'arrêter les traitements dispensés sans avoir préalablement mis en œuvre une procédure collégiale dans les conditions suivantes :

La décision est prise par le médecin en charge du patient, après concertation avec l'équipe de soins si elle existe et sur l'avis motivé d'au moins un médecin, appelé en qualité de consultant. Il ne doit exister aucun lien de nature hiérarchique entre le médecin en charge du patient et le consultant. L'avis motivé d'un deuxième consultant est demandé par ces médecins si l'un d'eux l'estime utile.

La décision prend en compte les souhaits que le patient aurait antérieurement exprimés, en particulier dans des directives anticipées, s'il en a rédigé, l'avis de la personne de confiance qu'il aurait désignée ainsi que celui de la famille ou, à défaut, celui d'un de ses proches.

Lorsque la décision concerne un mineur ou un majeur protégé, le médecin recueille en outre, selon les cas, l'avis des titulaires de l'autorité parentale ou du tuteur, hormis les situations où l'urgence rend impossible cette consultation.

La décision est motivée. Les avis recueillis, la nature et le sens des concertations qui ont eu lieu au sein de l'équipe de soins ainsi que les motifs de la décision sont inscrits dans le dossier du patient.

Art. 38 (art. R.4127-38 du Code de la santé publique)

Le médecin doit accompagner le mourant jusqu'à ses derniers moments, assurer par des soins et mesures appropriés la qualité d'une vie qui prend fin, sauvegarder la dignité du malade et réconforter son entourage. Il n'a pas le droit de provoquer délibérément la mort.

Art. 39 (art. R.4127-39 du Code de la santé publique)

Les médecins ne peuvent proposer aux malades ou à leur entourage comme salutaire ou sans danger un remède ou un procédé illusoire ou insuffisamment éprouvé. Toute pratique de charlatanisme est interdite.

Art. 40 (art. R.4127-40 du Code de la santé publique)

Le médecin doit s'interdire, dans les investigations et interventions qu'il pratique comme dans les thérapeutiques qu'il prescrit, de faire courir au patient un risque injustifié.

Art. 41 (art. R.4127-41 du Code de la santé publique)

Aucune intervention mutilante ne peut être pratiquée sans motif médical très sérieux et, sauf urgence ou impossibilité, sans information de l'intéressé et sans son consentement.

Art. 42 (art. R.4127-42 du Code de la santé publique)

Un médecin appelé à donner des soins à un mineur ou à un majeur protégé doit s'efforcer de prévenir ses parents ou son représentant légal et d'obtenir leur consentement. En cas d'urgence, même si ceux-ci ne peuvent être joints, le médecin doit donner les soins nécessaires. Si l'avis de l'intéressé peut être recueilli, le médecin doit en tenir compte dans toute la mesure du possible.

Art. 43 (art. R.4127-43 du Code de la santé publique)

Le médecin doit être le défenseur de l'enfant lorsqu'il estime que l'intérêt de sa santé est mal compris ou mal préservé par son entourage.

Art. 44 (art. R.4127-44 du Code de la santé publique)

Lorsqu'un médecin discerne qu'une personne auprès de laquelle il est appelé est victime de sévices ou de privations, il doit mettre en œuvre les moyens les plus adéquats pour la protéger en faisant preuve de prudence et de circonspection. S'il s'agit d'un mineur de quinze ans ou d'une personne qui n'est pas en mesure de se protéger en raison de son âge ou de son état physique ou psychique, il doit, sauf circonstances particulières qu'il apprécie en conscience, alerter les autorités judiciaires, médicales ou administratives.

Art. 45 (art. R.4127-45 du Code de la santé publique)

Indépendamment du dossier de suivi médical prévu par la loi, le médecin doit tenir pour chaque patient une fiche d'observation qui lui est person-nelle ; cette fiche est confidentielle et comporte les éléments actualisés, nécessaires aux décisions diagnostiques et thérapeutiques. Dans tous les cas, ces documents sont conservés sous la responsabilité du médecin. Tout médecin doit, à la demande du patient ou avec son consentement, transmettre aux médecins qui participent à sa prise en charge ou à ceux qu'il entend consulter, les informations et documents utiles à la continuité des soins. Il en va de même lorsque le patient porte son choix sur un autre médecin traitant.

Art. 46 (art. R.4127-46 du Code de la santé publique)

Lorsque la loi prévoit qu'un patient peut avoir accès à son dossier par l'inter-médiaire d'un médecin, celui-ci doit remplir cette mission d'intermédiaire en tenant compte des seuls intérêts du patient et se récuser si les siens sont en jeu.

Art. 47 (art. R.4127-47 du Code de la santé publique)

Quelles que soient les circonstances, la continuité des soins aux malades doit être assurée. Hors le cas d'urgence et celui où il manquerait à ses devoirs d'humanité, un médecin a le droit de refuser ses soins pour des raisons professionnelles ou personnelles. S'il se dégage de sa mission, il doit alors en avertir le patient et transmettre au médecin désigné par celui-ci les informa-tions utiles à la poursuite des soins.

Art. 48 (art. R.4127-48 du Code de la santé publique)

Le médecin ne peut pas abandonner ses malades en cas de danger public, sauf sur ordre formel donné par une autorité qualifiée, conformément à la loi.

[...]

Index

Imprimé en France par EPAC Technologies
N° d'impression : 4550414301521
Dépôt légal : août 2015